麻生太吉日記

第四巻

麻生太吉日記編纂委員会［編］

九州大学出版会

題字：麻生太吉

九州産業鉄道本社（福岡県田川郡後藤寺町弓削田）

九州産業セメント工場全景（田川郡船尾山麓）

建設途上のセメント工場視察の麻生太吉（1933年夏）

麻生商店事務所（1897 年設立，飯塚・栢の森）

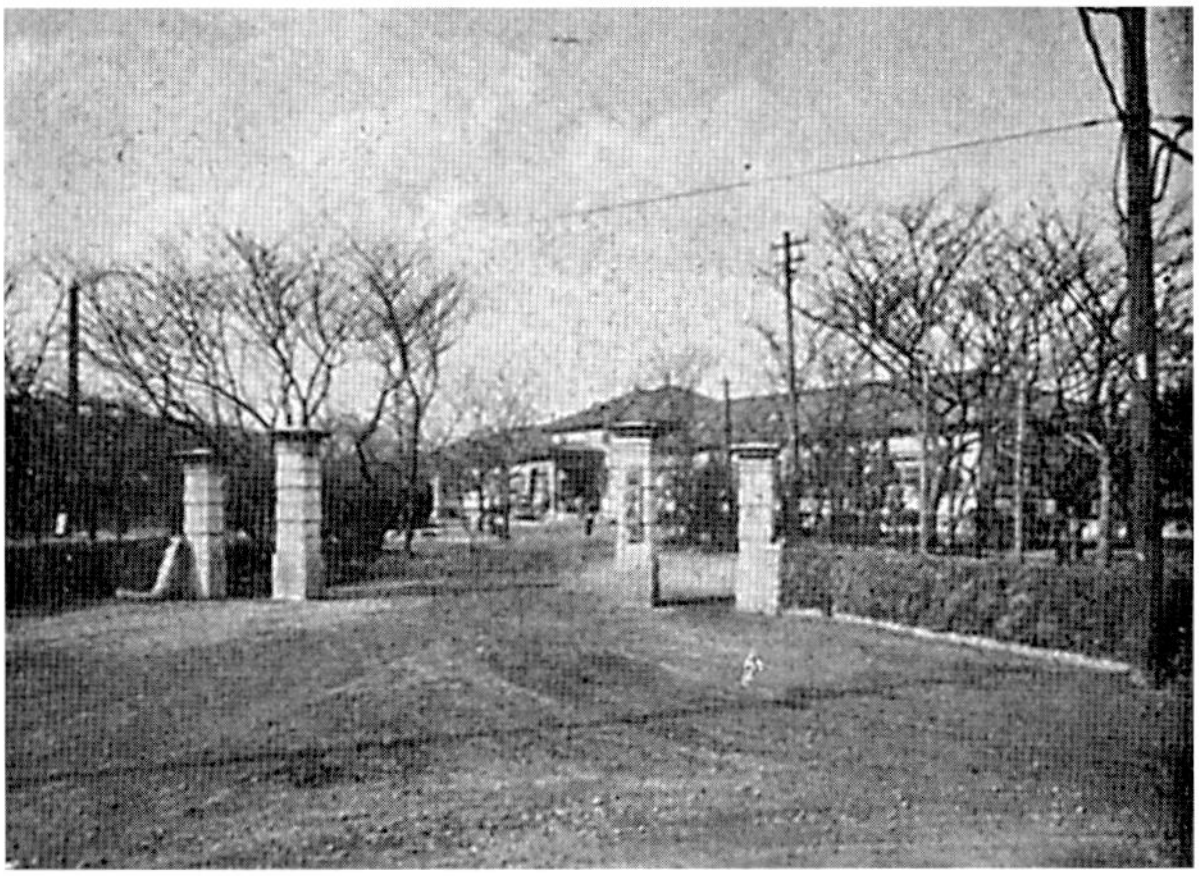

飯塚病院全景（1921 年頃）

飯塚病院（1935 年頃）

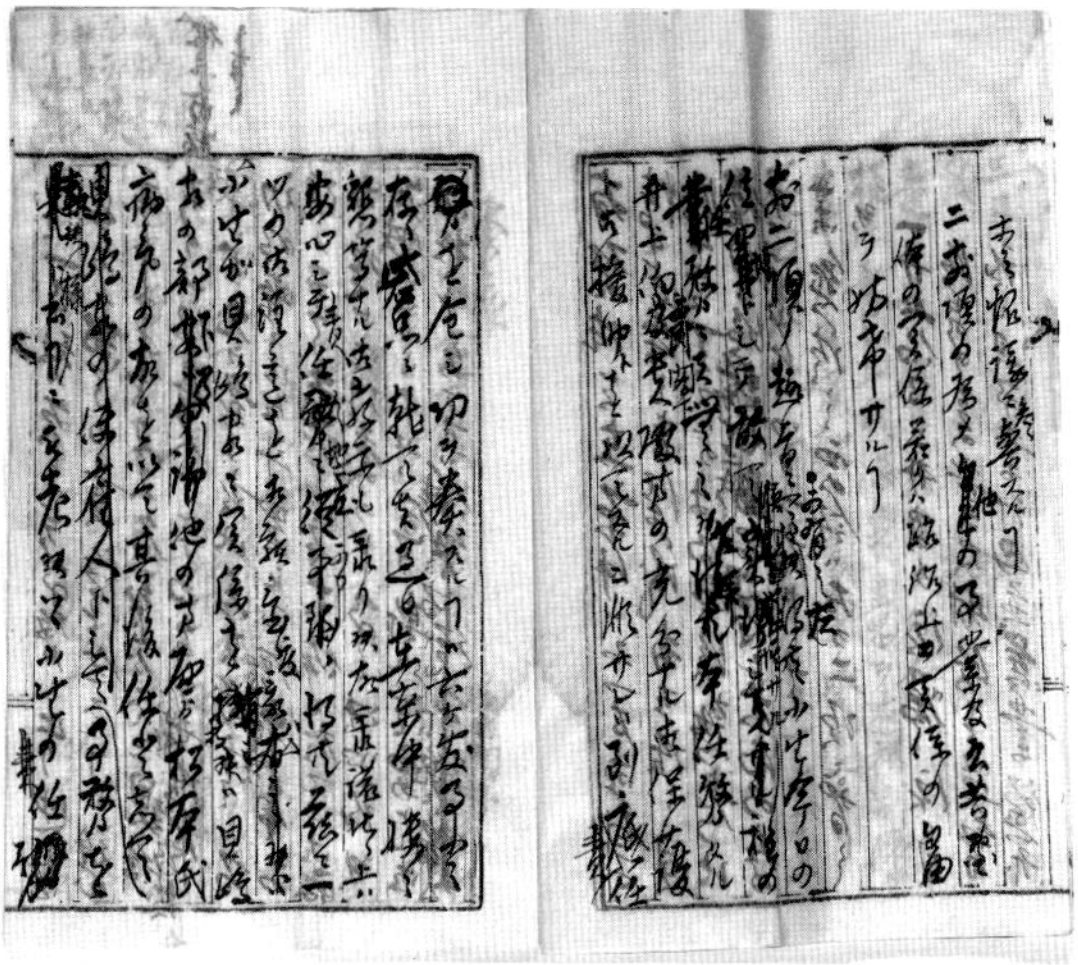

〈明治三十八年二月廿四日以降談判顛末〉表紙
（永江文書，九州歴史資料館提供）

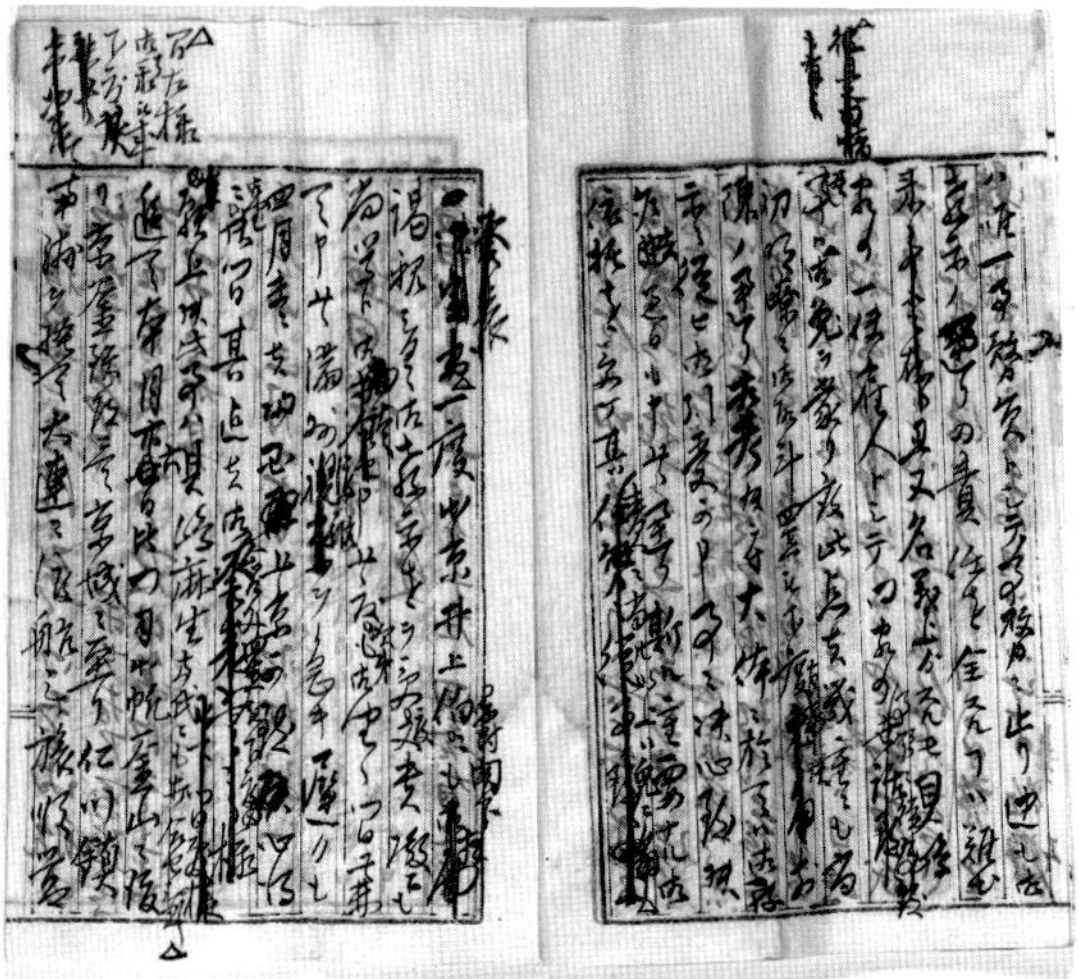

〈明治三十八年二月廿四日以降談判顛末〉益田孝宛書簡草稿部分

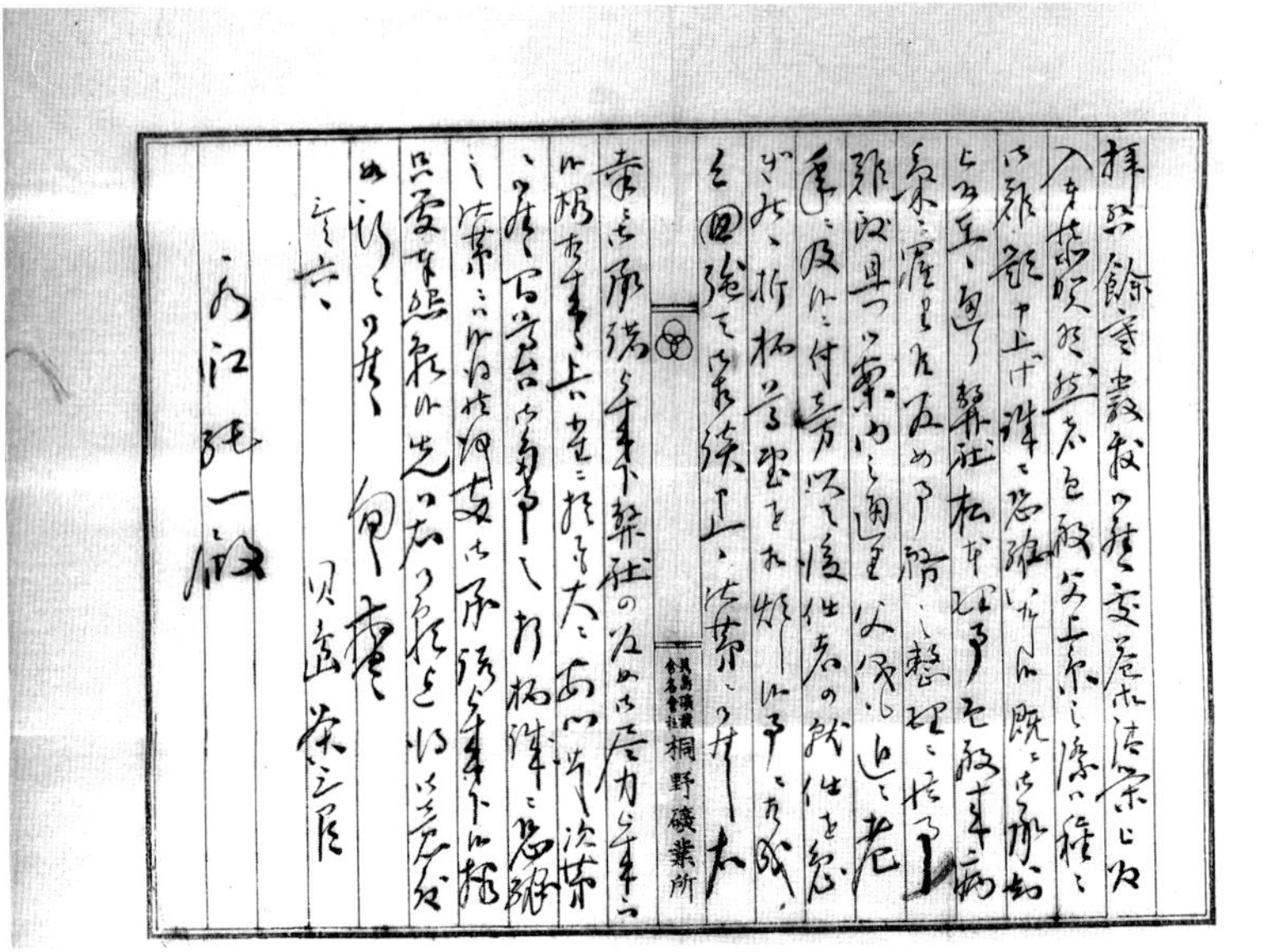

貝島栄三郎　永江純一宛書簡「松本理事病気代役として」
（1905〔明治 38〕年 3 月 6 日，永江文書，九州歴史資料館提供）

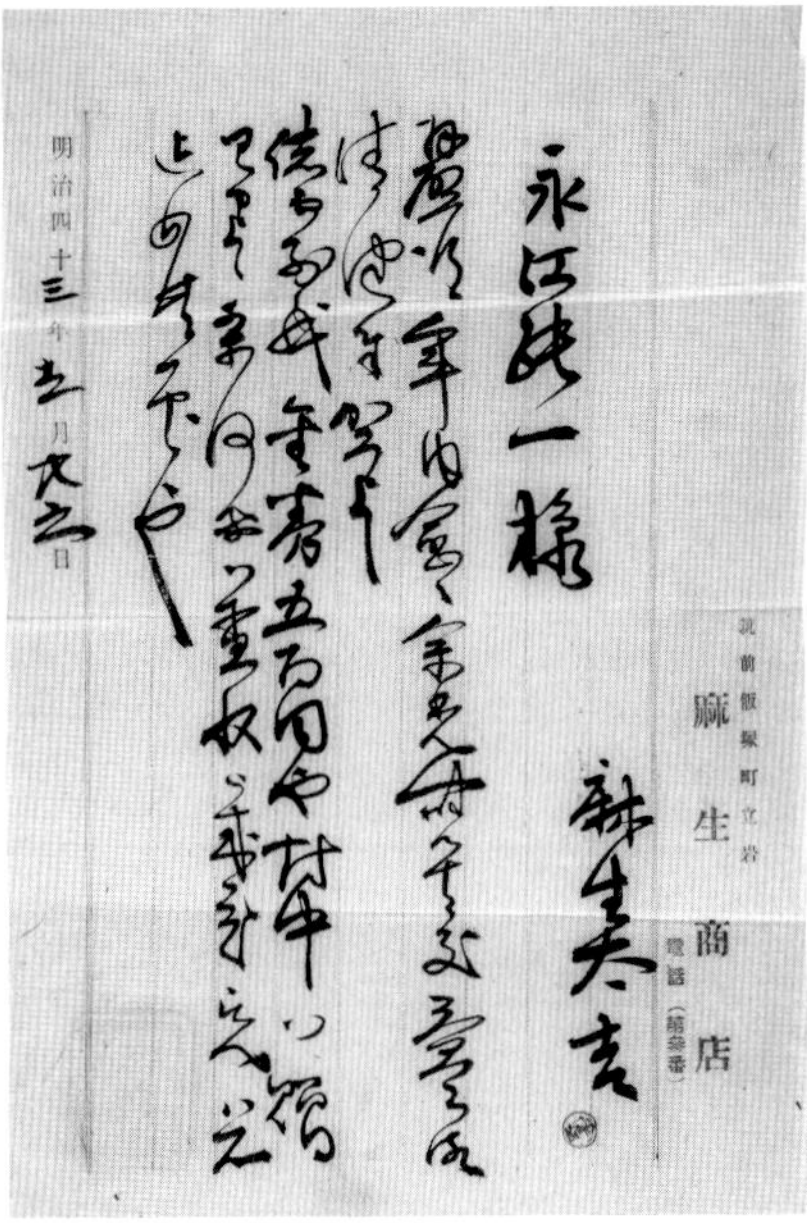

麻生太吉　永江純一宛書簡
「相談役報酬金送付通知」
（1910〔明治 43〕年 12 月 26 日，永江文書，
九州歴史資料館提供）

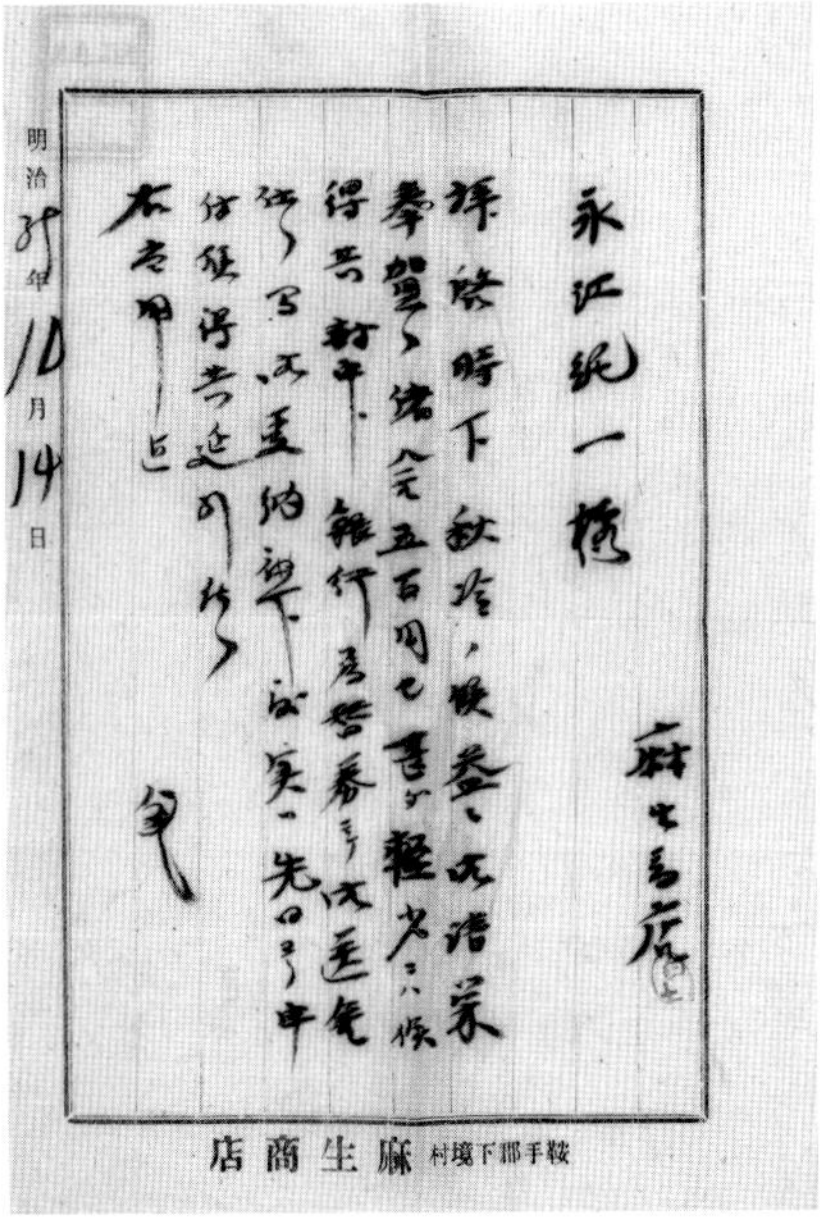

麻生商店　永江純一宛書簡
「監督報酬金送付通知」
（1906〔明治 39〕年 10 月 14 日，永江文書，
九州歴史資料館提供）

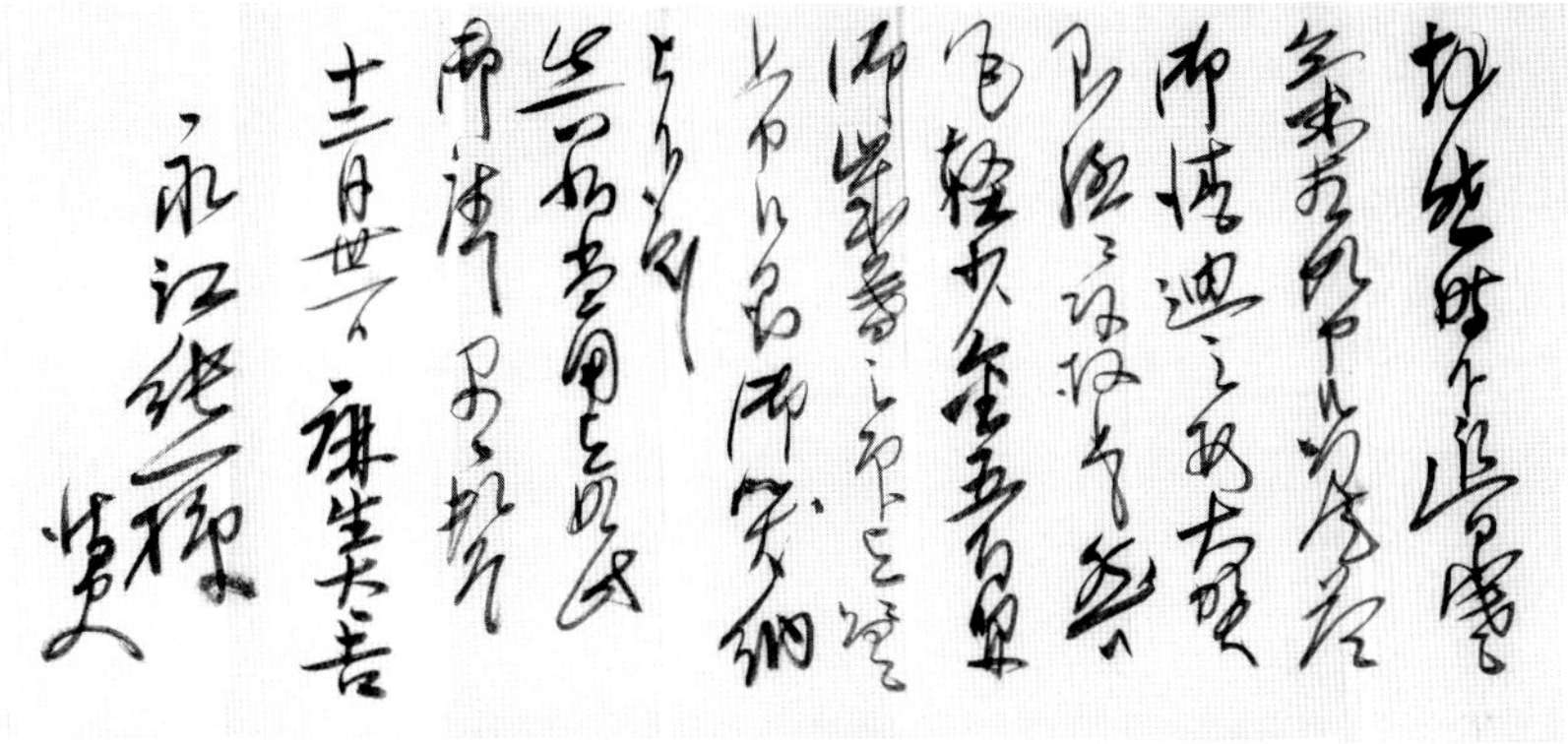

麻生太吉　永江純一宛書簡「相談役報酬金通知」
（1912〔大正元〕年 12 月 31 日，永江文書，九州歴史資料館提供）

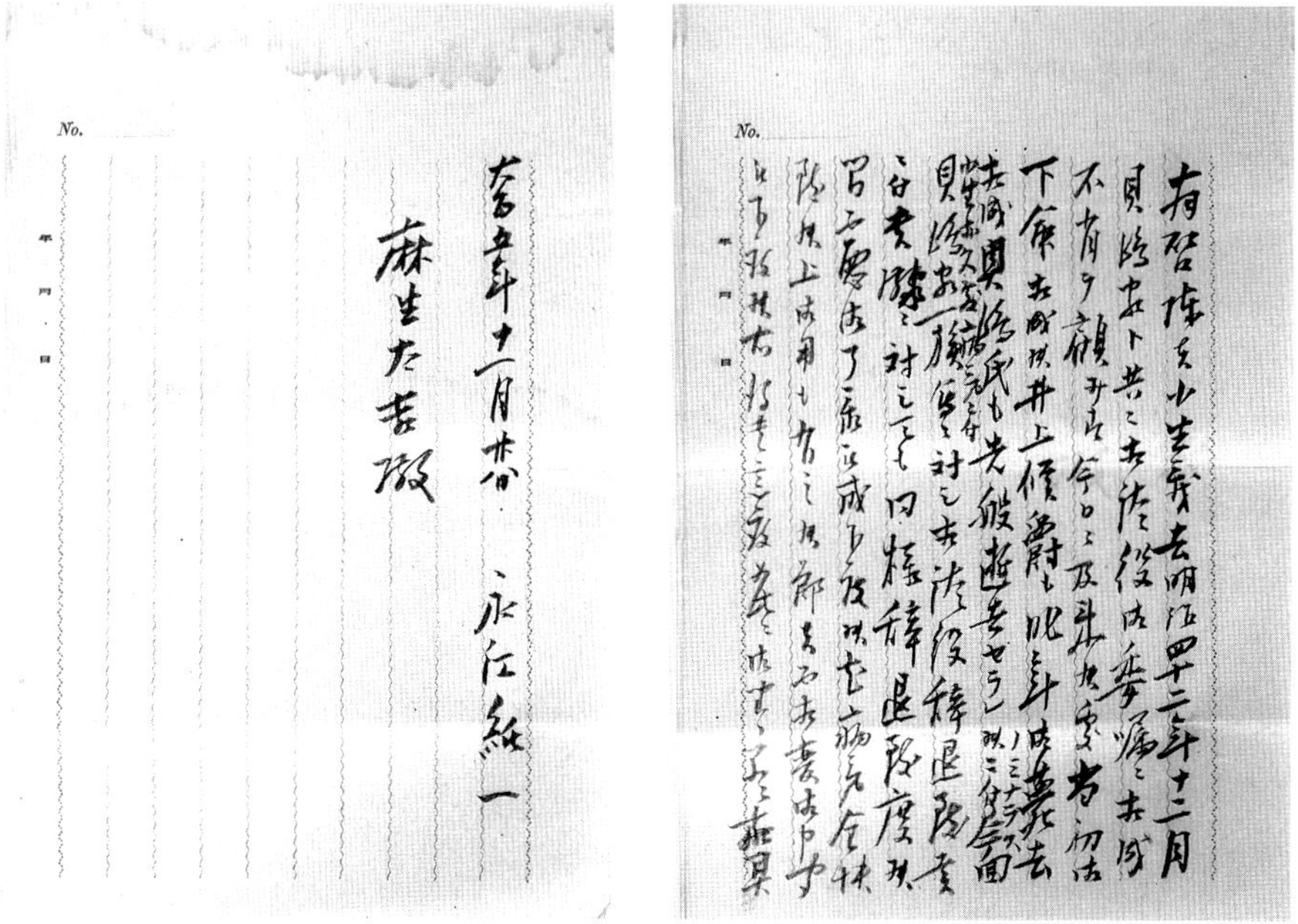

永江純一　麻生太吉宛書簡草稿「相談役辞退通知」
（1916〔大正 5〕年 11 月 28 日，永江文書，九州歴史資料館提供）

目次

凡　例

一　漢字は原則として新字体を使用した。異体字・略字等も原則として新字体に変えた。

（朩→等・吴→異・迠→迄・乞→乞・无→無・桒→桑・啚→図・逺→違・㝡→最・戋→銭・扣→控・筭→算）等。

人名・地名については、原史料の使用漢字を残したものもある。

個人的慣用誤字は正したものもある。

二　片カナと平カナは原史料の通りとした。

ただし、変体カナのうち　而・江は残し、文字サイズを小さくした。

また合字、𬻿はトキ、ヿはコト、ゟはよりに変えた。

三　繰り返し記号（踊り字）のうち、〻は々とし、々・ヽ・ヾ・ゝ・ゞは原文通りとした。

四　校訂者の本文中の注記は［　］に入れて示した。

・欄外記述は［欄外］と注記して適切なところに置いた。本文の続きであることが明らかな場合は本文に続けた。

・代筆者の記述は［増野夷熊代筆］［吉浦勝熊代筆］と明示して適切なところに注記した。

・人名で姓や名のみが記されている場合、理解しやすいように［　］して姓や名を補注したものがある。

五　地名の注記は当時の地名を示し、煩雑を避けるため福岡県の場合は県名を、飯塚町の場合は嘉穂郡を原則として省略した。

六　敬意を表するための欠字平出は省略した。

七　読解不能の文字は□で示し、重書で読解不能の場合は▨で示した。原史料が空白とされている場合はおよその字数をはかり空けて［空白］と傍注した。

八　挿入文字と挿入箇所および重書や抹消は日記という史料の性格を考慮して明示しなかった。

九　記載月日の前後や誤記については、正しい年月日のところに置き、曜日を省略した。また記載のない日を所載しなかった。

十　読みやすくするため読点と並列点を付した。

＊　解読は東定宣昌・吉木智栄が行い、香月靖晴が補介し、全体を田中直樹が統轄した。

麻生太吉日記　第四巻

一九二八（昭和三）年

一月一日　日曜

天皇陛下・皇后陛下・皇大〔太〕后陛下遥拝
四方神社仏閣ヲ拝ス
氏神[1]ニ太賀吉〔麻生〕・典太[2]同供参詣、夫より墓所ニ参拝ス、野田〔勢次郎〕[3]・大浦[4]ノ両家ニ取寄〔ママ〕タリ、夏子〔麻生夏〕[5]・つや〔麻生ツヤ子〕・たつ〔麻生辰子〕[6]・大谷〔ひさき〕[7]等
ノ諸氏同供セリ
各所より新年祝賀ニ相見ヘタリ
午後一時より太賀〔多〕神社・宗像神〔ママ〕・宮地嶽神社・香椎神社〔ママ〕・箱〔筥〕崎八幡宮[8]一同打揃参詣ス

一月二日　月曜

岩愛〔愛宕カ〕神社・大宰府〔天満宮〕・宝満宮[9]ニ一同打揃参詣ス
午前十二時昼食ヲナシ、午後二時半より帰リタリ

一月三日　火曜

勝〔正憲〕[10]氏ノ希望、渡辺〔皐築〕[11]氏より聞取候ニ付直チニ出福、午後一時着、相政〔お〕[12]ニ行キ山内範造[13]・堀〔三太郎〕[14]・樋口〔典常カ〕[15]・久恒〔貞雄〕[16]ノ四氏会合
ス、昼ハ堀氏より晩ハ自分より招待ス
花村久兵衛氏[17]弟相見ヘタリ
午前九時開店ニ付本店[18]ニ出頭、一同ニ新年ノ挨拶ヲナス、酒觴ニ而祝盃ヲナス（挨拶ハ別記アリ）
別府亀ノ井[19]計画自働車ノ件打合、上田〔穏敬〕[20]別府行ヲ命ス

一月四日　水曜

午前義之介〔麻生〕[21]待受、午後三時自働車ニ而二日市大丸館[22]入湯ス、山内範造君相見ヘ晩食ヲナシ、午後十時迎ノ自働車ニ
而浜ノ町[23]ニ帰ル

1　氏神＝負立八幡宮（飯塚町栢森）
2　麻生太賀吉＝太吉孫、のち株式会社麻生商店社長　麻生典太＝太吉孫、のち麻生鉱業株式会社専務取締役
3　野田勢次郎＝株式会社麻生商店常務取締役
4　大浦＝太吉長男麻生太右衛門家
5　麻生夏＝太吉三男故麻生太郎（元株式会社麻生商店取締役）妻
6　麻生ツヤ子・麻生辰子＝太吉孫
7　大谷ひさき＝麻生家浜の町別邸女中
8　多賀神社＝鞍手郡直方町　宗像大社＝宗像郡田島村　宮地嶽神社＝宗像郡津屋崎町　香椎宮＝糟屋郡香椎村　筥崎宮＝糟屋郡箱崎町
9　愛宕神社＝早良郡姪浜町　太宰府天満宮＝筑紫郡太宰府町　宝満宮＝竈門神社（筑紫郡太宰府町）
10　勝正憲＝前年十二月まで東京市助役、この年二月衆議院議員に当選
11　渡辺皐築＝九州産業鉄道株式会社専務取締役、嘉穂銀行嘱託検査役、元株式会社麻生商店会計部長
12　お政＝待合（福岡市東中洲）、元中洲券番芸妓矢野ソデ一九一三年開業
13　山内範造＝衆議院議員、筑紫銀行（筑紫郡二日市町）頭取
14　堀三太郎＝第一巻解説参照
15　樋口典常＝元衆議院議員
16　久恒貞雄＝久恒鉱業株式会社長、この年二月より衆議院議員
17　花村久兵衛＝嘉穂電灯株式会社技術部長、飯塚町会議員
18　本店＝株式会社麻生商店本店（飯塚町立岩）
19　亀ノ井＝油屋熊八、亀の井ホテル（別府市不老町）経営者
20　上田穏敬＝株式会社麻生商店庶務部長、飯塚町会議員
21　麻生義之介＝太吉女婿、株式会社麻生商店会計部長、金宮鉄道株式会社取締役
22　大丸館＝旅館（筑紫郡二日市町湯町）
23　浜ノ町＝麻生家浜の町別邸（福岡市浜町）

大丸館ニ三十円、召使ニ三十円ト湯場五円遣ス

一月五日　木曜

午前十一時ニ而山口恒太郎君[1]帰福ノ筈ナルニ、六日午前十一時着電信来リタルト支部[2]より為知アリ、十一時十分自働車ニ而太助［麻生太介］[3]ト一同帰リタリ

一月六日　金曜

柴田徳次郎氏[4]訪問アリ、国士舘寄付ノ申入アリタルニヨリ、松本［健次郎］[5]・安川［敬一郎］[6]・貝嶋［太市カ］[7]ノ三氏ノ意向確定セザル間ハ小生ガ先キニ取極メルコトハ不能旨申向ケタリ、七、八両日福岡ニ貝嶋ノ模様電話アル様申向ケタリ

嘉穂銀行重役会[8]ハ、耕地整理ノ林田君[9]来リ、畑地ヲ取リ道ヲ造リ廃川地埋立[10]ノ内談アリシモ断リタリ、河川ノ土ヲ貰ヒ候様直方管区事務所[11]ニ出頭アル様林田君ニ申付タリ、時刻遅クナリ欠席ス

政友会支部ニ再三電話シ、山口恒太郎君七日朝栄屋[12]ニテ面会ノコトヲ約ス

安河内代吉君[13]土居坑区[14]之件ニ付申向ケアリ、調査ヲ約ス

飯塚松月[15]ニテ地方有志者新年宴会開催出席

一月七日　土曜

午前八時半青柳自働車[16]ニ而田山［クマ］[17]同車出福、急行[18]ニ而田山サン久留米ニ行カル

福村[19]ニテ堀・山口・山内・中村［清造］[20]ノ諸氏ト食事ヲナス

一月八日

相［お］政ニ行キ石田［亀一］[21]氏ト会合中、堀・山口両氏相見ヘタリ

藤山［竹二］大分知事相見ヘ、午後五時帰宅、同氏ニ面会、大学出張所[22]ノ設備費寄付ノ内談アリタ

福村及橋本[23]ニ而喰事ヲナス、飯塚警察署長モ見ヘラレタリ

1 山口恒太郎＝東邦電力株式会社取締役、九州電気軌道株式会社取締役、衆議院議員
2 支部＝立憲政友会福岡県支部
3 麻生太介＝太吉孫
4 柴田徳次郎＝国士舘長
5 松本健次郎＝明治鉱業株式会社長、第二巻解説参照
6 安川敬一郎＝第一巻解説参照
7 貝島太市＝貝島合名会社代表業務執行社員、第二巻解説参照
8 嘉穂銀行＝一八九六年設立（飯塚町）、太吉頭取
9 林田＝飯塚町役場書記、耕地整理係主任
10 飯塚川埋立地
11 直方管区事務所＝福岡県直方土木管区事務所（鞍手郡直方町外町）
12 栄屋＝旅館（福岡市橋口町）
13 安河内代吉＝太吉親族、元桂川（嘉穂郡桂川村）郵便局長代理
14 土居坑区＝桝谷平三郎所有鉱区（嘉穂郡桂川村）
15 松月＝松月楼とも、料亭（飯塚町新川町）
16 青柳自動車＝青柳近太郎、青柳自動車商会（飯塚町宮ノ下町）
17 田山クマ＝麻生家女中、元麻生家家庭教師
18 急行電車＝九州鉄道株式会社線（福岡・久留米間一九二四年開業）
19 福村＝福村家とも、料亭（福岡市東中洲）
20 中村清造＝衆議院議員、酒造業（宗像郡上西郷村）
21 石田亀一＝帝国炭業株式会社専務取締役
22 大学出張所＝京都帝国大学理学部地球物理学教室附属地球物理学研究所（別府市野口原）、一九二六年開所
23 橋本＝料亭（福岡市外東公園）

一月九日

谷田〔信太郎〕[1]来リ、参宮鉄道[2]（大坂）買入株利益ノ旨申向ケタルニツキ、売却方商店ト打合方申含ム

宮川一貫[3]君相見へ、福岡市〔ママ〕地方区域ヨリ候補[4]ノ旨申向アリ、政友会ニ入会承諾ナキモ、同志ニ頼ミ政友会ニテ立候補ニ立ツト余程手強主張アリタ

石田君相見へ、帝国炭業会社[5]買入方申向ケアリ、得と考慮シテ返事スルト答ヘタリ

相羽〔虎雄〕[6]・渡辺・義之介〔麻生〕・太七郎〔麻生〕[7]来リ、一同打揃ヒ一方亭[8]招待会ニ列シ、午後十一時半帰リタリ

〔欄外〕新聞新年宴会

一月十日　火曜

午前八時廿分自働車ニ而義之介・太七郎一同帰宅ス、途中嘉穂銀行重役会ニ出席、博済会社[9]・貯蓄銀行[10]重役会ヲ済マシ午後二時半帰着

金弐百円博済下半期博済会社手当金受取

野田〔勢次郎〕君相見へ、幹部昇給打合ス

一月十一日　水曜

瓜生長右衛門[11]及栢森区長〔瓜生熊吉〕[12]来リ、忠隈坑[13]欠落地ノ問題ニ付一時金請求ハ不宜、ガス[14]ニテ埋立計画ノ事ヲ内談ナス様注意ス

午後二時出福ス

一月十二日　木曜

午後四時半一方亭ニテ貝嶋家[15]一同招待会ニ列ス

一月十三日　金曜

午前八時半柴田徳次郎君訪問アリ、寄付ノ件ニ付貝嶋［太市］君より何等沙汰ナキニ付□［要カ］領ヲ不得ニツキ模様ヲ聞キ、石［空白、原脱カ］[16]君取次キセシニ付同氏ト会見ノ上何等通知ヲ約シ、其ノ結果ニヨリ義之介ヲ下ノ関ニ遣シ打合スル旨申向ケタリ

午前九時半義之介・太七郎・五郎［麻生］[17]・夏子一同自働車ニ而帰リタリ

土居坑区ニ付安河内代吉君相見へ、渡辺某ノ関係アリ、初発安河内君ノ救済ノ意味ニヨリ調査ナシタルモ、他ニ関

1　谷田信太郎＝株式仲買商（福岡市下鰮町）
2　大阪参宮鉄道＝参宮急行電鉄株式会社、一九二七年設立（大阪市天王寺区）、大阪・宇治山田間
3　宮川一貫＝この年二月より衆議院議員、玄洋社
4　第一六回衆議院議員選挙、普通選挙法による初めての選挙
5　帝国炭業株式会社＝一九一九年設立（若松市）
6　相羽虎雄＝株式会社麻生商店鉱務部長
7　麻生太七郎＝太吉四男、のち株式会社麻生商店監査役
8　一方亭＝料亭（福岡市外東公園）
9　博済無尽株式会社＝一九一四年博済貯金株式会社（一九一三年設立）を改称、本社を飯塚町に移転、太吉社長
10　嘉穂貯蓄銀行＝一九二〇年設立（飯塚町）、太吉頭取
11　瓜生長右衛門＝嘉穂電灯株式会社取締役、飯塚町会議員、元麻生商店常務、元福岡県会議員
12　栢森＝地名、飯塚町、麻生家所在地
13　忠隈坑＝元麻生商店忠隈坑（嘉穂郡穂波村）
14　がす＝ボタ（石炭に混入した岩石）や不用の廃石
15　貝島家＝貝島太市貝島合名会社代表業務執行社員からの招待
16　石原＝石原才助、貝島商業株式会社取締役
17　麻生五郎＝太吉女婿、株式会社麻生商店、のち取締役

係者アレハ断リタリ
相羽君相見へ、岡山ムヱンタン[1]ノ件聞キタリ
午後四時より自働車ニ而出福、山口君ニ十四日午前十時約ス

一月十四日　土曜

午前十時山口恒太郎君相見ヘタルニ付、勝氏ノ件ヲ初メ東望〔東邦〕[2]九洲地内供給区域拡張ノ件ハ、合併問題ノ正否〔ママ〕ニヨリ運動セラレ候様松永〔安左衛門〕[3]君ニ伝達方ヲ依頼ス、又大分松田〔源治〕[4]氏ニ対シ成清〔信愛〕[5]君之一件等詳細懇談ス
十一時より中光[6]ニ行キ昼食ヲナシ、山口君支部〔政友会〕ニ送リ、帰リ、午後二時太賀吉等一同自働車ニ而帰宅ス
柴田徳次郎君寄付ノ件ニ付相見へ、貝嶋・安川〔敬一郎〕ノ確定ノ上ニ而返事ナス、其ノ已前ハ当方より返事不能旨詳細咄シタリ

一月十五日　日曜

午前九時嘉穂銀行惣会ニ出席、別記アリ、引続キ博済・貯蓄銀行共惣会ヲナシ、配当金受取、夫々預ケ入ヲナシタリ、十二時帰宅ス
株主より質問ニツキ別ニ筆記ス
山内確三郎[7]氏挨拶ニ見ヘタリ、大庭〔応雄〕・山内〔惇〕[8]両氏同供アリタ

一月十六日　月曜

午前十時自働車ニ而出福ス
荒戸[9]建築場ニ行キ花村徳右衛門[10]君ト打合ス
午後五時福村屋〔家〕ニテ山内範造君ト晩食ス
靏丸〔卓市〕[11]君相見へ、望月〔圭介カ〕[12]氏出状打合ス、尚成案セラレ明日午前八時迄ニ相見ヘル様打合ス

一月十七日　火曜

谷田〔信太郎〕君来リ、大坂参宮鉄道高直〔値〕ニ付売却ノコトヲ打合ス

靍丸君相見へ、望月氏ニ出状ヲ打合ス

棚橋〔琢之助〕[13]君相見ヘタリ

午後十二時半二日市大丸館ニ福村家主婦一同入湯、帰途福村屋〔家〕ニ立寄、午後八時半帰ル

1　無煙炭＝発煙しない高カロリーの石炭
2　東邦＝東邦電力株式会社（東京市）、一九二二年九州電灯鉄道株式会社（福岡市）と関西電気株式会社（名古屋市）が合併して発足
3　松永安左衛門＝東邦電力株式会社副社長、この年社長、第三巻解説参照
4　松田源治＝衆議院議員、弁護士、翌年拓務大臣、のち文部大臣
5　成清信愛＝朝陽銀行（大分県日出町）頭取、両豊銀行（大分市）取締役、衆議院議員、元貴族院議員
6　中光＝料理屋（福岡市外水茶屋）
7　山内確三郎＝衆議院議員、元東京控訴院長
8　大庭応雄・山内惇＝嘉穂銀行債務者
9　荒戸＝地名、福岡市、麻生家別荘所在地
10　花村徳右衛門＝株式会社麻生商店庶務部、福岡（小笹別荘・荒戸別荘）建築係
11　鶴丸卓市＝九州水力電気株式会社副支配人
12　望月圭介＝逓信大臣、この年内務大臣
13　棚橋琢之助＝九州水力電気株式会社専務取締役、第三巻解説参照

一月十八日　水曜
午後二時四十分ニテ下ノ関大吉楼[1]ニ而貝嶋氏ノ招待ニ出席ス、春帆楼[2]ニ泊リタリ
一月十九日　木曜
午前八時三井小蒸気船ニ而後藤〔文夫〕[3]長官御迎ニ行キタルモ、下ノ関駅午前八時四十五分発ニ而上京跡トナリタ、広嶋ニ電信ス
門司駅午前十時半ニ而別府向ケ出発ス
午後三時中山旅館[4]ニ着ス
山水園[5]ニ行キタリ
一月二十日　金曜
中山旅館滞在
柴田徳次郎氏相見へ、寄付ノ件懇談アリタルモ、安川・貝嶋ノ出金ノ上応分之寄付ス可キ旨申向ケタリ
藤沢〔良吉〕[6]氏相見へ、電車代用自働車営業ニ付地元ノ意向及軽〔経〕営上ニ関スル調査書持参アリタ
一月二十一日　土曜
中山旅館滞在
成清氏相見へ、自働車ヲ運転シ電車ニ代用ニ付、農商〔務脱〕省不用地払下ケ県庁出願許可ノ有無打合ス
一月二十二日　日曜
午前九時四十六分別府駅発ニ而帰途ニツク、後藤寺駅[7]ニ而産鉄[8]ニ乗替、駅ニ而浦地〔裏地正生〕[9]君待受アリ、芳雄駅[10]迄同車、種々打合ス
芳雄駅より渡辺〔阜築〕君待受アリ、勝氏ノ件ニ付上京アルニ付打合ス

藤森〔善平〕[11]町長相見へ、辞任之件ニ付懇談アリ、惣而町会議員ノ意向ニ随ヒ実行方注意ス、鯰田[12]道路、耕地整理ノ埋立土盛、川底浚エ方利益ノ旨申向ケアリ、其ノ着手方打合ス

一月二十三日　月曜

花村徳右衛門・加納〔狩野嘉市〕[13]両君ト別府建築ノ件打合ス

野田〔勢次郎〕氏相見へ、九水株壱万株土肥店[14]より買入ニ付、六十八円迄買入ナスコトニ打合セタリ

1　大吉楼＝旅館（下関市阿弥陀寺町）
2　春帆楼＝料亭（下関市阿弥陀寺町）
3　後藤文夫＝麻生夏義兄、台湾総督府総務長官
4　中山旅館＝別府市上ノ田湯
5　山水園＝麻生家別荘（別府市）、火災後再建中
6　藤沢良吉＝別府温泉鉄道株式会社清算人（元専務取締役）、別府市会議員
7　後藤寺駅＝鉄道省田川線（田川郡後藤寺町）
8　産鉄＝九産鉄とも、九州産業鉄道株式会社、一九一九年設立、一九二二年より太吉社長
9　裏地正生＝九州産業鉄道株式会社工務部技師
10　芳雄駅＝筑豊本線（飯塚町立岩）、のち新飯塚駅
11　藤森善平＝飯塚町長、元飯塚警察署長、のち福岡県会議員
12　鯰田＝地名、飯塚町
13　狩野嘉市＝株式会社麻生商店本店鉱務部、麻生家別荘山水園（別府市）再建担当係
14　土肥店＝株式仲買商土肥松之助（福岡市下鰮町）

一月二十四日　火曜

武田《〔星輝〕》[1]来、新宅[2]受渡ノ件ニ付手続キヲ怠リ、大ニ注意ス

野見山《〔米吉〕》[3]君ト電話ニ而新宅ノ地所着手差閊ナキ旨返話アリタリ

田中《〔保蔵カ〕》[4]・中野《〔昇〕》[5]・貴田《〔献一〕》[6]青年会[7]ノ諸氏相見へ、党政拡張ニ付怠リナキ様注意ス、撰挙モ間近クナリタレバ一層努力《〔勢〕》アル様希望ヲ述ベタリ

石崎敏行[8]君相見へタリ

大隈町長《〔大音森太郎〕》外二氏[9]相見へ、候補者之件ニ付異見ヲ聞カレタルモ、惣会ノ上ニ而決定可然旨申向ケタリ、上下部ノ一致スルコトハ誠ニ結構ナリト申添へタリ

一月二十五日　水曜

午後二時自働車ニ而出福ス

午後五時より一方亭ニ坑業者新年宴会ニ出席ス

松本氏《〔健次郎〕》ト面会、坑業倶楽部組織ニツキ打合セ、此際ハ如何トモ致方ナキモ、後チニハ同意アリタ

黒瀬《〔元吉〕》[10]より百五十円買物シ、外ニ三百円貸付

一月二十六日　木曜

松本健次郎氏訪問、古川《〔河〕》氏坑区下層譲受ノ相談頼ミタリ、内諾ヲ得、折柄中野昇君候補ノ件絶体相断ルニ付其旨相含ミム様申向ケ《〔ママ〕》、無論同惑《〔感カ〕》デアリマスカ、何レノ時カ石碑ノ裏書位ニハ御内諾ヲ得度希望ノ旨申向ケ置キタリ

中野昇君より電話アリ、青年党員より候補ノ旨申入アリ、困難ニツキ一同差向ケ度トノ事ナリシモ、重要ノ問題ニ付如何トモ致シ方ナキ旨申向ケタルニ、幸袋・二瀬[11]ノ町村長為遣旨申入アリ、面会ノ内諾ス

幸袋・二瀬町村長ヲ初外二人相見へ、中野君候補ニ承諾ナケレバ政友会ノ勢力ノ乏シクナリ、将来政友ノ立場困難

旨ヲ以、同氏承諾方申入アリタルモ、松本氏後見ニ付同氏ノ同意ヲ得ルニハ理由ニ乏シク、却而松本氏より哭〔ママ〕ヲ受ケル様ノ立場トナル旨縷々申述、一同帰宅アリタ

一伊藤傳右衛門君[12]ニも電話シ、中野氏ノ件打合ス

一月二十七日　金曜

午前瓜生〔長右衛門〕ニ、町会評義ノ高等小学校ハ、方法ハ町民ノ利益トナリテモ、毎日学生通学ニ付町民ノ苦情百出致シ方ナキニ至ル恐レアレバ、暫ラク見合セル様注意ス

渡辺君東京より帰県アリ、勝氏ノ一件及金宮鉄道[13]許許〔ママ〕ノ件ニ付報告ヲ聞キ、会社ノ創立ヲ急グニツキ株割宛等打

1　武田星輝＝株式会社麻生商店庶務部
2　新宅＝麻生家新宅、太吉叔父麻生太次郎息麻生多次郎家
3　野見山米吉＝太吉妹婿、株式会社麻生商店取締役、嘉穂電灯株式会社取締役、嘉穂銀行監査役
4　田中保蔵＝筑陽日日新聞（飯塚町）社主
5　中野昇＝株式会社中野商店社長、嘉穂銀行取締役
6　貴田猷一＝新聞販売店、元飯塚町助役、元嘉穂郡会議員
7　青年会＝嘉穂政友青年党、一九二七年結成、立憲政友会地方組織、太吉相談役
8　石崎敏行＝元福岡県会議員、のち衆議院議員
9　大音森太郎＝嘉穂郡大隈町長、元福岡県会議員　実岡半之助＝福岡県会議員、元嘉穂郡宮野村長　岸本為雄＝福岡県消防協会評議員、元大隈町会議員
10　黒瀬元吉＝古物商集古堂（福岡市上新川端町）
11　幸袋＝地名、嘉穂郡幸袋町　二瀬＝地名、嘉穂郡二瀬村
12　伊藤傳右衛門＝第一巻解説参照
13　金宮鉄道株式会社＝一九二七年創立（田川郡後藤寺町）、田川郡金田（金田町）・宮床（後藤寺町）間鉄道、太吉社長、一九二九年九州産業鉄道株式会社が買収

合ス
西園[磯松][1]支配人相見へ、栄座[2]ノ始末ニ付、野口某ノ申入ノ順序トシテ、法律上指問研究、証書案作成、更ニ打合ノコトニ申合ス、許斐[寛カ][3]氏指押ハ無止旨同意ス
名和[朴][4]氏相見、同町議員ノ行為ニハ□[殆カ]ト当惑セラレ居由聞キタリ、渡辺[皐築]君ニ電話、事情熟知之事故研究方依頼ス
野田君ニ電話ス

一月二十八日　土曜

和田六太郎[5]・田中伊之助[6]両君相見へ、町長[藤森善平]慰労金三万円ト水道ニ五千円ト一ケ年半前ニ申合アリ、見込如何トノ事ニツキ、全而[ママ]町会員ノ意向ニヨリ不穏当ノ事ナキ様注意ス
堀氏より電話アリタ
渡辺氏ニ、金宮鉄道株主ノ割当ヲ麻生屋[7]弐百株、大浦[麻生太右衛門]三百株頼ミタリ
午後三時太助[麻生太介]・五郎・太七郎三人一同自働車ニ而出福
午後五時坑務署[8]新年宴会ニ出席ス

一月二十九日　日曜

福村屋[家]ニ而昼食ヲナシ、斉藤[守圀カ][9]・村地[信夫][10]ノ両氏モ相見ヘタリ
堀君モ大坂より帰県、面会ノ為メ相見ヘタリ

一月三十日　月曜

午前八時村地氏訪問ス
福村屋ニ而有馬[秀雄][11]君辞任ノ内意アリ、忍堪アル様堀[三太郎]・山内[範造]ノ両氏一同申向ケタリ
伊藤傳右衛門君来リタルニ付、九大[久]線[12]ニ関シ有馬君ニ迷惑相掛ケ居ルニ付、今回何ニトカ挨拶セラレテハ如何ヤ

ト堀氏より注意アリタルニ、右線路ハ当然変更ナル事故迷惑掛ケタル意旨ナキ如キ申向ケアリ、驚入タリ

一月三十一日　火曜

午前八時村上〔巧児〕[13]・内本〔浩亮〕[14]・佐藤〔長太郎カ〕[15]外二氏相見へ、貯水池ノ件ニ付打合セリ
麻生観八[16]氏相見へ、九水[17]会社・東望〔東邦〕合併ノ時ハ新会社ガ必要ノ旨縷々申向ケ、同感ノ旨申答タリ

1 西園磯松＝嘉穂銀行本店支配人
2 栄座＝株式会社飯塚栄座（一九一一年設立）、一九一三年安田憲太郎が筑豊劇場と称して経営
3 許斐寛＝酒造業（嘉穂郡頴田村）、元頴田村長
4 名和朴＝田川郡後藤寺町長、元飯塚警察署長
5 和田六太郎＝和田屋、醬油醸造業・古着商（飯塚町本町）、元飯塚町会議員
6 田中伊之助＝質商・古着商（飯塚町宮ノ下町）、飯塚町会議員
7 麻生屋＝太吉弟麻生太七、株式会社麻生商店取締役、嘉穂銀行取締役、嘉穂電灯株式会社取締役
8 坑務署＝福岡鉱山監督局、元福岡鉱務署
9 斉藤守圀＝福岡県知事
10 村地信夫＝福岡県警察部長
11 有馬秀雄＝前衆議院議員（第五十四帝国議会一月二十一日解散）、この年二月衆議院議員当選
12 久大線＝鉄道省久留米・大分線
13 村上巧児＝九州水力電気株式会社常務取締役、杖立川水力電気株式会社、第二巻解説参照
14 内本浩亮＝杖立川水力電気株式会社常務取締役、のち九州送電株式会社長、第三巻解説参照
15 佐藤長太郎＝九州水力電気株式会社土木主任技師
16 麻生観八＝九州水力電気株式会社監査役、酒造業（大分県玖珠郡東飯田村）、第一巻解説参照
17 九水＝九州水力電気株式会社、一九一一年設立、太吉一九一三年より取締役、この年十月社長

野田勢次郎君相見へ、貝嶋代〔磨輔〕[1]玉井君面会ノ模様報告アリタ
午後二時九水協義会ニ出席
午後五時より相政〔お〕ニ行キタリ、堀氏ト会合ス

二月一日　水曜

堀氏相見へ有馬〔秀雄〕氏ノ件打合ス
西川虎次郎氏[2]相見へ、大森〔嘉右衛門〕[3]君ノ漢学私熟〔塾〕ノ件内談アリ、金壱千円両名義ニ而寄付スル旨申向ケタリ
箱〔筥〕崎八幡宮ニ参詣、太賀吉同供ス
福村屋〔家〕ニ而堀氏ト晩食ス
瓜生〔長右衛門〕・田中〔保蔵〕外二氏相見へ、郡内ニテハ青年及政友代表等協義ノ結果、久恒〔貞雄〕君撰挙ノコトニナリタル処、篠崎団之介〔助〕[4]君突然本願寺代表ニテ候補ニ立ツ旨申向アリタルモ、夫レハ郡内平和ノ為メ辞セラレ久恒君ニ承諾アル様申入方申向ケ、一同了解アリタ

二月二日　木曜

午前九時官舎ニ知事〔斉藤守圀〕ヲ訪問ス
野田俊作[5]・山内範造ノ両氏相見へ、種々打合セ昼食ヲナス
村上功〔巧〕児君相見へ、東望〔東邦〕ト合同問題ニツキ注意アリタ
佐多貞熊[6]君相見へ、身上ノ相談アリタリ
支部長ヲ訪問、三日夕ノ来客ノ打合ヲナス
午後五時半自働車ニ而帰リタリ
有田広[7]君ト宮野銀行[8]合同ノ打合ヲナス

二月三日　金曜

午前十時半自働車ニ而金宮〔鉄道〕ノ件ニ付福田〔基治〕[9]君ト出福、停車場ニ農林大臣〔山本悌二郎〕ヲ御迎シテ浜ノ町ニ着ス

貝嶋家ノ玉井氏待受アリ、岩崎〔寿喜蔵〕[10]氏候補之件ニ付懇談シ、石原〔才助〕・峠〔延吉〕[11]両氏及堀氏も相見ヘ打合ス、福田君一同昼食ヲナス

午後六時半福村家知事より大臣御招待ニ付出席ス

午後八時半より常盤館[12]ニ大臣一行招待ス

二月四日　土曜

午前七時半農林大臣博多駅ニ見送リ、義之介ト一同ナリ

午前九時篠崎団之介〔助〕候補見合之件忠告セシニ、漸ク承諾セラレタルニ付、義ノ介同供為致帰郡ヲ乞、郡内協義会ニ

1　玉井磨輔＝貝島合名会社理事、貝島鉱業株式会社監査役、大辻岩屋炭礦株式会社取締役
2　西川虎次郎＝旧藩主黒田家福岡別邸参与、国本社福岡支部長、陸軍中将
3　大森嘉右衛門＝昭和義塾（福岡市）創設者
4　篠崎団之助＝嘉穂郡穂波村長、元福岡県会議員
5　野田俊作＝衆議院議員
6　佐多貞熊＝警部、福岡県警察部衛生課
7　有田広＝株式会社麻生商店監査役、嘉穂銀行取締役監事
8　宮野銀行＝一九〇一年設立（嘉穂郡宮野村）、一九三一年解散
9　福田基治＝九州産業鉄道株式会社技師
10　岩崎寿喜蔵＝深坂炭鉱経営者
11　峠延吉＝貝島商業株式会社監査役、大辻岩屋炭礦株式会社専務取締役、元貝島合名会社理事
12　常盤館＝料亭（福岡市外水茶屋）

出席、其旨発表ヲ約ス
午前十時半宝満宮ノ西高辻宮司〔信任〕訪問アリタ
石井〔徳久次〕[1]・田代〔丈三郎〕[2]・渡辺ノ三氏相見へ、遠賀・鞍手一致ニテ岩崎寿喜蔵君ヲ候補ニ懇談スルモ承諾ナキニ付、勧告致呉度ノ申入アリ、承諾ノ旨申向ケタリ
堀・玉井〔磨輔〕・石原〔才助〕・峠ノ四氏、外ニ伊藤傳右衛門君相見へ、岩崎君ニ候補ノ勧告ス
午後七時相政〔お〕ニ行キ、伊藤・堀両君ト晩食ス

二月五日　日曜

午前九時半久恒君相見ヘタリ
石原・峠・堀三氏相見へ、岩崎氏ニ勧告ナスモ承諾ナキニツキ、昼食ヲナシ〔ママ〕
棚橋君相見へ、候補者援助〔ノ脱〕件ニツキ打合ス
伊藤傳右衛門君相見ヘタルニツキ、九水積立金割宛ノ件打合セシニ、同意アリタ
岩崎氏ニ最後ノ挨拶ヲナシ、承諾ナキハ致方ナシトシテ、実ハ知事より勧告ヲ受ケタルモ、貝嶋家ノ援助ガナケレバ勧告ノ要ナシト申向ケタルニ、夫レハ東京ニ而能ク了解アリタル旨申向ケアリタルモ、直接相談ノ上可申向ト申答、大ニ注意セシモ何ニトモ手段ナシ、貝嶋太一〔市〕君ニ自分ノ不徳ノ結果ニテ年ガイモナキコトヲ深ク御詫ノコトヲ峠・玉井・石原ノ三君ニ相托シタリ、一同帰宅アリタ
程ナク堀ト岩崎氏ト相見へ、内諾ノ意味アリ、玉井・峠・石原ノ三君ト一同決定ス
一午後六時水野旅館[3]ニ堀・峠両君ト行キ、鞍遠〔鞍手・遠賀〕両郡ノ有志ニ伝達ス
一紅卯旅館[4]ニ麻生観八氏訪問、一件打合ス
一午後八時相政ニ行キ堀氏晩食ス

二月六日　月曜

午前十一時知事訪問ス
控室ニ而柴田善三郎氏[5]ニ面会ス
平尾山[6]ニ行キ、道路変更打合ス
村上功〔巧〕児君相見へ、合併問題ニ付注意アリタ
山内・冨安〔保太郎〕[7]・堀三氏相見ヘタリ
石井・田代・長谷川〔友吉カ〕[8]三氏挨拶ニ見ヘタリ
麻生観八君昨夜ノ挨拶ニ見ヘタリ
午後五時福村家ニ行キ晩食ス（□〔壱カ〕筋）

二月七日　火曜

午前八時十分自働車ニ而帰宅ス

1　石井徳久次＝鞍手銀行支配人、元福岡県会議員、この年七月福岡県会議員
2　田代丈三郎＝元福岡県会議員
3　水野旅館＝福岡市東中洲
4　紅卯旅館＝福岡市廿家町
5　柴田善三郎＝元福岡県知事
6　平尾山＝福岡市平尾、麻生家小笹別荘および小笹庵建築場
7　冨安保太郎＝九州電気軌道株式会社取締役、元衆議院議員
8　長谷川友吉＝福岡県会議員

午後八時五十分堀氏長崎より帰福ニ付、面会ノ為メ出福ス

二月八日　水曜

平尾山ニ行キ、地行ノ打合ヲナス

午後十二時半自働車ニ而帰宅ス

二月九日　木曜

午前十一時半田辺〔加多丸〕[1]・本間〔録郎〕[2]・守屋〔寿三郎〕[3]ノ三氏来遊アリ

午後八時半自働車ニ而帰福セラレタ、福村家よりミみじ・□□む・おとよ[4]三人同車ス、陶器ヲ見ラレタリ

二月十日　金曜

在宿

上田〔穏敬〕ヲ呼ヒ、別府地所地代金決定スル迄ハ其侭ニスル様注意ス、町長慰労ハ前以赤間君〔富次郎カ〕[5]ヲ以藤森君ニ申込セシ居、実ニ言語同断ナリ

二月十一日　土曜

渡辺皐築君相見へ種々打合ナス

午前十時自働車ニ而直方柳屋[6]ニ行キ、堀・石田両氏ニ面会、昼ヲナス、金弐百円柳屋へ祝義、二十円女中ニ遣ス

午後三時赤間[7]ヲ経而堀氏ト出福ス、相政〔お〕ニ行キ堀氏ト晩食ヲナス

金壱千円別口預金吉浦〔勝熊〕[8]より受取

二月十二日　日曜

午前平尾山ニ行キ、花村〔徳右衛門〕同供、地行ノ打合ヲナス

午前大宰府ニ参詣ス、沢山ノ参詣者アリ、如何トモ致様ナキ程茶店ニ立寄アリタ

午後相政〔お〕ニ行キ、堀氏宇美[9]より帰福ヲ待チ打合セ、晩食ヲナシ帰リタリ

二月十三日　月曜

福村家ニ而昼食ヲナシ、堀・義之介両人ト内務部長トフクノ料理ヲ食シ、午後二時相政ニ行キ、石田・堀ノ両氏ト種々打合ヲナシ晩食ス

百□〔合カ〕子来リ、外一人ニ而取持チタリ

義之介ト午前九時より平尾山ニ行キ、金宮鉄道ノ件ニ付福田君出福セリ

二月十四日　火曜

午前荒戸家屋建築場ニ臨ミ、設計ヲ変更シ、平尾山ニ臨ミ、地行之指図ヲナシ、十一時廿四分急行ニ而太賀吉等東京より帰県ニ付博多停車場ニ待受、一同帰宅ス

西高辻男爵・竈門神社禰宜小野子醇・大辛〔宰〕府町長松嶋謙三ノ三氏相見へ、斎田[10]撰定ニ付宝満神社前ニ撰定希望ニ

1　田辺加多丸＝日本勧業銀行福岡支店長、のち理事
2　本間録郎＝三井銀行福岡支店長
3　守屋寿三郎＝山口銀行福岡支店長
4　おとよ＝料亭福村家（福岡市東中洲）女中
5　赤間富次郎＝嘉穂高等女学校長
6　柳屋＝旅館（鞍手郡直方町殿町）
7　赤間＝地名、宗像郡赤間町
8　吉浦勝熊＝株式会社麻生商店庶務部、この年三月辞職
9　宇美＝地名、糟屋郡宇美村
10　斎田＝主基斎田、昭和天皇大嘗祭に新穀を供する田は三月十五日早良郡脇山村に勅定

付、種々申入アリタ
午後三時自働車ニ而帰宅ス
別府なるみ[1]ニ博多織帯地男女二筋送布〔ママ〕方、松居店[2]ニ申付タリ

二月十五日　水曜

在宿、金宮鉄道実地踏査ノ為メ土木課古賀技師相見へ昼食、後藤寺[3]ノ実地ニ臨マレタリ
実地踏査済、帰県アリタ

二月十六日　木曜

午前十二時自働車ニ而義之介ト一同自働車〔ママ〕ニ而出福、千代町[4]ニ下車シ、義之介ハ赤間町吉田良春氏葬式[5]ニ列ス
午後三時過キ福村家ニ行キ、堀・石田〔亀二〕両人ト晩食ス、堀氏ノ招宴ニ出席ス

二月十七日　金曜

平尾山ニ行キ指図ス
堀・冨安ノ両氏各所ノ当撰ノ予告アリタ、早速飯塚事務〔所脱カ〕ニ聞キ合ス
佐賀恒〔経〕[6]吉君相見ヘタリ
午後一時ヨリおちか[7]ニ行キ、石田・堀両氏ト晩食ス
午後六時半帰リ
午後七時より自働車ニ而帰宅ス

二月十八日　土曜

午前九時半麻生商店ニ而金宮鉄道創立惣会開設、原案之通可決セリ
金宮鉄道営業ニ付廉書ヲ福田君ニ渡、手続進行方申合ス

本店ニ而午後一時迄朝鮮山林等ノ打合ヲナス
支部[政友会]冨安・堀両氏より電話アリタ、戸畑ノ件及底井野[8]ノ件等打合ス
森崎屋[9]ニ電話シ、底井野ニ注意ノ件ヲ促シタリ
金壱千五百円別口預金ヲ受取

二月十九日　日曜

午前八時半自働車ニ而出福ス
政友会支部ニ行キ、山内氏一同知事ノ官舎ニ訪問ス
大保ゴルフ[10]ニ行キ、松本健次郎氏ニ面会ス
政友会支部ニ立寄、森田[正路][11]・崎山[克治][12]氏等ニ面会ス

1　なるみ＝料亭（別府市楠町）
2　松居店＝株式会社松居織工場（福岡市東中洲）
3　後藤寺＝地名、田川郡後藤寺町
4　千代町＝地名、福岡市外糟屋郡、この年五月福岡市に合併
5　吉田良春元住友若松炭業所長・元若松築港株式会社取締役の祖母葬儀
6　佐賀経吉＝鉱業家、玄洋社
7　おちか＝料理屋（福岡市西中洲）
8　底井野＝地名、遠賀郡底井野村、太吉親族藤田家所在地
9　森崎屋＝木村順太郎、株式会社森崎屋商店（酒造業、飯塚町本町）、飯塚町会議員
10　大保ゴルフ＝福岡ゴルフ倶楽部経営ゴルフ場（三井郡三国村）、一九二六年開場
11　森田正路＝元衆議院議員、元福岡県会議員
12　崎山克治＝元衆議院議員

二月二十日　月曜

午前八時ヨリ荒戸・平尾、狩野〔嘉市〕召連レ打合セ、又戸寸法等ヲ調査シ、午前十時一同自働車ニ而帰宅ス

午後二時町役場ニ撰挙場ニ臨ミ、撰挙[1]ヲナシタリ

久恒貞雄君之事務所ニ行キ挨拶ヲナス

二月二十一日　火曜

仙巖院[2]命日ニテ、読軽〔経〕済ノ上、午後十二時半福岡ニ行キタリ

村上氏相見ヘ、上京ニ付東望〔東邦〕合同ガ在京ノトキハ直チニ上京、サモナクバ専務・常務ト九洲重役ニ下地交渉委任方申向ケタリ、尤確定ノ場合ハ本社ニテ決義ヲ乞度旨、呉々間違ナキ様申含メタリ

義之介より金宮鉄道実地踏査ニ二十二日相見ヘル旨電話セシニ付、午後七時より自働車ニ而帰リタリ

二月二十二日　水曜

在宿

内務省下ノ関土木出張所長片山貞松氏外三氏立寄アリタ

撰挙ノ模様午後十時迄聞キタリ

二月二十三日　木曜

在宿

瓜生長右衛門・太七郎来リ、撰挙ノ模様聞キタリ

久恒〔貞雄〕氏挨拶ニ見ヘタリ

警察署長〔皆良田善太郎〕[3]見ヘタリ、昼食ヲナス

団之介〔篠崎団之助〕・藤森・大隈町長・吉田〔久太郎〕県会議員等ノ諸氏相見ヘ、農学校[4]寄付ノ申入アリタ

麻生観八氏東京へ電信シタ
堀氏より岩崎氏ニ挨拶ノ件電話アリ、一応支部ニ相談シテ其後ニ挨拶ニ行キ度キ旨申向ケタリ、貝嶋［太市］君ト打合セ返事ノ事申向ケアリタ

二月二十四日　金曜

午前八時堀氏ニ電話シ、岩崎氏訪問之打合ヲナシ、自働車ニ而堀氏一同岩崎寿喜蔵氏ヲ訪問、当撰ナキ事ノ不明ヲ謝シタリ、丁度貝嶋家ノ片田君も相見へ居リ、一同ナリ
宮地様[5]ニ参詣ス
一方亭ノ食堂ニ而堀氏ト昼食ヲナス
政友会支部ニ行キ幹部会ニ列席シ、午後三時福村家ニ而祝賀会ニ列ス
午後八時帰宅ス

二月二十五日　土曜

神社課ニ訪問シ、正恩寺[6]移転ノ内意ヲ聞キタルモ、容易ニ許可ナキ旨申向ケアリ、尚研究方相頼ミタリ

1　第十六回総選挙
2　仙鶴院＝太吉次男故麻生鶴十郎、米国留学中死去
3　皆良田善太郎＝飯塚警察署長
4　農学校＝福岡県嘉穂農学校、一九一〇年嘉穂郡立農学校として設立、一九二三年福岡県に移管して嘉農学校、さらに一九二五年改称
5　宮地様＝宮地嶽神社（宗像郡津屋崎町）
6　正恩寺＝浄土真宗本願寺派寺院（飯塚町川島）、麻生家菩提寺

斉藤知事ヲ訪問ス

久恒氏も訪問アリ、面会ス

午後二時より一方亭ニ行キ、中根〔寿〕[1]氏一同晩食ヲナス

二月二十六日　日曜

午前平尾山地行ノ場所ニ臨ミ、平野〔市三〕[2]・花村〔徳右衛門〕ノ両君ニ順序申含メル

岩崎寿喜蔵君相見へ、先日同方訪問之挨拶アリ、又吉田〔磯吉カ〕[3]ノ子分他日政友会ニ同情ナス手段ヲ取リツ、アル旨申向ケアリタ

午後二時自働車ニ而帰宅ス、自働車ニ故障生シ、明日梁瀬[4]之工場ニテ修繕ナスコトニシテ直チニ引返セリ

青柳〔郁次郎〕[5]氏より電報ニツキ、義之介ト打合セ、来月ニ入リ直チニ上京ノ旨返電ス

麻生観八氏ニモ九水重役会決議ニ付尽力之打電ス

二月二十七日　月曜

渡辺皐築・山路〔広作〕[6]両君相見へ、撰挙ノ挨拶アリタ

藤森善平氏退職ニ付挨拶ニ見へ、記念品贈与アリタ

小野山〔善三郎〕[7]及麻生尚敏[8]両氏相見ヘタリ

二月二十八日　火曜

午後二時青柳自働車ニ而出福ス、午後四時廿分浜ノ町ニ着ス

相〔お〕政ニ行、堀氏ト晩食ス

二月二十九日　水曜

田辺〔加多丸〕支店長ヲ勧銀ニ訪問ス、新任支店長ニも面会ス

午後五時一方亭ニ行キ晩食ス

三月一日　木曜

箱〔筥〕崎八幡宮・住吉神社[9]・□〔姪〕ノ浜岩愛〔愛宕〕神社ニ参詣ス

午後六時福村家ニ田辺・三井支店長〔本間録郎〕・山口銀行支店長〔守屋寿三郎〕ノ招待ニ列ス

三月二日　金曜

棚橋氏相見へ、東京ノ重役会ノ報告アリタ

十一時半堀氏相見へ、相〔お〕政ニ行キ昼食ス

午後三時より黒瀬〔元吉〕ノ新築ニ立寄、平尾山ニ行キ、午後六時山内範造氏より有馬秀雄氏ノ件ニ付相政ニ待合ノ電話アリ、直チニ行キタリ

1　中根寿＝元貝島鉱業株式会社取締役
2　平野市三＝麻生家庭師兼雑務
3　吉田磯吉＝若松帆船運輸株式会社長、衆議院議員
4　梁瀬＝梁瀬自動車株式会社福岡支店（福岡市上呉服町）、一九二〇年支店設置
5　青柳郁次郎＝元衆議院議員
6　山路広作＝久恒鉱業株式会社、元田川郡後藤寺町助役、のち後藤寺町長
7　小野山善三郎＝酒造業（嘉穂郡穂波村）、元穂波村長
8　麻生尚敏＝酒屋、酒造業（飯塚町栢森）、元福岡県会議員、元飯塚町会議員
9　住吉神社＝福岡市住吉

三月三日　土曜

大学法文学部祝賀会[1]ニ列ス、伊藤君〔傳右衛門〕之自働車ニ而堀氏〔三太郎〕一同ナリ、帰路相政〔お〕ニ立寄、午後七時半迄遊ヒ、福村屋〔家〕ニ而田辺氏〔加多丸〕招待会ニ列シ、午後十一時半帰宅ス

三月四日　日曜

安川男爵〔敬一郎〕ニ、白虎隊墳墓寄付ノ件伊藤相断候ニ付書面ニ而返事ス

午前十時過キ大辛〔宰〕府大和屋[2]ニ行キ、宝満宮司・松嶋町長〔謙三〕待合セアリ、間もナク山内〔範造〕元代議士も相見へ、昼食後宝満神社ニ参詣ナシ、公園之場所ヲ視察ナシ、大和屋ニ而晩食ヲシテ午後九時帰福ス

三月五日　月曜

午前九時日本興行〔業〕銀行小竹〔茂〕参事同供帰宅ス、小竹氏ハ幸袋工作所[3]ニ出張セラレ、昼食後産業〔九州〕鉄道視察ニ行カル

西園支配人相見、栄座ノ件ハ引渡請求スルノ外ナキ故、此際断然其ノ方針ニテ進行方打合ス

三月六日　火曜

相羽君相見へ、遊舟亭〔友泉〕[4]地方坑区ニツキ美和氏〔作次郎〕[5]面会ノ件及遠賀坑区[6]買入ニ付打合ス

午前十時十分より出福ス

伊藤傳右衛門相見へ、幸袋工作所借入金之件ニ而興業銀行小竹参事松□〔島カ〕[7]屋止泊ニ付訪問ノ打合ヲナス

三笠〔御〕村長〔長谷弥太郎〕及外四人相見へ、主基田撰〔斎脱〕定ニ付申入アリタ

二時より九水重役会ニ列ス

綱分坑変災[8]ニ付五時半自働車ニ而帰宅、直チニ病院ヲ見舞タリ

三月七日　水曜

病院ニ患者ヲ見舞、死去者ノ悔ミナシ、午後三時半自働車ニ而出福ス

午後六時廿分田辺〔加多丸〕支店長見送リ、太七郎ト一同浜ノ町ニ帰リ、夏子ト午後七時半より帰途ニツク

三月八日　木曜

死者ノ悔ミト火葬場ニ会送〔葬〕ス、藤田・赤坂[9]ノ両人ハ芳雄県道迄家族一同見送リタリ（病院前）

三月九日　金曜

三宅〔速〕[10]博士午前九時博多より自働車ニ而病院負傷者診察アリ、午後二時自働車ニ而御宅迄御供シ、午後三時半浜ノ町ニ着

安川〔敬一郎〕男爵より電話アリタルモ、数日ノ疲レニテ静養ス

三月十日　土曜

午前八時半棚橋〔琢之助〕・黒木〔佐久馬〕[11]ノ両氏相見ヘ、折柄村上〔巧児〕君・杖立ノ内本〔浩亮〕君ヲ初メ安田其外二名相見ヘ、棚橋君等ノ打合ヲ後

1　九州帝国大学法文学部学士試験初出記念祝賀会
2　大和屋＝旅館（筑紫郡太宰府町大町）
3　幸袋工作所＝一八九六年合資会社として設立、一九一八年株式会社に改組（嘉穂郡幸袋町）、太吉取締役
4　友泉亭＝黒田家の別邸があったための通称地名、早良郡樋井川村
5　美和作次郎＝玄洋社、のち社長
6　遠賀坑区＝帝国炭業株式会社木屋瀬鉱業所（鞍手郡木屋瀬町・遠賀郡香月村）、翌年九州鉱業株式会社購入
7　松島屋＝旅館（福岡市中島町）
8　株式会社麻生商店綱分鉱業所三坑ガス炭塵爆発、死者七人重傷者四人
9　藤田・赤坂＝綱分鉱業所爆発事故被害者カ
10　三宅速＝九州帝国大学医学部教授
11　黒木佐久馬＝九州水力電気株式会社支配人、第三巻解説参照

廻シニシテ杖立ノ用向打合、内本君外三人ハ帰ラレタリ、東望《〔東邦〕》ノ合同ニツキ海東《〔要造〕》[1]君ト交渉之下地打合ヲナシ、調
査書出来上リ次第黒木君より通知ノ筈ナリ
宰府西高辻《〔信稚〕》宮司相見へ、千年祭ニ金五百円寄付ス（浜ノ町家費より）
山内範造君相見へ、金五千円金宮鉄道有間《〔有馬秀雄カ〕》氏ノ分ニ仕払タリ
海東君ニ交渉ニツキ委員ノ挨拶ヲナシタリ（本社ニ訪問
午後二時半安川男爵ト一方亭ニ而晩食ス

三月十一日　日曜

義之介ニ電話、県庁案内ノ打合ヲナス
荒戸及平尾山ニ行キ、工事ノ模様ヲ見タリ
浜ノ町家敷内ノ南側ノ古家解崩シニ着手ス
午後六時四十分自働車ニ而帰宅ス

三月十二日　月曜

午前義之介来リ、県庁新年宴会ニ付出福シテ尚指問無《〔ママ〕》有打合セ方注意ス、其他大坂急行電車[2]株ハ其侭持続、其他
ハ余リ売買セザル様注意ス
都市委員会[3]ハ欠席ノ電報シタ（福岡県庁都市委員事務所）
太七郎出福シテ県庁ニ交渉ノ結果、廿日已後トノ〔以下空白〕
西園支配人相見へ打合ヲナシタリ
上田《〔穏敬〕》ヲ呼、別府地所ノ打合ヲナス

三月十三日　火曜

在宿
瓜生〔長右衛門〕来リ、町長問題ノ件聞取タリ
栢森区長〔瓜生熊吉〕来リ、道路交換承諾セシ旨申向ケタルニ付、実地立会ナスコトヲ打合ス
分家[4]ニ屏風其他家装品ヲ分与ス

三月十四日　水曜

午後二時過キ自働車ニ而太賀吉ト出福
荒戸ニ行、工事ノ指図ヲナス
午後六時福村屋〔家〕ニ而歌沢〔寅由喜〕[5]□〔師匠カ〕生ト食事ヲナス

三月十五日　木曜

午後二時九水重役会ニ出席
午後六時福村家ニ而大和田〔市郎〕[6]重役会〔ママ〕ヲ初メ一同晩食会ヲ催シ、招待ス

1 海東要造＝東邦電力株式会社取締役、第三巻解説参照
2 大阪急行電車＝参宮急行電鉄株式会社カ、一九二七年設立（大阪市天王寺区）
3 都市委員会＝都市計画福岡地方委員会（福岡県庁内）、太吉委員
4 分家＝太吉弟故麻生八郎家、太吉長男麻生太右衛門家、太吉四男麻生太七郎家、太吉女婿麻生義之介家、太吉女婿麻生五郎家
5 歌沢寅由喜＝歌沢節（端唄を元とした俗曲）師匠
6 大和田市郎＝九州水力電気株式会社取締役、九州送電株式会社取締役、元日向水力電気株式会社社長

三月十六日　金曜

平尾山ニ行キ、帰途中山内範造氏より電話ニ付福村家ニ而晩食ヲナス

三月十七日　土曜

平尾山・荒戸普請場ニ行キタリ

山内範造・宝満宮小野〔子醇〕禰宜両氏ト福村家ニ而昼食ヲナス

三月十八日　日曜

午前七時博多駅発ニ而別府ニ向ケ行ク、午後一時別府駅着、直チニ山水園松丸〔勝太郎〕[1]方ニ達ス

三月十九日　月曜

野口[2]地所ヲ見而博覧会[3]湧湯ヲ見タリ

三月二十日　火曜

午前九時村上氏相見へ〔以下空白〕

別府神崎〔神沢又市郎〕市長午前十時半挨拶ニ見ヘタリ

石垣村々長挨拶ニ見ヘタリ

亀ノ井[4]ニ而神崎〔沢〕市長より昼食ノ饗応ニナリタ

帰途公会堂[5]ニ案内アリタ

三月二十一日　水曜

川〔十〕[6]田氏ヲ連レ午前九時より堀田[7]地方迄湧湯ノ場所ニ臨ミタリ

午後ハ野口地方ヲ見タリ、加納〔狩野嘉市〕来リタリ

鎌倉東慶〔寺〕等ニ於而野田卯太郎[8]翁追悼会催シアリ、木村平右衛門[9]氏ニ頼ミ菓子ヲ霊前ニ備〔ママ〕ヘル

三月二十二日　木曜

午前九時四十分別府発ニ而産鉄ヲ経由、芳雄駅午後三時四十分帰着ス

三月二十三日　金曜

渡辺［皐築］君相見へ、営業上ニ付打合ス

別口金壱千円通帳ニ而受取

自働車ニ而長崎ニ向ケ出発ス、博多午後二時五十分ニ乗車ス

午後九時十分今町みとりや[10]ニ着ス

三月二十四日　土曜

午前八時三菱会社員ノ案内ニヨリ汽船ニ而式場[11]ニ臨ミ、石渡［信太郎］[12]・海東ノ両氏ニ面会、一同食堂ニ而海東氏ト列席

1　松丸勝太郎＝麻生家別荘山水園（別府市）管理人
2　野口＝地名、別府市別府
3　博覧会＝中外産業博覧会（別府市）、この年四月一日から五月二十日まで開催
4　亀ノ井＝亀の井ホテル食堂（別府市不老町）
5　公会堂＝別府市公会堂、この月竣工、元麻生家田の湯別荘跡
6　川田十＝株式会社麻生商店別府駐在員兼別府農園主任、元山内農場主任
7　堀田＝地名、大分県速見郡石垣村
8　野田卯太郎＝元逓信大臣、元商工大臣
9　木村平右衛門＝九州水力電気株式会社常務取締役、三月十九日より九州送電株式会社常務取締役兼務、第三巻解説参照
10　みどりや＝旅館（長崎市今町）
11　軍艦羽黒進水式場
12　石渡信太郎＝明治鉱業株式会社常務取締役、この年十一月取締役

ニ〔ママ〕列ス、午後一時帰リタリ
午後二時廿五分長崎駅発ニ而帰途ニツキ、午後六時博多駅ニ着ス

三月二十五日　日曜

午前八時瓜生長右衛門及九送[1]〔博通〕[2]井上両人来リ、瓜生ハ町長、井上ハ工事上ニ而内談アリタ
永江真郷[3]氏相見へ、團〔琢磨〕[4]氏より出状ヲ以日銀惣裁より面談ノ用件アリ上京スル様申来リ、自分ニハ何等存知ナキヤトノ事ニテ、全ク何事も不存ト申向ケタルモ、團氏より出状ニツキ上京アル様注意ス
大谷ひさきノ実父相見へ、小柳〔多市カ〕[5]氏町長之推撰方申入アリル〔タ脱〕モ、現在町ノ有様ニツキ暫時模様ヲ見ル事尤〔最〕大切ニツキ、其ノ心得アル様申向ケタ
平尾及荒戸へ行キ、工事ノ打合ス

三月二十六日　月曜

午後二時九水重役会ニ出席
午後四時麻生観八氏相見へ、大太黒〔大田黒重五郎〕[6]氏より面会之用件懇談アリタ、又東望〔東邦〕合同尤賛成アリタ
内本・村上両人相見へ、第三工事ノ打合ヲナス
代準介[7]及渡辺ノ両人相見へ、博多停車場地所五万坪買入、手付金渡セシニ、金策相尽キ援介方申入アリタルモ断リタリ

三月二十七日　火曜

有田広君相見へ、宮野銀行合同問題ニ付打合ス

三月二十八日　水曜

元衆議員〔院〕議員青柳郁次郎君相見へ、幹事長[8]ノ挨拶アリタ

宝満宮司西高辻〔信任〕氏相見ヘ、工事ノ挨拶アリ、又宰府東側ノトンネル場所ノ北田地鳥居建設場ハ巾四間トシテ約百五十坪、一坪一円五十銭ニテ売却ノ申向ケアリタ

荒戸・小笹[9]ノ両所ニ臨ミ、工事ヲ打合ス

午後三時相政〔お〕ニ行キ、山内範造・堀・青柳〔郁次郎〕ノ三氏ト喰事ス

堀氏より日本銀行惣裁より銀行合同問題ニ付上京スル様伝達ノ申向ケアリ、右ニ付永江君より申向ケノ團氏より出状アリタル次第打合ス

三月二十九日　木曜

午前荒戸工事及平尾ノ屋敷ニ行キ、直チニ引戻ス

午後米子〔麻生ヨネ〕[10]・夏子一同平尾小笹ノ屋敷ニ行キ、実地ヲ視而帰リタリ

1 九送＝九州送電株式会社、九州水力電気株式会社・東邦電力株式会社・電化工業株式会社・住友家の平等出資で一九二五年創立、太吉相談役
2 井上博通＝九州送電株式会社支配人、のち九州電気軌道株式会社監査役
3 永江真郷＝三池銀行頭取
4 團琢磨＝三井合名会社理事長
5 小柳多市＝元飯塚警察署長
6 大田黒重五郎＝九州水力電気株式会社取締役、元株式会社芝浦製作所専務取締役、のち九州電気軌道株式会社社長
7 代準介＝福岡市南部土地整理事業や東部区画整理事業に関与、元吉野家株式店（大阪市）
8 立憲政友会福岡県支部幹事長
9 小笹＝地名、福岡市平尾・早良郡樋井川村下長尾一帯、麻生家別荘建築予定地
10 麻生ヨネ＝太吉四女、麻生義之介株式会社麻生商店取締役妻

午後四時半一方亭ニテ三谷〔一二〕氏[1]・松本〔健次郎〕氏より招待アリ出席、制限問題[2]ニ付三谷氏より縷々理事会[3]ノ模様報告アリ、又筑豊常議員諸君より事情申向ケアリ、結局効力ノ有ル様早く発表希望セラレ、来ル四月二日出発上京ノ打合ヲナス

三月三十日　金曜

午前八時三十分博多駅発ニ而若松築港会社[4]重役会ニ出席、午後三時三十六分戸畑駅発ニ而帰途ニツキ、折尾駅ヨリ林田晋[5]君ト同車、芳雄駅ニ着ス、博多駅より戸畑駅迄松本・吉田〔良春〕・中沢〔勇雄〕[6]三氏ト同車ス

花村徳右衛門君ニ福岡工事ヲ打合ス

三月三十一日　土曜

午前八時綱分八幡宮[7]ニ参詣、灯籠ノ建立場所松岡祠掌及加納〔狩野嘉市〕営繕主任ト立会、北側ノ土台ヲ二尺広メテ据付ルコトニセリ

午前九時半自働車ニ而出福、荒戸・平尾ノ両所ヲ経而宝満宮ニ参詣、工事ノ場所ニ付籾田〔喜三郎〕[8]ト打合セタリ

米山越[9]ニテ帰途ニツキ、中途より学生ト老人ト山口[10]迄乗車サス

吉浦〔勝熊〕君辞任ニ付、受持中ノ事柄夫々聞キ合セ、間違ナキ様備忘録ニ記載ヲ乞タリ、午後十時過キ迄整理ス

四月一日　日曜

徳光[11]瓜生与九郎跡ノ田地道路ノ敷地間違アルコト瓜生区長より申向ケ、変更スルコトニセリ、本人ノ不徳義ノ旨十二分ニ申向ケタリ

吉浦君受持中ノ事柄一切調査シ、夫々記載ヲ乞、相片付タルニ付、午後▨〔二カ〕時半より出福ス

義之介長崎より帰途ニツキ博多駅ニ午後六時卅分ニ行キタルモ間違ニテ、義ノ介浜ノ町ニ来リ、打合ス

篠崎団之介〔助〕相見へ、学資之件及別府ニ而町村長接待ノ申入アリ、義之介ニ申伝ヘル、土居桝谷坑区[12]ハ試険〔ママ〕ノ承諾ナ

ケレバ断ル旨申向ケタリ

　四月二日　月曜

午前八時堀三太郎氏相見へ、東望〔東邦〕海東君ト面会ノ申入アリ、同氏同道東望会社ニ而海東君ニ面会ス

本願寺福岡教区末広唯信氏相見へ、井上功〔叩〕端[13]氏議員ニ撰挙ニ付内談ノ申向ケアリタ、本人ノ決心ニ任スノ外ナキ事ト存マス、尤競争等ハ宗教上ニハ不宜旨申添へ〔以下空白〕

黒瀬金百円相渡、領収証案打合ナシタリ

棚橋・木村・黒木三氏相見へ、東望〔東邦〕ノ件及北筑[14]ノ件、九送延岡線ノ件ニ付打合ス

1　三谷一二＝三菱鉱業株式会社会長、山東鉱業株式会社取締役
2　制限問題＝石炭市況の不振救済のための送炭制限
3　理事会＝石炭鉱業聯合会理事会
4　若松築港株式会社＝一八八九年若松築港会社設立、一八九三年株式会社とする、太吉取締役
5　林田晋＝株式会社麻生商店商務部長
6　中沢勇雄＝若松築港株式会社取締役
7　綱分八幡宮＝嘉穂郡庄内村
8　籾田喜三郎＝麻生家庭師兼雑用
9　米ノ山越＝筑紫郡御笠村と嘉穂郡上穂波村山口を結ぶ峠、筑豊と太宰府を結ぶ道
10　山口＝地名、嘉穂郡上穂波村
11　徳光＝地名、飯塚町
12　土居桝谷鉱区＝桝谷平三郎所有鉱区（嘉穂郡桂川村土居）
13　井上叩端＝浄土真宗本願寺派正恩寺（飯塚町川島）住職
14　北筑軌道＝九州水力電気株式会社路線、福岡市今川橋・糸島郡加布里間の軌道、この年五月北九州鉄道株式会社へ譲渡

野田〔勢次郎〕君相見へ、吉浦・石川〔広成〕[1]ノ両氏ノ退辞〔ママ〕ニ付慰労金ノ打合ヲナス

四月九日　月曜

在宿

滞京中書類整理ス

四月十日　火曜

在宿

嘉穂銀行西園支配人相見へ、銀行ノ打合ヲナス

正恩寺[2]相見へ、惣代会衆撰挙ノ件ニ付打合、競争ノ場合ハ辞退ノ事ニテ承諾之旨打合ス、花田〔湊雲〕[3]氏ニも返事シタ

与九郎〔瓜生〕跡田地等一切元ノ通仕戻スコトニ差図シタ

四月十一日　水曜

瓜生長右衛門来リ、瓜生与九郎跡道路敷ニ付内談セシモ、一切相断、暫ラク成行ニ任セル様申向ケタリ、右ハ枝郷区[4]民ニ於而互ニ徳義ヲ重ヅル様導引致度旨意ヲ能ク申向ケタリ

耕地整理林田主任ニ電話シ、溝浚エ方引受、道路ヲ造リ、残余アルトキハハラス[5]ヲ買入散布スル等申向ケタリ

四月十二日　木曜

鬼丸平一〔市〕来リ、与九郎跡道路敷地仕戻見合方申入候モ、枝郷区民ノ心得ニナル事故、一旦仕戻シ、跡ニ而解決可致旨申向ケタリ、其時共同農作ニ付〔空白〕〔農カ〕□ノ内蜜ヲ聞キタリ、他日再会ヲ約ス

彦山〔高千穂宣麿〕[6]宮司訪問、振与〔興〕会之件申入アリタルモ、寄宿舎位ノ程度ニ付寄付スルコトハ人並も可有之モ、大希望ノ寄附ハ此際御受申上がたく旨申向ケ、昼食ヲ饗シ帰ラレタリ、石灯籠献納ヲ約ス、銅ノ鳥居ノ前と申置タリ、鳥居ノ寸法ヲ聞キ〔ママ〕コトニセリ

占部〔義夫〕[7]氏告別式ニ三時廿分より上境[8]ニ行キ、午後五時四十分帰宅ス
今貞〔今井貞次郎〕[9]ト電▨〔話カ〕ニテ幅物ノ打合ヲナス

四月十三日　金曜

野田・相羽・渡辺三氏相見へ、吉田三木[10]君死去ニ付報告アリ、夫々葬式等打合ス
後藤寺名和町長相見へ、町債返却ニ付手配中ノ報告アリタ
在宿セシニ付庭内ノ整理ヲナサシム、及大浦テニス場工事ニ付注意ス

四月十四日　土曜

村上・内本外二氏相見へ、杖立工事上ニ付打合ス
渡辺皐築君相見ヘタリ
午後二時自働車ニ而福岡ニ行ク

1　石川広成＝株式会社麻生商店飯塚病院事務長
2　正恩寺＝井上叩端正恩寺（浄土真宗本願寺派寺院、麻生家菩提寺）住職
3　花田凌雲＝西本願寺執行、仏教大学勧学、井上叩端（正恩寺住職）を物代会衆選挙に推薦
4　枝郷区＝飯塚町栢森区、麻生家所在地
5　バラス＝砂利
6　高千穂宣麿＝英彦山神宮（田川郡添田町）宮司
7　占部義夫＝芳夫とも、太吉親族（鞍手郡直方町上境）
8　上境＝地名、鞍手郡直方町
9　今井貞次郎＝美術商八方堂（京都市四条麩屋町）
10　吉田三木＝株式会社麻生商店綱分鉱業所技術担当

荒戸ニ行、庭木植方注意ス
午後六時ニ大博座[1]ニ河井〔合〕タンス[2]ヲ見物ニ義太賀〔麻生〕[3]・太介〔麻生〕連レ行キタリ

四月十五日　日曜

午後二時九水協義会ニ出席
午後五時半自働車ニテ帰リタリ、太助〔介〕・義太賀両人同供ス

四月十六日　月曜

午前六時自働車ニ而門司ニ向ケ出発シ、川卯[4]ニテ渡海船ヲ雇貰ヒ、直チニ山陽ホテル[5]ニ着、直チニ理事会[6]ヲ催シ打合ヲナシタリ
午前十二時貝嶋〔太市〕氏より一行大吉楼ニ招待アリ、午後弐時半迄同所ニ滞在、佐賀高取〔盛〕[7]氏三菱門司支店ニ相見へ、船田〔一雄〕[8]氏ト同船シテ同氏ニ面会、原按賛成ノ懇情ヲ願タリ、船田氏ハ三谷氏ノ書面ヲ示サレ、余程注意セラレ、幸ニ同意ヲ得タリ
午後五時門司倶楽部[9]ニテ惣会ヲ開キ、議長席ニツキ別案ノ通審議ヲ乞タリ
午後六時より菊ノ家[10]ニテ一行招待ス
午後十時半より自働車ニ而帰宅ス、野田・林田ノ両君ハ大吉ニ同供ヲ乞タリ
菊の家ニ下ノ関より五名来リシニ付五十円ト、千代[11]ニ三十円遣ス
菊の家ノ女中頭ニ二十円遣ス

四月十七日　火曜

在宿
耕地整理組合ノ掛員相見へ打合ス

武田〔星輝〕ヲ呼ヒ、将来地所関係ハ直接電話其他ヲ以其ノ都度通シ処理スルコトヲ申付タリ

四月十八日　水曜

午前八時渡辺皐築君ト金宮鉄道実地ニ踏査ス、安川〔敬一郎〕氏関係[12]ハ存外楽観シタ、大体線路適当ノ場所ナリ、三菱会社廃坑跡ハ誠意アル所置〔ママ〕セラレ居レリ
山内農園[13]ニ依〔寄〕リ、又太七郎別府行ノ打合セ、武田相見ヘ、工事及栢森共同農作ノ打合ヲナス
臼木〔臼杵弥七〕[14]君初而入込アリタ
午後六時自働車ニ而出福ス

1　大博座＝大博劇場の通称、一九二〇年落成（福岡市上東町）
2　河合ダンス＝河合幸七郎（お茶屋河合、大阪市宗右衛門町）が一九二二年設立したバレー団
3　麻生義太賀＝太吉孫
4　川卯＝旅館、支店（門司市）、本店（下関市）
5　山陽ホテル＝下関市下関駅横
6　理事会＝石炭鉱業聯合会理事会（評議員総会）
7　高取盛＝高取鉱業株式会社長
8　船田一雄＝雄別炭礦鉄道株式会社常務取締役、九州炭礦汽船株式会社取締役、中島鉱業株式会社取締役
9　門司倶楽部＝一九〇三年に筑豊石炭鉱業組合・門司石炭商組合・西部銀行集会所・九州鉄道が設立した社交機関（門司市清滝町）
10　菊の家＝料亭（門司市）
11　千代＝旅館春帆楼（下関市阿弥陀寺町）女中
12　明治鉱業株式会社関係鉱業用地
13　山内農園＝株式会社麻生商店山内農場（飯塚町立岩）、廃鉱地試験農場、一九〇八年開設
14　臼杵弥七＝株式会社麻生商店会計部復職、元同職

四月十九日　木曜

川卯ノ主人来リ、家政上ノ相談ナシタリ
別記之異見ヲ申向ケタル事ハ記ス
午後三時宝満宮ニ参詣、庭園ノ手入ニツキ籾田［喜三郎］ノ工事ヲ見タルニ既ニ工事落成セリ

四月二十日　金曜

山内範造君相見へ、大宰府土地四反三畝余千二百円ニ而売却ノ件内談アリ、承諾ス（宝満宮鳥居建設所）
福村家ニ而昼食ヲナス
石田［亀一］氏午後一時ニナリテモ通知ナキニ付電話セシニ、炭坑災難アリタル旨返話アリ、直チニ相羽君ニ電話シテ見舞ノコト注意ス
午後五時半より自働車ヲ雇入帰リタリ

四月二十一日　土曜

午前嘉穂銀行ニ出頭、調査事項ニ付打合ス
加納［久朗］[1]様御来遊ニ付昼食ヲナス、御一泊アリタ

四月二十二日　日曜

午前九時自働車ニ而福岡ヲ経而鹿児嶋ニ行カル、夏子・太賀吉福岡迄御供ス
原田[2]山内範造君ニ電話ニ而特別銀行保護法[3]ノ継続ニ付打合セシニ、明日ノ協会[4]ニ出席ノ旨返話アリ、出席ヲ諾ス

四月二十三日　月曜

午前七時自働車ニ而出福
銀行協会ノ幹事会ニ出席、夫より同惣会ニ出席（銀行集会所[5]階上）、階下ニテ昼食ヲナシ、古井［由之］[6]君ニ合同ニツキ営

業方針ヲ合同銀行ノ営業ノ通セラル、様、食事中門司日本銀行支店長〔石塚滝蔵〕・勧銀支店長〔安藤友哉〕ヲ聞テニシテ種々懇談ス
午後三時より福村家ニ一行ヲ古井君ト共同ニテ招待ス、午後六時帰リタリ
金三十四円五十銭公会堂[7]ニテ久留米植木組合ニ仕払タリ、外ニ弐円榊弐本払

四月二十四日　火曜

武田登記済報告アリタ、図面ヲ受取タリ
金四十二円四十銭ト五十銭ト植木代、久留米植木組合ニ仕払タリ

四月二十五日　水曜

宝満宮禰宜小野子醇氏相見へ、挨拶セラレタリ
山内〔多門カ〕[8]画伯ノ一三ノ絹地幅物、黒田某持参、百五十円ニテ買入タリ（大谷《ひさき》より直払）
午後一時半より九水重役会ニ臨ミタリ
太和田〔大和田市郎〕・江藤〔甚三郎〕[9]・木村ノ三氏挨拶ニ見ヘタルニ付、中光ニ案内シ午後十時帰リタリ

1　加納久朗＝麻生夏兒、横浜正金銀行大阪支店副支配人
2　原田＝地名、筑紫郡筑紫村
3　特別銀行保護法＝日本銀行特別融通及損失保証法（一九二七年公布）カ
4　協会＝福岡銀行協会、銀行合同のため日本銀行主導で一九二七年十月設立、常任幹事十七銀行
5　銀行集会所＝社団法人福岡銀行集会所（福岡市春吉）、一九二六年法人化
6　古井由之＝十七銀行（福岡市）副頭取
7　公会堂＝福岡県公会堂（福岡市西中洲）
8　山内多門＝明治から昭和にかけての日本画家
9　江藤甚三郎＝九州水力電気株式会社監査役

川嶋淵明[1]君相見へ、津屋崎別荘[2]来月六日借宅ノ相談アリ、承諾ス

四月二十六日　木曜

午前九時半自働車ニ而夏子〔麻生〕ト一同帰リタリ

麻生商店ノ倶楽部ニテ芳雄駅前耕地整理組合ノ評義〔ママ〕員会ヲ開催ス

嘉穂銀行ニ行キ、全体ノ財産調査書ニヨリ成案ス、監事・支配人一同各一部ツ、所有ス

棚橋氏より株之電話アリ、注意ス

村上巧児君より電話アリタ、明日若松築港会社ニ重役会ニ臨ミ、出福シテ面会ヲ約ス

麻生観八氏入院ニ付見舞ヲ為持、名刺ノ裏ニ御病気ニ障リナキ程度ニ而御異見伺度旨ヲ記シ、急用ニテ帰リ其内御拝顔ヲ期シ度旨申添ヘタリ

午前八時谷田〔信太郎〕君来リ、大坂鉄株及銀行関係ヲ懇談ス

四月二十七日　金曜

午前渡辺皐築君相見へ、土居坑区之内談アリタルモ、試険〔ママ〕出来ザルニツキ久恒〔ママ〕君ニ紹介之事ヲ申向ケタリ

瓜生長右衛門及区長来リ、共同農作之件ニ付日隠連[3]ヲ除名シ、是レニ一部分小作ヲナサシムルコトノ内意ヲ聞キタリ、他日紛義ノ生セザル様注意方申談ス

午前九時二十二分芳雄駅発ニ而〔若松〕築港会社重役会及惣会ニ出席ス、午後二時二十分戸畑駅発ニ而福岡ニ向ヒ、松本〔健次郎〕氏ト同道、種々異見ノ打合ヲナシタリ、船田〔一雄〕氏ニ打合ノ上模様為知スル故夫迄忍堪之事打合ス

村上巧児君相見へ、東望〔東邦〕合同ニ付棚橋・木村ノ両氏ノ意向面白カラザルヨリ、海東〔要造〕君之意向少シク変候次第旨申向ケアリタルモ、夫レハ心配ニ不及旨申向ケ、尚可成急キ交渉ナス旨申向ケタリ

午後五時半過キ自働車ニ而太賀吉ト帰リタリ

四月二十八日　土曜

義之介来リ、滞京中ノ用向聞キタリ
書類等ノ整理ス
金弐百十七円八十六銭臼木〔臼杵弥七〕より受取（出入帳ニ記ス）
三百円ノ別封ト二百八十五円懐中アリ、外ニ五百円別口受取、出入帳ニ記ス

四月二十九日　日曜

勤続表彰賞[4]授与セシニ付終日打掛リ、午後六時より自働車ニ而出福ス
瓜生長右衛門・瓜生茂一郎来、共同農作ノ打合ヲナス

四月三十日　月曜

麻生観八・村上功〔巧〕児両君相見へ、東望〔東邦〕ト合同ハ松永君〔安左衛門〕ニ面会、無隔意懇談シ、同君ノ智恵ヲ借ル方得策ナラントノ事ニ而、如何ニも有利ト存同意ス
小野寺〔直助〕[5]博士ニ電話ヲ以松永君来県有無聞合セシニ付、今朝下ノ関着トノ事故、山陽ホテル・春帆楼・別府中山旅館・中津竹岡吉太郎[6]氏ニ電話セシニ、十時四十八分竹岡氏方ニ着ノ旨返話アリタ

1　川嶋淵明＝宇美八幡宮（糟屋郡宇美町）宮司、元嘉穂郡長
2　津屋崎別荘＝麻生家別荘（宗像郡津屋崎町渡）
3　日隠＝地名、飯塚町下三緒
4　第七回株式会社麻生商店永年勤続表彰賞
5　小野寺直助＝九州帝国大学医学部教授
6　竹岡吉太郎＝松永安左衛門義兄、下毛銀行（中津市）取締役、耶馬渓鉄道株式会社取締役

竹岡氏ニ重而電話セシニ、海東君掛ラレ、松永君面会ノ用向相咄シタリ
村上君ニ通話シ、尚麻生〔観八〕氏ニも同様通話ス
伊藤傳右衛門君ニ銀行ノ調査ノ始末電話ス
原田正雄〔延カ〕君（東京ノ（ゴロ）五十円遣ス

五月一日　火曜

村上功〔巧〕児君ニ電話シ、海東君面談之際ニ対談ノ要点打合ス
渡辺皐築・麻生義ノ介両君ニ電話ス
堀君ニ別記之電信ヲナス（東京北〔氷〕川町松本〔和〕氏方）
麻生観八氏大学病院[1]ニ見舞、海東君面会ノ件等詳細懇談ス
帰途大村〔欣次郎カ〕[2]君ニ面会ス（東公園[3]南側銅像ノ隣リ）
議会停会アリタ、山内〔範造〕・中村〔清造〕・藤〔勝栄カ〕[4]ノ三氏相政〔お〕ニ行キ晩食ナス、芳子〔内山カ〕ノ旅館ニ立寄タリ

五月二日　水曜

海東君ニ東望〔東邦〕ノ会社ニ而面会ス、堀氏帰県ノ上会合ヲ約ス
県農会ニ出頭、栢森共同農作ノ件ニ付打合ス
午後五時半自働車ニ而帰宅ス

五月三日　木曜

熊崎[5]ノ排水路ヲ初而流、滝ケ下[6]等ノ排水路ヲ調査ス
人夫ニ尚充分浚方申付タリ
武田ヲ呼ヒ、共同農作ノ調査ヲ命ス

堀氏大坂金森[7]ニ電信セシニ、四日十二時半博多着ノ返電来リ、直チニ棚橋君ニ電話シ、午後六時福村家ニ而会合ノコトヲ海東君ニ伝達方電話ス

五月七日

午後一時自働車ニ而帰宅
共同農作之件ニ付無量寺[8]ニ栢森区寄合ニ出席、詳細聞取タリ
午後七時半地主会開催ス

五月八日

芳雄駅前耕地整理主任者相見へ、道路工事受負ノ件打合、申出より尚五百円減少方交渉ヲ打合ス
「タ」[9]ノ家屋引受方、区長〔瓜生熊吉〕・鬼丸平一〔市〕ト相談ニ来リタリ
正恩寺相見へ、協〔ママ〕会員撰挙之件打合ス

1 大学病院＝九州帝国大学附属病院
2 大村欣次郎＝元麻生商店機械係
3 東公園＝福岡県立公園（福岡市千代町）
4 藤勝栄＝福岡県会議員、のち衆議院議員
5 熊崎＝地名、飯塚町立岩
6 滝ケ下＝地名、嘉穂郡穂波村小正
7 金森＝旅館（大阪市西区江戸堀）、太吉定宿
8 無量寺＝浄土宗寺院（飯塚町立岩）
9 「タ」＝麻生家新宅麻生多次郎、元飯塚町長、元福岡県会議員

共同農作ニ付淵上[1]・武田・花村ト打合ス
船田〔一雄〕氏ニ重而打電ス
黒木〔佐久馬〕氏ト明日出福打合ス
渡辺皐築君相見へ、東望〔東邦〕・九水ノ合同ニ付調査方頼ミタリ

五月九日　水曜

午前七時より自働車ニ而、九水と東望と合同調査ニ付黒木君面会ノ為メ出福ス
黒木氏二度相見へ打合セ、調査書受取タルモ尚別案明日調査ヲ打合ス

五月十日　木曜

黒木・久保田〔貞次〕[2]ノ両君相見へ、東望ト合同問題ニツキ打合ス

五月十一日　金曜

荒戸ニ両度行キ、工事上ノ打合ヲナシ、花村及籾田ニモ同様打合ス
〔欄外〕○
午前十時ヨリ自働車ニ而大宰府ニ参詣、宝満宮ノ参詣トンネル[3]ノ場所ニツキ実地ヲ踏査ス、小学生徒二組参詣シ昼食中ニ付、梅かへ〔枝〕餅一人ニ付五ツヅヽノ割合ニテ一方ハ二十円、一組ハ十二円ヲ茶屋ニ渡シ頼ミタリ
米ノ山越ニテ帰途ニツキ、午後一時半帰着
〔欄外〕○ノ処ニ入ル
棚橋氏へ電話シニ病気中ニ付大宰府ニ参詣帰リタリ

五月十二日　土曜

渡辺皐築君相見へ、東望〔東邦〕・九水合同ニツキ調査書ニヨリ尚研究ナシタル末、□口減資ヲ全部株券ニテ引渡ス時ハ現

金仕払ニ付面倒ナキコト旨ヲ打合ス（黒木君ニ電話ス）
相羽君相見へ、鹿町坑区[4]及付近ノ坑区ノ調査ノ模様ヲ聞キタリ
松月家内来リ、篠崎〔団之助〕・瓜生〔長右衛門〕一同金融上ノ懇談セシニツキ、商店〔麻生〕ト申合セ返事ノコトヲ申向ケタリ
耕地整理ノ林田君再応相見へ、工事受負上ニ付打合ス
黒木氏ニ電話シ、棚橋君ト打合ノ結果何ニカ調査中ニテ、其ノ模様ニヨリ電話ノ打合ヲナス

五月十三日　日曜

鬼丸平一〔市〕来リ、「タノ家屋買入方押而申出タルニ付、野見山君〔米吉〕ニも電話シ、矢張当方より直段〔値〕ヲ付ケルコトハ断リタリ
芳雄駅前耕地整理評義〔ママ〕員会ヲ開設、工事ヲ受負ナサシムコトニ決定ス
黒木氏ニ電話シ、明日出福ヲ約ス
午後四時自働車ニ而出福

五月十四日　月曜

午前九時黒木・棚橋両氏相見へ、東望〔東邦〕ト合同問題ニ付研究ナシ、私案ノ通九水ハ全部株券ヲ渡シ東望ハ減資スルノ外ナキニ付、許可ノ有無ニツキ黒木君上京研究ノコトニ打合ス

1　淵上＝栢森共同耕作組合長
2　久保田貞次＝九州水力電気株式会社庶務課長兼秘書
3　宝満宮ノ参詣トンネル＝太宰府天満宮と竈門神社（宝満宮）を近道で結ぶ隧道
4　鹿町坑区＝株式会社麻生商店坑区（長崎県北松浦郡鹿町村）

午後十二時半福村家ニ而山中《[平田貫一カ]》[1]内務部長ヲ招待シ昼食ヲ饗応、義ノ介モ来リタリ
午後七時ヨリ義ノ介・夏子一同帰宅ス、途中乗合自働車ニ故障アリタ

五月十五日　火曜

午前十一時自働車ニ而出福ス
午後二時九水重役会ニ出席

五月十六日　水曜

九水村上常務相見へ、麻生観八氏病気ニツキ重病ノ掛念《[ママ]》アル旨小野寺博士ノ内意秘蜜ニ通知アリタ
午前九時星野《[礼助]》[2]氏相見へ、家産贈与ニ付趣意書ノ研究ヲ乞タリ
荒戸ニ行キタリ
岡松《[直]》[3]ニ電話シ出福ヲ命ス
午後七時中嶋新地万歳《[満財]》[4]家ニ行キ晩食ス
片粕《[堅]》[5]ノ某二人来リ、丈《[大カ]》ノ件ニ付面会ヲ求メ来リ、面会ノ結果見舞ヲ其侭押返シ病気罹ル費用ハ支弁方申向ケタリ

五月十七日　木曜

宝満宮神地内ニ杉木植付ノ為メ金四十円為持、籾田宝満ニ出張ナサシム
池上《[駒衛]》[6]・松本《[健次郎]》両氏ニ電報ス
岡松ヲ呼ヒ、終日浜ノ町別荘ニ於テ家産贈与ニ付趣旨書ヲ認メサス
下田《[光造]》[7]先生来邸、太右衛門《[麻生]》[8]出福セシニ付診察ヲ乞、別ニ異状ナキ旨診察アリタ
午後七時半より太右衛門一同帰リタリ

五月十八日　金曜

麻生太[多]次郎[9]家屋三千円ノ家代トシテ返金三千円トシ此際片付候方面倒ナキ旨、電話ヲ以野見山[米吉]ニ打合セシモ、同意ナキニツキ、鬼丸等遣ス可キニ付打合方申向ケタリ

長崎寅[歌沢]ゆき及丸三[10]ニ電話シ、松居[織工場]注文ヲ依頼ス

午後六時廿六分芳雄駅発ニ乗車シ、船田一雄氏朝鮮行ニ而下ノ関ニテ午後十時着ニツキ面会ノ為メ出張ス、尤模様ニテ上京ノ覚悟ニ而有之候モ、面談ノ結果上京見合セリ

折尾より小倉迄長崎控訴院所長[マヽ]及院長[中西用徳]ト、及福岡才判所長[長谷川菊太郎]ト同車ス

ホテルニ一泊ス、野田君朝鮮より帰リニ立寄、用談ス

五月十九日　土曜

午前八時半門司駅発ニ而野田氏ハ折尾駅より下車アリ、自分ハ福岡ニ来リ浜ノ町ニ着ス、博多駅ニ太賀吉迎ニ来リ

1　平田貫一＝福岡県内務部長、山中恒三内務部長は前年五月転出
2　星野礼助＝弁護士（福岡市）
3　岡松直＝株式会社麻生商店家事部
4　満財家＝料理屋（福岡市中島新地）
5　堅粕＝地名、福岡市堅粕、この年四月一日福岡市に編入
6　池上駒衛＝石炭鉱業聯合会常務理事
7　下田光造＝九州帝国大学医学部教授
8　麻生太右衛門＝太吉長男
9　麻生多次郎＝麻生家新宅、元飯塚町長、元福岡県会議員
10　丸三＝徳永善兵衛経営丸三呉服店（福岡市下新川端町）

タリ

五月二十一日　月曜

鬼倉重次郎君[1]山崎［国彦］[2]署長ノ紹介ニテ訪問アリ、旅費金三百円遣ス

野田勢次郎・谷田［信太郎］ノ両君相見ヘ、株式及嘉穂銀行ノ件、別府土地、農商務種牛養［空白］場跡払下ノ件等打合ス

午後四時半相政［お］ニ行キ、堀氏ト会合ス

五月二十二日　火曜

有田［広］監事相見ヘ、遠賀山鹿[3]地所嘉穂銀行所有地ノ件ニ付打合ス

福岡警察署勤務高等警察係田上文次郎氏相見ヘ、武徳会ニハ出金ニ不及ニ付自働車買入費金壱千円寄付ノ相談アリ、内諾ス

荒戸ニ而中沢勇雄君・福岡日々記者金生喜蔵君相見ヘ、鉄工場移転ノ件ニ付内談アリタ

大和田［市郎］君訪問アリタルモ不在セリ

棚橋氏告別式ニ参詣ス

五月二十三日　水曜

村上・内本両君相見ヘ、杖立電気[4]決算ニ付捺印ス

石渡［信太郎］氏相見ヘ、九洲製鋼会社安川[5]氏より無償弁債之間違ニ付惣会重而開設ニツキ内談アリタ

松本氏ニ電話シ、廿六日常議員会[6]ニ出席ノ約ヲナス

午後一時過キ自働車ニ而夏子・武田一同帰リタリ

午後三時半中座[7]火事ニ付見舞ニ行キ、金弐百円寄付ス（火防組ニ酒料ナリ）

上野［文雄］[8]・許斐［安太郎］[9]両氏相見ヘ、許斐寛氏ノ負債ノ事ニ付相談アリタ

五月二十四日　木曜

亡父命日ニ付在宿

野田・義之介両君相見ヘ、鹿町坑区ノ件及豆田坑長等ノ件ニ付打合ス

区長及鬼丸来リ、新宅家屋ノ打合セシモ、野見山〔米吉〕承諾ナキ為メ見合ス

五月二十五日　金曜

午前十時自働車ニ而岡松ヲ連レ出福ス、岡松ハ家産分与ニ付趣意書星野氏ニ鑑定ヲ乞為ナリ、又夏子モ同車ス

午後二時九水重役会ニ出席

山内範造氏ヲ博多駅ニ送リタリ、金三百円同氏ニ大宰府宮司ニトンネル及山林ニ植付地料ノ意味ト北側ノ買増土地トシテ見合金ナリ

午後六時福村家ニ而九水ノ慰労会ニ出席、午後九時帰リタリ

1　鬼倉重次郎＝足日公、原理日本軍総本営（東京市中野町）、白川神道普及者、のち皇道斎修会理事長
2　山崎国彦＝福岡警察署長
3　山鹿＝地名、遠賀郡芦屋町
4　杖立川水力電気株式会社＝一九二三年設立（大分市）、太吉社長
5　九州製鋼株式会社＝安川敬一郎と漢冶萍公司の合弁で一九一七年設立、一九二七年製鉄所に経営委託
6　常議員会＝筑豊石炭鉱業組合常議員会
7　中座＝株式会社中座、劇場、一九二一年六月創立（飯塚町春日町）、社長麻生太七、一九二九年五月再建
8　上野文雄＝嘉穂郡庄内村長、元福岡県会議員
9　許斐安太郎＝嘉穂郡頴田村長

五月二十六日　土曜

新庄〔祐治郎〕[1]知事ヲ祝詞ニ訪問ス

荒戸及平尾ニ行キ図面ス

大浜二丁目[2]青柳方ニ行キ仏像ヲ見タルモ、買入スベキモノデナキ故断リタリ

午後六時五十分自働車ニ而帰宅ス

五月二十七日　日曜

別家之者[3]一同ヲ呼ヒ、大広間ニ於而家産ヲ分与ナシ、趣意書及昭和二年度已前配当金ノ領収書等ニ夫々捺印ナシタル後、仏前ヲ拝シ墓所ニ参拝ス、程度大切油断大敵[4]ノ額ノ裏ニ昭和三年五月二十七日ト記シ夫々分配ス

黒元里道及徳光[5]（義ノ介屋敷前）ヨリ上谷[6]ニ達スル道路ヲ新設ノ件、区会ニテ協定ノ通知ヲ区長よりナセリ、就キテ村社前ノ道路は神池〔地〕ニナスコトニ申出タリ

五月二十八日　月曜

在宿

九水永井〔菅治〕[7]君相見へ、北筑鉄〔軌〕道引上ケニツキ一時志之金壱万円ハ布設当時寄付セシ等ノ関係ヲ調査シ、将来何等異存ナキ迄付留、弁護士ニ聞キ合セ、引渡方注意ス

五月二十九日　火曜

午前九時出福

山内範造氏相見へ、大宰府ノ件打合ス

五月三十日　水曜

麻生義之介ヲ辻〔勇夫〕[8]氏葬義〔ママ〕ニ列シセシム

山内・森田両氏相見へ、平尾ニ同供ス、山内ハ停車場、森田氏ハ城南線[9]迄送リタリ

五月三十一日　木曜

午前八時半急行ノ電車[10]ニ而大宰府ニ行キ、大和屋ニテ昼食及晩食ヲナス、百円大和屋へ預ケル

宝満宮（トンネル場所山内範造・有吉氏〔勝三郎カ〕[11]一同実地ニツキ検査ス

午後九時自働車迎ニ来リ、山内氏二日市駅[12]迄送リ帰リタリ

六月一日　金曜

午後二時脇山村主基斉〔斎〕田ニ太賀吉一同拝観ス、自動車ニ而往復ス

午後五時半ヨリ自働車ニ而帰リタリ

1 新庄祐治郎＝佐賀県知事就任
2 大浜二丁目＝地名、福岡市
3 別家＝故麻生八郎家・麻生太右衛門家・麻生太七郎家・麻生義之介家・麻生五郎家
4 太吉の座右銘、題字は太吉の筆
5 黒元＝地名、黒の本とも、飯塚町立岩
6 上谷＝地名、飯塚町立岩
7 永井菅治＝九州水力電気株式会社支配人、第三巻解説参照
8 辻勇夫＝多田翁（作兵衛、元衆議院議員）記念財団理事長、元朝倉軌道株式会社常務取締役、元福岡県会議員
9 城南線＝北筑軌道起点今川橋（福岡市西新町）と九州水力電気市内電車（福岡市渡辺通）を結ぶ電車線路
10 急行電車＝九州鉄道（福岡・久留米間）高速電車
11 有吉勝三郎＝筑紫銀行（筑紫郡二日市町）取締役
12 二日市駅＝鹿児島本線（筑紫郡二日市町）

六月二日　土曜

在宿

麻生太《[多]》次郎八幡町《[市]》ニ転住ニ付、送別ノ為メ夫婦ト野見山米吉・瓜生熊吉[1]・鬼丸平一《[市]》・麻生義之介ヲ招待、昼食ヲ饗応ス

六月三日　日曜

渡辺皐築君相見へ、瓜《[長右衛門]》生負債道付ノ内談アリ、坑区ハ断然断リタリ、銀行借リ入金ノ件ハ担保等アリ、局《[極]》力尽力可致旨相答ヘタリ

一上野文雄・許斐安太郎ノ両氏相見へ、許斐寛氏銀行負債ノ件懇談アリ、支配人ト打合セ、其ノ結果ハ上野氏ニ照合ノ旨申答ヘタリ

午前十一時五十分より自働車ニ而久邇宮様扶桑丸ニ而下ノ関御通過ノ旨電話ニ而承知致、御機嫌奉伺ノ為メ門司水上警察署ニ而警視一同小鑖《[ママ]》鑖《[汽]》ニ而奉伺ナシ、午後三時より帰リタリ

一林元看護婦来リタリ

六月四日　月曜

新宅家屋掃除ヲナサシム

野田・上田両氏相見へ、別府地所石垣村[2]ノ方ハ会社ヲ組織ナシ利益ヲ得ルコトハ外部ノ思ハクモアリ遠慮シタシ、県庁其他ニ尽力スルコトハ何時も可致旨相答ヘルコトニ打合ス

福嶋嘉一郎[3]君相見、金宮鉄道株分配ノ相談アリタルモ断リタリ

西園支配人相見へ、不良《[ママ]》ト文字、銀行ノ信用ニ関スルニ付、範囲ヲ大蔵省ニ伺書ノ打合ヲナス

六月五日　火曜

午前八時半嘉穂銀行ニ行キ重役会ニ列ス、不良ノ文字ニツキ伺書（監査役ノ調書ノ関係ナリ）及所有地所ニ付答伸《〔ママ〕》書、宮野銀行覚書等一々打合ヲナス

午前十一時半自働車ニ而九水重役会ニ午後二時ニ列席ス

午後六時福村家ニ而海東君より招待アリ、棚橋君一同出席、堀氏も出席アリ、種々打合ナセシモ良案ナカリシナリ

堀氏ト六時已前、五時頃より福村家ニ而種々打合ス

六月六日　水曜

大辛《〔宰〕》府町宝満宮禰宜小野氏相見へ、大宰府北側ノ水通ノ地所買上ケ方申入アリ、当分其儘ニテ計画ノ上相談相極メ可申旨申答タリ

村上氏相見へ、九水之件（大分県）ニ付内談アリ、打合ス

黒木君相見へ、東望《〔東邦〕》ト合同ニ付九日迄ニ調成ヲ約ス

小笹ニ行キ指図▨《〔ヲカ〕》ナシタリ

午後三時半より自働車ニ而帰リタリ

六月七日　木曜

在宿

1　瓜生熊吉＝飯塚町栢森区長

2　石垣村＝大分県速見郡

3　福島嘉一郎＝後藤寺水道株式会社取締役、元田川郡後藤寺町助役

書類ノ整理及屋敷内掃除等指図ス、別府山水園ニ電話及浜ノ町家解キニツキ電話ス

六月八日　金曜

午前八時半自働車ニ而出福ス

平尾山ニ家屋移転ニツキ指図ス、午後六時福村家ニ山内範造氏宰府地所ノ件ニ付内談アリタ、歌沢ノ師生〔匠〕〔寅由喜〕・高橋外一人来リ、大村ノ件ニ付懇談セシモ、考慮スルト答ヘタリ

六月九日　土曜

平田〔貫一〕内務部長相見ヘタリ、右ニ付官舎ニ訪問ス、荷物着セシニツキ名刺ヲ出シ帰リタリ

平尾山ニ家屋移転ニ付、其ノ跡ノ石片付等粈田ニ注意ス

午後二時より一方亭ニ行キ、中根〔寿〕氏等会食ス

六月十日　日曜

井上〔準之助〕日本銀行惣裁ニ門司支店長ヲ軽〔経〕而来ル十六、七両日間ニ上京ノ事電話スル様、臼杵〔弥七〕ニ門司支店長ニ電話之申付セリ

村上・黒木両人相見ヘ、東望〔東邦〕合同ニツキ調査書ヲ受取、将来成立スル見込アリ、先方ニ其ノ方針ニ向ケル様打合ス

午前十二時自働車ニ而帰リ、自働車中ニ而一方亭ノ弁当ヲ食ス、別府ニハ明日午後二時着ノ旨電報ス

書類及工事上等差図シ、又備忘録ニ筆記ナサシム

六月十一日　月曜

午前八時五十五分芳雄駅発ニ而産鉄ヲ経而別府ニ向ヒ、午後二時別府駅ニ着、直チニ自働車ニ而山水園ニ着ス、渡辺阜築君ハ芳雄駅より船尾駅[1]迄同車ス

行橋駅より八幡ノ大塚与三郎[2]・白石久雄[3]両氏ト別府駅迄同車ス

棚橋君より、十万円積立二十万円余操〔繰〕越同意ス
西園支配人より、門司〔日本銀行〕支店長より電話ニ付十七日夕迄ニ着京ノ旨電話ス

六月十二日　火曜

長崎病院中ノ内山芳子君ニ見舞ノ電信ヲ発ス
宮内〔観八〕[4]入込、襖張ヲナス

六月十三日　水曜

飯塚町役場林田書記相見へ、栢森区共同農作形式上ニテ宜敷三町歩計リ存続ノ尽力方申入アリ、武田ニ直チニ電話ス
黒木氏相見へ、決算書及配当案ヲ捺印ス
麻生益郎〔良〕[5]君、親父〔観八〕病気見舞ニ付挨拶ノ為メ訪問アリタ
鹿町坑区及銀行ニ関シ谷田ノ一件、野田勢次郎君より電話アリタ
旧新日本銀行惣裁井上・久方〔土方久徴〕両氏ニ電信ニ而挨拶ヲナス

1　船尾駅＝九州産業鉄道株式会社線（田川郡後藤寺町）
2　大塚与三郎＝福岡県会議員
3　白石久雄＝八幡市会議員
4　宮内観八＝表具師（別府市中浜通り）
5　麻生益良＝麻生観八息、酒造業（大分県玖珠郡東飯田村）、のち九州水力電気株式会社監査役

六月十四日　木曜
麻生観八氏病気ヲ見舞タリ
田之湯[1]小川[2]ノ処ニ立寄タリ、午後八時再度出浮、一泊ス
六月十五日　金曜
建築ノ指図ヲナス
六月十六日　土曜
英彦山神社禰宜蒲池辰治・香春町[3]柴垣清松[4]両氏相見へ、鳥井居〔ママ〕建設ニ付懇談アリタ
午前七時五十六分別府駅発ニ而帰途ニツキ、午後一時卅五分博多駅ニ着ス、直チニ迎之自働車ニ而浜ノ町ニ着
二日市武石[5]〔理一カ〕[6]より掛物ノ電信来リ、黒瀬〔元吉〕ヲ責付タリ
平尾山ニ臨ミ、工事ノ指図▨〔ヲ〕ナシ、十七日より建方之打合ヲナス
太助〔麻生太介〕ニ金百円コールフ〔ゴルフ〕入用遣ス
一別府山水園出発ノトキ二十円おきんニ渡、切付〔ママ〕ハ松丸〔勝太郎〕カ仕払タリ
一野田勢次郎君相見へ、銀行谷田ノ関係ニツキ打合ス
六月十七日　日曜
平尾山建築ヲ指図ヲナシ、午前九時借自働車ニ而虎の唐津焼ヲ積ミ帰宅ス
県道工事等実見ヲナス
六月十八日　月曜
渡辺皐築君相見へ、上山田[7]古川〔河〕下層坑区之件打合ス、及瓜生〔長右衛門〕ノ負債ノ件等一切片付ヲ希望スルモ、銀行ノ外ノ負債ハ関係スル限リニアラズト断然断リタリ

元吉花[8]［空白］石実地ニ臨ミタリ、田地縁ニ運搬道路約二百間計リ捨石ニテ敷石ヲナスコト尤［ママ］便利ナリ

午後七時吉川ヲ見舞タリ

六月十九日　火曜

午前七時半渡辺皐築・麻生義之介一同自働車ニ而金宮鉄道実地工事ノ模様視察ス、現場ニ而浦地［裏地正生］・福田［基治］外二氏立会アリタ

午後弐時より自働車ニ而出福ス

平尾山へ行キ、建築ノ模様ヲ見タリ

午後六時福村家ニ而歌沢師生［匠］ト食事ヲナス、主人カ塩専売ノ件内意アリ由ナルモ、見込ナキ旨ヲ以断リタリ

六月二十日　水曜

午前八時半村上功［巧］児君相見へ、海東君面会等ノ件報告アリ、又大分県水利税之件ハ当分寄付ノ名義ニ而凌キノ出来得ル限リ実行ノ件、森村［開作］[9]社長ニも内諾アリタ

1 田之湯＝地名、別府市田湯、元麻生家田の湯別荘所在地
2 小川＝元麻生家田の湯別荘内居住カ
3 香春町＝地名、田川郡
4 柴垣清松＝元田川郡役所書記
5 二日市＝地名、筑紫郡二日市町
6 武石理一＝元筑紫郡二日市町会議員
7 上山田＝地名、嘉穂郡山田町
8 元吉＝地名、嘉穂郡上穂波村カ、庄内村カ
9 森村開作＝九州水力電気株式会社長

午後三時四十分自働車ニ而帰宅ス
　百五十六円幸袋工作所半期重役報洲《〔酬〕》受取タリ
　六月二十一日　木曜
産鉄渡辺皐築君池田《〔武志〕》[1]会計ヲ連レ相見へ、産鉄財産目六《〔録〕》其他営業上収支勘定書等一切見通シタリ
堀《〔三太郎〕》・野田《〔勢次郎〕》両氏相見へ、一同昼食ヲナシ、午後一時クラブ[2]ニ於而産鉄重役会ニ列ス、午後二時半閉会、開月[3]ニ而午後九時迄遊ヒ帰リタリ
　六月二十二日　金曜
田中保三《〔蔵〕》・山本章一[4]・阿部兵四郎[5]ノ三氏来リ、町会議員ノ件ニ付内談セシニ付、自然的勢力ノ維持法ニツキ詳細申向ケタリ
藤森善平[6]氏相見へ、実科女子校[7]寄付ノ件内談アリタルモ断リタリ
午後七時太賀吉一同出福ス
　六月二十三日　土曜
午前九時半平尾山ニ行キ差図ス
午前十時半宝満宮地所問題ニ付、おいし茶屋浦《〔裏〕》[8]手ニ行キ、山内《〔範造〕》・小野《〔子醇〕》・有吉《〔林太郎〕》三氏相見へ、一同実地ニ而立会、埋立ノ場所等申合ス、大和屋より弁当ヲ取寄喰事ヲナシタリ、午後二時半帰浜《〔浜町〕》ス
午後四時より相《〔お〕》政ニ行キ、堀氏より五ツ貫ヒタリ
　六月二十四日　日曜
下痢症ニ罹リ静養ス
お政主人見舞ニ来リタリ

六月二十五日　月曜

下痢症ニ罹リ静養セシモ、午後三時半より自働車ニ而帰宅ス

渡辺皐築・臼杵〔弥七〕・篠田〔珍木〕[9]ノ三氏相見へ、森崎屋親子ノ身状ニツキ自覚スルノ外無之、此際何ニカ方法ヲ講スルハ将来見込不立ザル〔マヽ〕ニツキ、其ノ場合ハ監督ヲ手引スルコトニ打合ス、尤自□〔覚カ〕スル場合ハ面倒ナガラ従来之通整理方相談セリ

武田〔星輝〕土地掛宰府ノ地所買入ニ来リタリ、宝満宮ノ関係ノ分ナリ

六月二十六日　火曜

終日降雨ニテ午後七時半頃ニハ非常ノ大洪水トナリ、鶴三緒変電所[10]水漬シ停電スルニ至リ大困雑〔マヽ〕ヲナシ、九水側及坑所ニも電話ヲ以注意シ、漸ク八時半頃普通ノ通ニナリタリ

1　池田武志＝九州産業鉄道株式会社会計主任
2　クラブ＝九州産業鉄道株式会社倶楽部（田川郡後藤寺町）
3　開月＝開月亭とも、料亭（鞍手郡直方町殿町）
4　山本章一＝飯塚町会議員
5　阿部兵四郎＝飯塚町会議員
6　藤森善平＝この年四月まで飯塚町長
7　実科女子校＝飯塚実科高等女学校（飯塚町吉原町）、飯塚家政女学校として一九二二年創立、一九二五年改称して修業年限三年となる
8　おいし茶屋＝江崎いし経営茶屋（太宰府天満宮境内）
9　篠田珍木＝元嘉穂銀行書記、のち株式会社麻生商店家事部浜の町別邸
10　鶴三緒変電所＝九州水力電気株式会社変電所（飯塚町下三緒）

直方堀氏ニも見舞ノ電話ヲナス

六月二十七日　水曜

排水之模様例年ニナキ引方宜敷、武田ニ実地踏査ノ事ヲ申付タリ、又坂本[1]土取場ハ田地面より三尺高サ位之処左側之方ヲ取リ初メル様申付タリ

瓜生茂一郎・鬼丸芳太郎両人来リ、町会議員ノ件ニ付内談セシニ付、第一ニ飯塚町全部各部ノ有志ト人員ヲ極メ、夫ヨリ人名ヲ極メ、競争者有リタルトキハ協定シ、其ノ上ニ而撰挙人ニ謀、撰挙者ニ於而異見アラバ其ノ意味ヲ親シク打合、片手打之事ナキ協義ヲナシ、其ノ協義ニヨリ実行方□□〔精々カ〕注意ス

野田氏相見へ、嘉穂銀行関係報告アリタ

肥前坑区[2]ハ貸金ノ事ヲ注意ス

六月二十八日　木曜

午前八時廿分金宮鉄道重役会ニ出席

同九時より惣会出席（第二会〔回〕）

午前拾時四十五分芳雄駅ニ堀氏及野田・渡辺乗車アリ、直チニ返〔ママ〕リタリ

午後弐時半ヨリ自働車ニ而出福ス

午後四時中途ニ而下車シテ福村家ニ而歌沢ノ師〔匠〕生ト食事ヲナス、午後八時浜ノ町ニ帰ル

六月二十九日　金曜

黒瀬より買入ナシ、午後四時半自働車ニ而義ノ介・太七郎一同帰リタリ（義之介・太七郎ハ中野正剛[3]君方之葬式ニ列シタリ

相羽君相見へ、肥前ノ坑区貸付金ハ最初五万円ナリシモ利子ノ増加ヲ請求セシ旨聞キタルニ付、果シテ事実トスレ

ハ融通断ル旨相答、本人相見へ親シク聞□〔託カ〕シタルニ、全ク先方ハ決定セザルモ自分ノ見込ナリシ旨確言セラレタルニ付、左スレハ是迄ノ通融通スルコトニシテ、先方より将来可然様依頼ノ旨申入アリタルモ、夫レハ全ク承リ不申、返入期日ハ十二月ハ短キ故一ケ年ニスルコトニセリ

六月三十日　土曜

午後十二時五十四分ニテ産鉄ノ惣会ニ列ス、会済後三時五分ニテ帰リタリ

千七百五十円昭和三年上半期賞与

十円四十八銭日当

〆受取タリ

津末〔良介カ〕4君相見へ、大分発電所ニ関シ金員渡シ呉レ度旨申入アリタルモ、村上君ニ相□□〔縋リカ〕円満ノ解決セラレル、〔ママ〕様申向ケ、村上君ト其旨電話ス、壱千五百円位ノ前渡ハ致方ナカルベシト申添ヘタリ

七月一日　日曜

午前氏神ニ参詣

金弐千円臼杵君ニ別預ケニ渡ス

1　坂本＝地名、嘉穂郡桂川村寿命カ
2　肥前坑区＝長崎県北松浦郡鹿町村坑区
3　中野正剛＝衆議院議員
4　津末良介＝弁護士（大分市）、元衆議院議員

七月二日　月曜

午前九時嘉穂銀行重役会ニ列シ、八朱配当ノ件打合セ、一同賛成アリタ
午後十二時五十四分芳雄駅発ニ而別府ニ向ケ出発、船尾駅ニ而渡辺君ト面会ス
午後七時五十八分別府駅着、直チニ山水園別荘工事竣工セシ処ニ居ス
東京榛原[1]元手代井上〔鉄次郎カ〕[2]来リ、山水園建具用ノ襖〔ママ〕間及床廻リ一切注文ス

七月三日　火曜

村上功〔巧〕児君相見へ、津末君ニ関係ノ九水会社水利権買収問題及宮崎県寄付ノ問題打合セシモ、杖立会社〔杖立川水力電気〕ハ受負ノミニツキ、九送〔九州送電〕カ九水ノ方穏当ナラント申向ケタリ

七月四日　水曜

久恒〔貞雄〕君相見へ、明日藤山〔竹一〕[3]知事送別会ナスニ付出席ノ申入アリ、又古川〔河〕坑区下層譲受及共同坑区[4]ノ件双方契約ヲ打合ス

七月五日　木曜

午前九水自働車ニ而大分県庁ニ訪問、内務部長〔兼子悌次〕・警察部長〔二見直三〕ニ名刺ヲ出シ挨拶ス
藤山知事官舎ニ訪問、不在ニ而奥様ニ面会ス
午前十一時半別府なるみ藤山知事・内務部長・警察部長ノ招待会ニ列ス
午後六時丸山〔繁次カ〕[5]君相見ヘタルニツキ、青年聯合組織ニツキテハ小野〔廉カ〕[6]氏ノ名誉ト地方先輩者ノ意向ヲ伺ラレ他〔ママ〕日間違ナキ様注意ス、山内範造・藤〔勝栄〕県会議員等ニ相談ノコト打合ス

七月六日　金曜

福村家ニ電話シ、九日夕藤山知事・村地〔信夫〕警察部長〔福岡県〕送別会ヲナスニ付、八、九名ノ招待会ノ出来得ル様電話ス

七月七日　土曜

村上功[巧]児君相見へ、明日棚橋君面会致シ度旨ノ電話アリタリ旨申入アリタ

左官及手嶋[孫一郎][7]夫婦・庭師早引セリ

七月八日　日曜

棚橋君相見へ、麻生観八君ノ病気ノ件及借リ入金利子ノ件打合ス

午前九時四十五分別府駅ニテ帰途ニツキ、午後三時四十分芳雄駅ニ着ス、船尾駅より渡辺君ト同車ス

七月九日　月曜

午前十時自働車ニ而出福ス

渡辺君相見へ、吉田[三木カ]末亡人住宅八畳間建増承諾シ、直チニ中山[柳之助][8]ニ命ス

福村家ニ而藤山[竹二]知事・村地警察部長・山内・堀・久恒、飯塚・福岡両署長一同送別会ヲ開催ス、義之介・野田出席ス

1　榛原商店＝東京市日本橋区通一丁目
2　井上鉄次郎＝砂子所桐屋（東京市芝区新堀町）
3　藤山竹一＝元大分県知事、栃木県知事に転任
4　共同坑区＝共同石炭株式会社日吉炭鉱（嘉穂郡大隈町外）
5　丸山繁次＝立憲政友会本部、翌年山崎達之輔衆議院議員秘書
6　小野廉＝大分県会議員
7　手島孫一郎＝麻生家庭師兼雑務
8　中山柳之助＝株式会社麻生商店鉱務部

七月十日　火曜
午前十時福岡より帰リ、〔嘉穂〕銀行重役会ニ列ス
七月二日・七月十日・一月十日・六月五日〔嘉穂〕貯蓄銀行重役会日当二十円受取、博済無尽会社一月より六月迄報洲〔酬〕
金弐百円受取
午後三時半自働車ニ而義之介・谷田信太郎同車出福、村地警察部長ヲ博多駅出発ヲ見送リタリ、義ノ介ハ午後七時
ニテ帰飯ス
七月十一日　水曜
お政ニ行キ堀氏ト面会ス
壱方亭ニ行キ中根氏ト会合ス
七月十二日　木曜
帝国炭業会社石田〔亀二〕君上山田坑区売却ニツキ挨拶ニ相見ヘタリ、午後二時より相〔お〕政ニ堀氏一同行ク
山内範造氏[1]とみかど食堂ニ而昼食ヲナス
七月十三日　金曜
午前七時三十分博多駅発ニ而三宅〔速〕・金子〔廉次郎〕[2]両博士麻生観八氏診察ノ為メ別府ニ向ケ出発アリ、見送リタリ、小野寺〔直助〕博
士も見送リアリ、返〔ママ〕リハ同家迄送リタ
七月十四日　土曜
午後六時自働車ニ而帰宅ス
七月十五日　日曜
午前八時半嘉穂銀行惣会ニ出席、博済〔無尽〕会社・〔嘉穂〕貯蓄銀行等惣会ヲ済マシ十一時帰宅ス

上田穏敬別府行キヲ止メ、町会議員ノ件ニツキ相羽〔虎雄〕君も相見へ、義之介一同打合ス
渡辺・浦地〔裏地正生〕両氏相見へ、金宮鉄道ノ豊国炭坑[3]ニ契約証差入方申入アリ、星野〔礼助〕氏ト打合ノ上ナス可キコトニセリ

七月十六日　月曜

相羽君相見へ、坑区ノ件及トンネルノ件ニツキ打合ス
午前十時自働車ニ而出福ス

七月十七日　火曜

在宅、掃除ヲナス
午後四時半中根寿氏ト一方亭ニ行キ食事ヲナス

七月十八日　水曜

棚橋・黒木両氏相見へ、東望〔東邦〕会社ト或ル部分ヲ九水ノ営業区域ヲ割キ合同スル目論〔見脱〕アリ、其ノ事ニツキ堀氏ト面会、
局外より提案ノ事ヲ申向ケルコトニ打合ス
東桃園[4]画伯相見へ、山水之幅百円ニテ買入タリ
午後三時より一方亭ニ行キ食事ヲナス

1　みかど食堂＝西洋料理屋（福岡市西中洲）
2　金子廉次郎＝九州帝国大学医学部教授
3　豊国炭坑＝明治鉱業株式会社豊国鉱業所（田川郡糸田町）
4　東桃園＝画家、原在泉の弟子、元山口中学教師

七月十九日　木曜

午前黒瀬ノ買物ヲナシ、午後三時四十分自働車ニ而帰宅ス

堀氏長崎より帰途福岡ニ立寄之電話アリ、明日午前九時迄ニ出福ノコト約ス

七月二十日　金曜

午前七時自働車ニ而出福、相《〔お〕》政ニ行キ堀氏待受、渡辺皐築氏も同車ス、一同金宮鉄道ニ関シ豊国炭坑ノ松本《〔健次郎〕》氏ニ書面差入ノ件ニ付報告シテ同意ヲ得タリ

食事ヲナシ、午後八時帰宅ス

七月二十一日　土曜

建築技師渡辺《〔仁〕》[1]君（東京河野氏ノ紹介）別府別荘建築建具及家具品ノ相談ヲナシ、二時四十分発ニ而別府ニ行カル、別府ニ再応電話シテ打合ス

棚橋氏より電話アリ、三宅・金子両博士ノ別府行診察料金ハ村上氏と今井《〔三郎〕》[2]君ト打合相定メベキニツキ、一任アル様打合セ、同意アリ、留主中実行方申向ケタリ

七月二十二日　日曜

野田勢次郎君相見へ、朝鮮山林之件五十年計画ヲ三十年ニ短縮ノ意味打合ス

久留米花村徳右衛門君より貨車積ノ電話アリ、駅長ニ面談アリ、確定スル様注意ス

七月二十三日　月曜

山内範造・有馬秀雄両氏相見へ、山内氏ハ帰ラル、有馬氏ト一同福村家ニ而昼食ヲナシ、晩食ニハ山内・堀ノ両氏も相見ヘタリ、午後十時帰リタリ

七月二十四日　火曜
別府別荘ニ電話シ、庭内植木ノ件加納〔狩野嘉市〕ニ申付ル
七月二十五日　水曜
午前渡辺皐築君より電話ニツキ、金宮鉄道接続線ノ件ハ至急ヲ用〔ママ〕スルニツキ直チニ出発、古川〔河〕坑区ノ件ハ久恒〔貞雄〕関係アリ、少シク隙取ル旨□〔勝カ〕氏ニ親シク申入、当方より申込候トキハ直チニ解決スル時ヲ以適度トスル旨電話ス
村上功〔巧〕児君相見へ、九水営業上ニ付種々打合ス
平尾及荒戸ニ貸自働車ニ而行キタリ
午後二時より九水重役会ニ列ス、午後五時帰ル、八十三円七月分報洲〔酬〕受取
堀氏別府滞在、明日急行ニ而帰宅ヲ約ス
七月二十六日　木曜
午前十一時三十六分怡土〔東〕氏[3]ノ霊ヲ博多駅ニ而拝シタリ
午前十一時半堀氏ヲ相政〔お〕ニ而待受食事ヲナシ、伊藤〔傳右衛門〕君も相見へ、午後七時帰宅ス
堀氏ハ明日銀行惣会済次第出福ヲ約ス

1　渡辺仁＝建築家、渡辺仁建築工務所（東京市麹町区永楽町丸之内ビル）所長
2　今井三郎＝九州水力電気株式会社常務取締役、第三巻解説参照
3　怡土東＝元筑後電気株式会社（浮羽郡田主丸町）社長

七月二十七日　金曜

午前八時半東洋製鉄会社[1]原安太郎[2]君戸畑船入場埋立願之件ニ付西野〔恵之助〕[3]君ノ書状ヲ持参、県庁ノ了解ヲ得ル様申入方申向ケアリタ

午前九時半県庁ニ而斉藤〔守圀〕知事ニ面会、埋立ノ理由詳細申入許可ヲ乞タリ

午後五時三十九分堀氏博多駅着ノ旨村上氏より電話アリ、自働車ニ而同駅ニ行キ村上君ト面談、堀氏ヲ待受、一同福村家ニ而海東〔要造〕君も相見ヘ食事ヲナシタリ

野田氏相見ヘ、採掘制限問題ニ付打合ス

七月二十八日　土曜

堀氏相見ヘ、海東君ト村上君ト直接打合スコトニ内談セシ旨申伝ヘアリタ

棚橋君より井上〔博通〕九送支配人ヲ以二十九日福岡ニ而面会ノ旨電話アリシモ、至急ヲ用スルコトニテ帰リタリ

午後七時より自働車ニ而帰宅ス

坑業組合[4]田中〔豊三〕幹事より福岡電話ニ而、池上〔駒衛〕君来県ニ付明日福岡ニテ面会ノ打合ヲナス

林元看護婦来リタリ

七月二十九日　日曜

書類及掛物等整理ス

黒瀬買物代及諸口払替金九百八十五円ニ十五円ヲ渡シ、外ニ壱千五百円、合而弐千五百円別口ニ預ケル

大浦初メ分家ニ金員送ル

七月三十日　月曜

金子〔廉次郎〕博士洋行中ノ挨拶トシテ相見ヘ、喰事ヲ差上、午後一時半自働車ニ而御供シ三角[5]ノ御自宅ニ同車ス

石炭聯合会[6]ノ池上駒衛君浜ノ町ニ待受アリ、各地ノ制限問題ノ報告アリ、八月十日惣会ニ正副会長間是非上京ノ申入アリ、受合タリ
野田君ニ電話シ、筑豊坑業組合ノ模様聞キタリ
松本健次郎氏ニ電話シ、十日惣会上京ノ事相頼、承諾アリタ

七月三十一日　火曜

棚橋君相見ヘタルニ付、東望［東邦］ノ関係堀君より村上君ト海東君ト直接交渉ノ方得策ナラントノ意味ヲ咄シ、又棚橋君よりハ利率問題上下ノ範囲ヲ五歩五リ［厘］ト七ノ［ママ］五リ［厘］ニスル事等打合セリ
木村常務相見ヘ、九送ノ問題及九水営業ヲ東望［東邦］ニ委托問題等ヲ聞キタリ
堀氏ニ電話シ、海東君ニ面会ノ為メ十一時卅六分着ニテ出福ヲ約ス
村上君ト海東君ト二日ニ打合セ、三日午前十一時三十六分ニテ出福シテ聞キ合スコトニ打合ス
午後六時三十六分急行ニテ別府ニ向ケ出発シ、駅ニテ小野寺氏御夫婦ニ面会ス、麻生益久［良カ］君ニ電報ス
篠崎［団之助］・野見山［平吉］[7]両氏相見ヘ、来月二日松月ニ長町［ママ］・村長より招待ノ案内アリ、義之介代理出席ヲ□［諾カ］ス

1　東洋製鉄株式会社＝一九一七年設立、太吉設立委員、取締役
2　原安太郎＝東洋製鉄株式会社嘱託
3　西野恵之助＝東洋製鉄株式会社常務取締役
4　坑業組合＝筑豊石炭鉱業組合、一八八五年結成、太吉常議員、元総長
5　三角＝地名、福岡市簀子町
6　石炭鉱業聯合会＝送炭調節を主目的として一九二一年結成、太吉会長
7　野見山平吉＝嘉穂郡幸袋町長、福岡県会議員

八月一日　水曜

青柳〔郁次郎〕福岡政友会支部幹事長より床次〔竹二郎〕[1]氏説〔脱〕党ノ事電話アリ、引続キ野田〔俊作〕氏よりも電話アリタ

八月二日　木曜

午前浜ノ町より麻生観八氏死去ノ電話アリタ

間もナク九水営業所よりモ同様ノ電話アリタ

浜ノ町自働車ノ電話セシニ、最初ハ早速別府ニ廻ス旨返電セシモ、午後五時頃津屋崎ニ行キ小倉廻しノ旨電話ヲ〔ママ〕接シ候間、午後十時過キヨリ加納〔狩野嘉市〕[2]ヲ亀川ニ自働車ニ而遣シ待受、田中〔正夫〕[3]ニ按内ヲサセ、午前一時頃着ス

八月三日　金曜

午前八時四十分自働車ニ而東飯田[4]ノ麻生〔観八〕氏ニ悔ミニ行キ、午前十一時半同邸ニ着、夫より日田ヲ経而浜ノ町ニ着ス

村上氏相見へ、海東君面談ノ始末聞取タリ、同氏ノ意向見込ナシ、右ニツキ早速堀氏ニ電話シ相〔お〕政ニ而面会、同氏も海東君より見込ナキ旨申向ケアリ、各務〔幸一郎〕[5]氏ニ己人〔ママ〕ノ資格ニ而見込ナキ旨申通ノ事申向ケアリ、又自分も九水重役会ニ其旨通報ノコトヲ申向ケタリ

八月四日　土曜

時々〔時事新報〕[6]新聞社員水上君来リ、金百円遣ス

山崎〔国彦〕署長相見へ、山鹿ノ家政上ノ咄ヲ聞キタリ

今井君及会計主任相見へ、借入金ノ件大坂棚橋氏より電信ニ付異見ヲ聞カレ、明日午前重役会ニツキ其上ニ而通知ス可キ旨申向ケタリ

間もナク大坂より電話アリ、急ヲ用スルトノ事故、己人〔ママ〕トシテ他ニ道チ〔ママ〕ナク辛抱スルノ外ナキ旨今井君ニ電話ス

九洲評論ノ平山〔喜録〕[7]某来リ、金三十円遣ス

八月五日　日曜

九洲重役会[8]ニ九水営業所ニ午前九時より出頭、午前十二時帰リタリ

午後二時半平尾建築場所ニ義之介一同行キタリ

午後三時半より自働車ニ而義之介夫婦一同帰リタリ

東京江崎ニ電報ス

八月六日　月曜

黒瀬より買物及他行中ニ金融セシ分臼杵〔弥七〕ニ整理ヲ命シ、金六百五十円受取

八月七日　火曜

午前八時半より玖玖〔珠〕郡東飯田村麻生観八氏葬式ニ自働車ニ而列シタリ

葬式後村上・内本・大和田ノ諸氏ト山水園ニ午後八時過キ着ス

1　床次竹二郎＝衆議院議員、元鉄道院総裁、のち鉄道大臣
2　亀川＝地名、大分県速見郡亀川町
3　田中正夫＝麻生家自動車運転手
4　東飯田＝地名、大分県玖珠郡、故麻生観八家所在地
5　各務幸一郎＝東邦電力株式会社監査役
6　大阪時事新報＝時事新報が大阪に進出して一九〇五年創刊、のち神戸新聞に買収される
7　平山喜録＝雑誌『九州評論』主宰、大牟田毎日新聞社長
8　九州重役会＝九州水力電気株式会社九州在住重役会

八月八日　水曜

別府滞在

村上氏相見へ、塚原貯水池[1]実地見分ノ件打合ス

九日午前八時山水園出発ニ打合ス

八月九日　木曜

午前七時四十分塚原貯水地《〔池〕》見分ニ村上・内本・馬場ノ諸氏一同実地ニ臨、尤《〔ママ〕》有望ナル場所ニ而、帰途ハ由布院ヲ経而塚原間ノ道路開鑿ノ下地見分ヲナシタリ

由布院亀井別荘ニ立寄、午後三時半過昼食ヲナス

八月十日　金曜

午前九時廿分別府発、日田ヲ経而二日市湯町大丸館ニ午後三時頃帰着、一泊ス

前日則九日ニ塚原ノ貯水地《〔池〕》ニ臨ミ、其ノ為メ静養ノ目的ニテ二日市ニ入湯シ、又按間《〔摩〕》ノ療養ヲナス

八月十一日　土曜

山内範造氏等昼食ヲナシ、午後四時大宰府ニ参詣、浜ノ町ニ帰リタリ

［欄外］○

八月十二日　日曜

午前七時半自働車ニ而帰宅ス

午前九時半過キ瓜生《〔長右衛門〕》来リ、町会議員ノ撰挙ノ模様ヲ聞キタリ

庄野《〔金十郎〕》[2]氏死去之電話アリ、悔電ヲ発ス

野田君相見へ、鹿町[3]付近坑区ノ買収ニ付内談、及九水社長問題ニ付木村《〔平右衛門〕》君より内意之模様聞キタリ

八月十三日　月曜

渡辺皐築君相見へ、大分紡[4]売却ニ付調査ヲナス、其ノ結果売却ノ件野田君ニ注意ス

相羽君相見へ、鹿町付近坑区ノ打合ヲナシ、及宝満宮参詣隧道設計ニ付打合ス

八月十四日　火曜

午前十時自働車ニ而出福

八月十五日　水曜

午前九時博多日々主人〔古川初雄〕[5]来リ、種々懇談ス

木村常務相見へ、炭坑地方電力供給方ニツキ内談アリ、親シク実情ヲ咄シ注意セラル、様申向ケタリ

午後二時営業所ニ而九水重役会ニ列ス、帰途村上・渡辺〔綱三郎〕[6]氏等同車ス

午後五時過キ荒戸ニ行キ実見ス

午後七時半過キ食事後、春日原[7]ニ義太賀・太助〔介〕一同自働車ニ而行キタリ

谷田来リ、小野田セメン株売却ノ件申入、野見山〔米吉〕検査〔監〕役ニ電話シ売却方注意ス

1　塚原貯水池＝大分県速見郡北由布村
2　庄野金十郎＝福岡日日新聞社長、弁護士、八月十二日死去
3　鹿町＝地名、長崎県北松浦郡鹿町村
4　大分紡＝大分紡績株式会社（大分市生石）、一九一二年設立、一九二一年富士瓦斯紡績株式会社に合併
5　古川初雄＝博多日日新聞社主、のち福岡県会議員
6　渡辺綱三郎＝九州水力電気株式会社監査役
7　春日原＝地名、筑紫郡大野村

［欄外］〇

八月十六日　木曜

午前七時半自働車ニ而帰宅ス

八月十七日　金曜

野田君相見へ種々打合ス

相羽君相見へ、鹿町付近之坑区ノ採掘法ハ巻器械ハ一日三百屯ニスルモ惣而設備ハ二百屯適当ナラン、其ノ目的ニテ予算ノ件打合ス

日田町草野忠右衛門君外[1]一人［佐野英］相見へ、九水検［監］査役撰挙之内談アリタルモ、容易之事ニ無之旨申向ケタリ

相羽君相見へ、鹿町坑区不毛［フケ］[2]ノ方ニ当リ担保ニテ金融セシ坑区ノ軽［経］営ニ付打合ス

午後七時半夏子一同自働車ニ而出福ス

［欄外］〇

八月十八日　土曜

堀氏より電話アリ、各務［幸一郎］氏ノ異見ヲ申向ケアリタ

棚橋氏より電話ニ付、来ル二十日重役会ノ打合ヲナス

村上氏相見へ、塚原貯水池ノ件区有林四百町歩一反八円ト仮定シ三万二千円ニテ道路開設スルコトトシ、湯泉ノ方ハ其後ノ交渉得策ナラントノ意味打合ス

午後三時庄野［金十郎］氏告別式ニ列ス

午後五時四十分相政［お］ニ而堀氏ト面会、東京ニ而各務［幸一郎］氏ノ意向ハ折角是迄交渉ノ末ニ付尚考慮スル様申向ケアリタル旨親シク報告アリタ、晩食後九時過キ帰リタリ

高崎正戸[3]・小田部博美[4]・和田新一郎三氏相見ヘタルモ、村上君ト用談中ニテ断リタリ

八月十九日　日曜

坂井君〔大輔カ〕[5]ニ案内セシモ、小倉ニ待受ノ人ナリ〔ママ〕八時ニ而出発アリ、午前十時半相政ニ行キ、堀・山口〔恒太郎〕・森田〔正路〕ノ三氏ト食事ヲナシ、午後八時帰リタリ

［欄外］○

八月二十日　月曜

新聞金貰沢山来リ、十円ツ、遺シス〔ママ〕様大谷〔ひさき〕ニ申付タリ

黒瀬来リ、三十円口ノ買物ノ手続キ甚タ不宜ニ付以来買入不致旨申向ケタリ

午後二時九水重役会ニ出席、東望〔東邦〕ト合同ニ付交渉ノ件種々研究セシモ、東望ノ同意ナキ為メ進行ノ途無之ニ付、乍遺感〔ママ〕各務氏ニ其旨挨拶ナスコトニ打合、本社ニ於而正式評決ノ上発表スルコトニナリ、棚橋君ト一同上京ノ事ニナリタ

午後七時十分太助〔介〕ト一同自働車ニ而帰宅ス

1　草野忠右衛門＝元日田水電株式会社長、元日田銀行（大分県日田町）取締役
2　フケ＝傾斜炭層深部の採掘困難な石炭層
3　高崎正戸＝全日本農民組合同盟九州聯合会（筑紫郡大野村）幹部、日本農民党九州同盟会長、元糟屋郡農会技手
4　小田部博美＝元九州日報、元大阪時事新報社福岡支局主任、のち日刊福岡毎朝新聞社主
5　坂井大輔＝衆議院議員

八月二十一日　火曜

誕生日[1]ニ付食事ヲ済マシ氏神ニ参詣ス
亡仙靏院命日ニ付読経ヲ正恩寺ニ乞ヒ、親族参詣ス
黒瀬［元吉］三十円口買物七ツ及白木や[2]商品券合計六百八十円臼杵より受取

八月二十二日　水曜

平尾ニ行キ、ストフ構造[3]ニ付末村［武平］[4]ト打合ス

八月二十三日　木曜

午前十時半自働車ニ而別府ニ向ケ出発、午後四時着ス、日田町より玖珠ヲ経、由布院峠ヲ経而山水園ニ着セリ

八月二十四日　金曜

午前十時半野田君より肥前坑区買入ニ付電話アリ、十六万円ヨリ以上出金ナキ旨打合ス
棚橋君より電話アリ、同氏ハ二十五日上京ニ付、兼而打合セシ通各所訪問異存ナキ時ハ電報次第上京ヲ約ス
各務氏［幸一郎］ハ九月中ハ平沼［鵠カ］[5]ニ滞在ノ由ナリ
西園支配人より電話アリ、七十円五十銭以内ニテ九水七百株買入打合ス

八月二十五日　土曜

西園支配人より七十円四十銭ニテ四百株九水買入、東望［東邦］六十七円五十銭ニ而七百株買入方打合ス

八月二十六日　日曜

午前九時自働車ニ而由布院越ヲ経而日田通過、午後三時半浜ノ町ニ着ス
原田山内範造氏ニ電話、トンネル［宝満参詣］ハ神社ノ工事トナシ、金員寄付件内諾アリタ
金壱百円川田君［十］ニ渡シ、小川引越費金ト見合スル様申付ケタリ

八月二十七日　月曜

荒戸ニ行キ、取片付ノ指図ヲナシタリ

堀氏より貝嶋家〔ママ〕ノ岩崎〔寿喜蔵〕氏ニ補助金出金方玉井〔磨輔〕君ヨリ申入アル由ナルモ、夫レハ甚タ不面目ニ付御配慮アル様申向ケ方返話ス

午後二時自働車ニ而帰リタリ

旧盆ニ付仏祭ヲナス

八月二十八日　火曜

野田君相見へ、肥前坑区買入ニ付顚末報告アリタ

瓜生茂七死去ニ付悔ミニ行キタリ

博済会社藤嶋〔伊八郎〕[6]君相見へ、博多方ハ本店より特ニ出張セシメ可及〔ママ〕丈ケ速カニ処理ヲナシ、方法ヲ怠タラザル様注意ス、又本店ニハ雇入方モ注意ス、弐、三ケ月間模様ヲ見而進行方打合ス

有田〔広〕・占部〔義夫〕ノ両家初盆ニハ太賀吉代理仏参為致タリ

1　太吉誕生日、旧暦安政四年七月七日生

2　白木屋＝株式会社白木屋呉服店（東京市日本橋）、この月株式会社白木屋と改称

3　ストフ構造＝ファイヤーストップ構造カ

4　末村武平＝大工

5　鵠沼＝地名、神奈川県高座郡藤沢町

6　藤島伊八郎＝博済無尽株式会社取締役支配人

若松篠崎《〔金太郎〕》[1]仏参シ、若松問屋連ノ失敗談ヲ聞キタリ

八月二十九日　水曜

旧盆ニ付在宿

暴風雨ニテ午後八時半過キ正霊《〔ママ〕》送リナシタルモ、余程困難セリ

正恩寺墓所ニ而読経アリタ

八月三十日　木曜

旧十六日、営業所休業ニ付在宿、書類整理ス

八月三十一日　金曜

午前十時自働車ニ而夏子一同出福ス

午後二時ヨリ一方亭ニ行キ、中根《〔寿〕》氏ト久方振晩食ス

種々雑談シテ夜更カシ、午前十一時ニ自働車ニ而帰リタリ

〔欄外〕○

九月一日　土曜

宮地嶽神社・箱崎《〔宮〕》神社・香椎宮ニ参詣、帰途一方亭ニ寄昼食ヲナス、費仕払フタリ、五十円相浜《〔お〕》[2]病気見舞遣ス

山内範造氏相見へ、宝満宮トンネルノ件打合ス

〔欄外〕○

九月二日　日曜

警察部《〔安井誠一郎〕》長官舎ニ訪問ス

午前九時半自働車ニ而帰宅ス

九月三日　月曜

留主中工事岡松〔直〕ニ申付、備忘録ニ筆記セシム

義之介来リ、徳光正門地位〔ママ〕等中山〔柳之助〕立会調査ナシタリ

渡辺皐築・占地〔裏地正生〕及義之介三君来リ、金宮鉄道運賃率ニ付打合ス、浦〔裏〕地君本日出発上京ノ事ニセリ

分家ニ今回買入品（焼物類分配ス）

午後六時二十六分芳雄駅発ニ而上京ス

九月十日　月曜

正午東京より帰宅ス、下ノ関駅ニ臼杵君迎ニ見へ同供ス

野田勢次郎・麻生義之介両君相見へ、肥前坑区検分等ヲ初メ営業上ニ付打合ス、又仲〔中〕座ノ関係ヲ聞キ、更ニ書類ニヨリ明日研究ノコトニ協義ス

九月十一日　火曜

皆良田〔善太郎〕君相見へ種々打合ス[3]

麻生義之介・岩成〔自助〕[4]両君来リ、仲〔ママ〕座関係書類ニヨリ研究ス、其ノ結果星野弁護士ノ異見ヲ聞キ決定ノ事ニ打合ス

午後二時自働車ニ而出福ス

1　篠崎金太郎＝合資会社篠崎商店（若松市海岸通）、元麻生商店若松出張所長

2　お浜＝水茶屋券番（福岡市）元芸妓、馬賊芸者の祖

3　麻生本家に盗人侵入、皆良田飯塚警察署長来邸

4　岩成自助＝弁護士（飯塚町）、株式会社麻生商店庶務部

九月十二日　水曜
午後二時自働車ニ而出福ス
九月十三日　木曜
午後六時自働車ニ而帰宅ス
黒瀬[元吉]関係ニ付書類ヲ以調査ス
九月十四日　金曜
瓜生長右衛門来リ、忠隈坑関係欠落地補債[償]米之件聞取タリ、不法之交渉ハ不宜ニ付注意ス
嘉穂中学校紀念図書館建設ニ付寄付ノ件相談之為メ、藤森[善平]・麻生茂[1]、有吉[平祐]校長ト相見ヘタリ、壱千五百円寄付承諾ス
午後四時自働車ニ而出福ス
九月十五日　土曜
午後二時九水協義会ニ出席ス
上京ノ用件タル合同ノ件、鵠沼ニ行各務[幸一郎]氏ニ乍遺[ママ]感進行ノ道ナキ旨挨拶セシコト報告セリ
午後六時福村家ニ而堀氏ト会合、合同ニ関シ海東君之異見アル旨ノ咄ヲ受ケ、更ニ十六日再会ヲ約ス
大坂時々[時事新報]新聞福岡出張員水上君ニ金三十円遣ス
九月十六日　日曜
平尾工事場ニ臨ミタリ　茶代十円
召使廿五円　宰府より来リ、金十円遣ス
午後二時半自働車ニ而湯町大丸館ニテ静養ス、晩食後午後九時半自働車ニ而帰リタリ

堀氏ト海東君合同ノ打合セシモ、日曜休日ニテ黒木君引出スモ迷惑ニ付、其内ニ再会ヲ電話ニ而断リ、帰直ヲ急ガ
ケ［ママ］、一ツ先［ママ］帰直アリタ

九月十七日　月曜

村上・黒木ノ両氏ト九水営業所ニテ、海東君より申出之合同交渉之件ハ、堀君より調査ノ実際示シ再交渉ノ申出アリタルニ付、協義ノ結果先方より其ノ按出ヲナサシメ、更ニ他方面より中［仲］裁起ル様手段ヲ構ズル方得策ナラント打合ス
荒戸ニ立寄、工事ノ打合ヲナシタリ
午後二時半藤嶋［伊八郎］支配人相見へ、博済博多出張所之件打合ス
看護婦郷原［合原サカエ］同供自働車ニ而帰リタリ

九月十八日　火曜

野田勢次郎君相見へタルニ付、大田黒［重五郎］氏より照合ノ件ニ付面談ノコトニ打合セ、叡山[2]ニ電信ス
当秋御大典[3]ニ参列之内ニ加リタル旨福岡日々新聞ヨリ内報アリタ
飯塚町長猪野［鹿次］君相見へ種々懇談ス
瓜生・阿部［兵］□四郎・田中保蔵ノ三氏来リ、活動館[4]ノ件ニ付内談ナシタルニ付、第一ニ許可ヲ得テ順序進行方注意

1　麻生茂＝麻生惣兵衛息、酒造業（飯塚町向町）
2　叡山＝叡山電鉄四明ケ嶽駅南（京都市左京区）、大田黒重五郎別荘
3　昭和天皇即位式、この年十一月十日
4　活動館＝永楽座（飯塚町上本町）、この月開館

ス

村上君より電話ニ而木村氏より宮崎ノ件電話アリ、松野《［鶴平］》[1]氏ニ親シク懇談ノ件申来リタル由ナリ

九月二十日　木曜

午前七時三十一分博多駅発ニ而渡辺仁・龍居《［松之助］》[2]学士両氏同供、十二時五十分別府駅ニ着、直チニ亀ノ井ニテ昼食ヲナシ、食後山水園ニ而茶室ノ打合ヲナシ、午後六時亀ノ井ニ而晩食ヲ饗応ス

午後八時半山水園ニ帰リタリ

九月二十一日　金曜

午前八時山下彬麿[3]・油屋熊八[4]ノ両氏相見へ、野口小学校[5]ニビーヤノウ[6]寄付ノ申入アリ（千六百五十円）、打合セ返事ノ事ヲ申向ケタリ

新日本火災保険会社福岡支店副参事矢野忠一君訪問アリ、保険ノ希望アリタ（渡辺皐築君ノ知人ノ由ナリ）

午前九時半渡辺・龍居両氏山水園ニ而重而建築方法打合セ、決定セリ

午前十一時半自働車ニ而一同亀ノ井ニテ昼食ヲナシ、十二時半紅葉丸ニテ帰坂セラル、金百廿八円五十銭、亀ノ井ニ切符代等ヲ初メ女中ノ祝義等仕払ス

午後十時頃野田氏より鹿町坑区ノ件電話アリ、採掘量書記ナクバ十二、三年間ニ掘尽ス旨記入アル様打合ス、量数ハ惣坪数ニ含有トアレバ大体決定ト見テ差問ナキコト等打合ス

九月二十二日　土曜

午後一時別府港出帆ノ紅葉丸ニ乗車《［船］》ス

午前八時油屋熊八君来リ、日田町某ヲ九水重役ニ推挙ノ件申入タリ、当分見込ナキ旨相断タリ

村上君相見へ、松野《［鶴平］》氏面会、同氏ノ立場上無理押付ハ出来ザル旨申入ノ由報告アリタ

用済後大田黒君より書面ノ事相咄、其為メ同氏ニ面会ノ為メ京都叡山ニ行ク事相咄、尤ナリト同意アリタ

九月二十三日　日曜

午前七時神戸港ニ着、直チニ三ノ宮駅ニ自働車ニ而着、七時四十三分ノ順〔準〕急行ニ而午前九時半過キ京都駅ニ着、直チニ駅より自働車ヲ雇俵屋7ニ至リ、番頭ヲ同乗シテ八瀬ケーフルカニ達シタリ

四明ケ嶽駅ニ達、南約壱丁之別荘太〔大〕田黒重五郎氏訪問、九水ノ件書状ノ件打合ス、誠意ナキコトハ不申向旨ヲ確答ス

ケーフルカニテ下リ、電車ニ而三条出町柳駅ニ達シ、自働車ニ而俵屋ニ行、昼食ヲナシ、午後一時二十分京都駅ニテ神戸三ノ宮ニ着、直チニ紅葉丸ニ乗リ午後三時四十分ニ而帰途ニツク

［貼紙］引受ノ場合ハ

一一同御援助アルトキハ無責任ノ申出ハ致サヌコト

一常務侭ニテ実行スルコトハ御一任アルコト

一棚橋氏ノ希望ヲ入ル、外ナキトスレバ、何ニカ名挙ノ方法ヲ研究ヲ乞コト

1 松野鶴平＝衆議院議員、元杖立川水力電気株式会社取締役
2 龍居松之助＝造園家、造園史家、のち東京高等造園学校長
3 山下彬麿＝弁護士（大分市）
4 油屋熊八＝亀の井ホテル（別府市不老町）・亀の井自動車経営者
5 野口小学校＝別府市野口
6 ビーヤノウ＝ピアノ、太吉この年野口小学校に山葉製ピアノ寄付
7 俵屋＝旅館（京都市中京区麩屋町通）

一重要問題ニ付他ニ洩レザル様申入タリ
右之意味了解アリタ
九月二十四日　月曜
午前九時四十分別府港ニ着ス
義之介ニ電話、野見山病気打合ノ旨返事ス
九月二十五日　火曜
別府滞在、工事指図ス
九月二十六日　水曜
別府滞在、工事指図ス
九月二十七日　木曜
午前九時自働車ニ而別府別荘自働車ニ而〔ママ〕出発、行橋より小倉ヲ経而、折尾より遠賀川ヲ登リ午後三時帰着ス
麻生屋ニ行キ、病人見舞タリ
午後五時半岩崎[1]野見山病気見舞タリ
麻生屋より堀氏ニ電話シ、堀氏廿七日夕出発上京ニ付、帰県ノ上海東君一同打合スコトニセリ
九月二十八日　金曜
青柳（自動車）来リ、椿村社[2]ニ先代奉納セシ駒犬〔ママ〕破損ニ付再建ノ義申入タリ、調査ノ上可相答旨申向ケタリ
西園支配人相見へ、栄座ノ始末其他ノ重要之件打合ス
上田ヲ呼ビ、別府農園[3]ノ始末調査ノ事ヲ命ス
伊藤傳右衛門氏ニ電話セシモ、電灯合同見合ノ旨申向ケアリタ（幸袋工作所）

九水より電話アリ、二十九日松野〔鶴平〕氏着博ノ旨電話アリタ
麻生屋見舞、病院ニ行、眼科ニ洗除〔滌〕ヲ乞タリ

九月二十九日　土曜

午前十一時半自働車ニ而出福ス
平尾山ニ行キ、工事指図ス
午後五時半過キより一方亭ニ行キ、松野代議士招待会ニ列ス
木村平右衛門氏相見へ、在京中九送会社ノ件聞取タリ
宝満宮司西高辻〔信任〕氏相見へ、隧道工事ニ付実地ニ臨ミ呉レル様申入アリタ

九月三十日　日曜

松野鶴平氏相見へ、村上功〔巧〕児君一同九洲送電宮崎県知事〔山岡国利〕之意向ニ付無理ナキ様打合ス、折柄宮崎大和田〔市郎〕氏より電話アリ、木村平右衛門君宮崎ニ行キ、帰リ次第其ノ模様ニヨリ九送ノ重役会ヲ経ネバ未定ナルモ、援介方相頼ミタリ
午後四時宝満宮隧道工事ノ場所ニ臨ミ、直チニ引返シタリ、其ノ実地ノ模様ニヨリ南側壱間延長スルコトニセリ
荒戸ニ行キ一泊ス
木村平右衛門氏相見へ、宮崎県水力電気課□〔税〕之件ニ付不法ノ行為ヲ聞取タリ、右ニ付九送重役会決義ノ旨意ヲ知事ニ通、解決方法ニ付研究致呉様相頼ム順序ニ申入方注意ス

1　岩崎＝地名、嘉穂郡稲築村、野見山米吉家所在地
2　椿村社＝椿八幡宮（嘉穂郡穂波村）
3　別府農園＝株式会社麻生商店別府農園

十月一日　月曜

まるたや[1]ニ行キ、高瀬・江崎ト電話ス

平尾山ニ行キ、工事ノ指図ス

十月二日　火曜

午前九時より十一時迄棚橋君相見へ、冨士紡水電東望〔東邦〕[2]ト合同ニ付海東君ノ意向ノ件、九送会社ニ付松野〔鶴平〕君ニ依頼ニツキ順序木村君ノ立場等打合ス

午後一時半より自働車ニ而帰宅ス

野田勢次郎君相見へ、九水社長問題等打合ス

書類整理ス

十月三日　水曜

宕愛神〔愛宕神社〕献納ノ鳥居及石灯籠据付場所工事ニ付、岡松・瓜生〔政五郎〕[3]両人ヲ連実地ニ臨指図ス

書類整理ス

午後四時過キ自働車ニ而夏子ト出福ス

十月四日　木曜

村上功〔巧〕児君相見へ、大分県水利税之件ニ付知事ノ意向報告アリタ、又某水利権六千キロ三千円ニテ買収ノ旨打合ス

棚橋・木村両氏相見へ、九州送電宮崎県知事ノ意向報告アリタ、右ニ付地元ト契約スルハ無論ニテ、尚知事より申入之寄〔付脱カ〕金ト権利ヲ安全ニスル利害、住友家より譲受ケ之分殊ニ名義ニ不都合ナキ様注意スル意味ヲ九送重役会ニ提議シ、其ノ決定ノ模様ニヨリ九水ニ於テ尚協義ナスコト等打合ス

丸山某来リ、新聞発行ノ件ニ付内談アリタ

平尾山ニ行キ、工事ノ指図ス

十月五日　金曜

平尾及荒戸ニ行、工事ノ指図ス

午後二時九水重役会ニ出席、九送ニ付県庁より申向ケ之件ハ、木村氏ハ、十八日定日会ニ決定、直チニ知事ニ返事ノ旨申向ケアリタルモ、一同より相止メ、先ツ知事ト交渉ノ件一任スルコトニ決定ヲ乞、夫より或ル程度ニテ打合ナスハ得策ト一同打合ス

午後六時より福村家ニテ鈴木氏〔喜三郎〕[4]一行招待シ、出席員二十二名トナリ、午後八時ハ十時過キトナリタ

［挿紙］鈴木氏随行、県庁三人、才判所二、貝嶋〔太市〕・菊竹〔淳〕[5]、坂井〔大輔〕」、宮川〔一貫〕○多田〔勇雄〕[6]・松野〔鶴平〕・山内〔範造〕・森田〔正路〕・神崎〔勲〕[7]・崎山〔克治〕・中村〔清造〕・青柳〔郁次郎〕、主人

十月六日　土曜

義之介ニ電話シ、鈴木氏歓迎会ニ出席及常盤館鈴木氏より招待会ニ出席ノ件ナリ、十時ニ乗合ニテ出福打合ス

荒戸・平尾ニ行キ、工事ノ打合ヲナシ

1　まるたや＝丸太屋とも、呉服商（福岡市中島町）
2　富士紡水電＝富士電力株式会社、一九二七年設立
3　瓜生政五郎＝麻生家職工
4　鈴木喜三郎＝内務大臣、財団法人輔成会長、元司法大臣、のち立憲政友会総裁
5　菊竹淳＝六鼓、福岡日日新聞編集局長、のち副社長
6　多田勇雄＝衆議院議員
7　神崎勲＝元衆議院議員

組田〔鞆之助〕[1]来リ、五百二十円掛物買入タリ
午後四時半籾田〔喜三郎〕ト津屋崎ニ行、松木掘及芝取寄方打合ス、用済後帰宅ス
岸本〔重任カ〕[2]君午前浜ノ町ニ相見へ、種々聞キタリ
村上君ニ電話シ、松野氏ニハ九送重役会決定ノ上相願度、其旨了解ヲ頼ミタリ

十月十日　水曜

午前八時半別府より大分市ヲ経而川西峠[3]ヲ軽〔経〕、日田町より朝倉街道[4]ヲ経而、午後三時浜ノ町ニ帰ル
甘木付近[5]ニ而貨物車故障アリ

十月十一日　木曜

午後四時四十分間宮〔英宗〕[6]禅師着福アリ、直チニ浜ノ町別荘ニ御着、青年会館[7]ニ而法話アリタ
津崎屋〔ママ〕ニ行キ、松移植ノ指図ス

十月十三日　土曜

斉藤〔守圀〕知事・旭〔憲吉〕[8]博士間宮禅師ニ挨拶ニ見ヘタリ
丸山〔繁次カ〕君来リ、金百五十円遣ス
午前十時自働車ニ而間宮禅師一同帰飯ス
午後七時家族一同法話アリタ

十月十四日　日曜

午前七時間宮禅師福岡放送局[9]ニ出福アリタ
午後二時山内坑山[10]ニ而法話アリ
親族一同会食ナス

午後四時半自働車ニ而八幡市ニ行カレタリ

十月十五日　月曜

午前八時自働車ニ而津屋崎別荘ニ立寄、籾田〔喜三郎〕ニ申付、午前十二時浜ノ町ニ着ス
午後二時九水重役会ニ出席
渡辺綱三郎氏植木買入ニ一同自働車ニ而行キ、同氏ヲ送リ、平尾山ニ行キ工事ノ指図ス

十月十八日　木曜

午前十二時木村平右衛門氏相見へ、九送問題ニ付重役会之決議ノ報告アリタ
森村〔開作〕社長辞退セラレ、森村男より社長[11]ニ推挙スルニ付承諾スル様懇談方頼マレタルニ付、承諾之儀懇談アリタルニ付、上京御面ノ上親シク御懇談之上御挨拶可申上旨申向ケ、二十日夕出立廿二日面会ノ事ヲ約ス

1　組田鞆之助＝書画骨董商（東京市外渋谷町）
2　岸本重任＝大阪小型自動車株式会社専務取締役、元黒竜会専務
3　川西峠＝大分県速見郡南由布村
4　朝倉街道＝福岡市と大分県日田町を結ぶ街道
5　甘木＝地名、朝倉郡甘木町
6　間宮英宗＝栖賢寺（京都市）住職、元臨済宗方広寺（静岡県）管長
7　青年会館＝仏教青年会館（福岡市渡辺通）
8　旭憲吉＝九州帝国大学医学部教授、社団法人九州帝国大学仏教青年会長
9　福岡放送局＝日本放送協会熊本放送局福岡演奏所（福岡市薬院堀端）この年九月開設、一九三〇年福岡放送局開局
10　山内坑山＝株式会社麻生商店山内鉱業所（飯塚町）
11　太吉、九州水力電気株式会社社長に推挙される

平尾・荒戸ニ工事之指図ス、小川〔ヒナ〕[1]ニ移転ニツキ臨時費弐百円遣ス
福岡女学校[2]教頭兄弟相見ヘタリ
午後六時福村家ニ而◯ノ料理[3]ニ而晩食ス

十月十九日　金曜

午前八時自働車ニ而太賀吉一同帰宅ス
西園支配人ニ九水株買入之電話ヲナス
木村平右衛門氏より、大分県代表トシテ成清〔信愛〕君ヲ取締役ニ撰挙之件一宮〔房治郎〕[4]氏より申入、尚本人別府ニテ面会ヲ約ス
金七百九十四円五銭臼杵より受取、出入帳ニ其ノ記入ス
渡辺阜築君相見ヘ、九水社長ノ内談ノ件打明ケ、産鉄重役ノ議案打合ス
午後一時商店ニ而産鉄ノ重役会ニ出席ス
午後三時四十五分産鉄ヲ経而別府ニ行キ、二十日船ニ而神戸ニ行キ、上京ス
金弐千円臼杵より受取

十月二十八日　日曜

午前八時半下ノ関駅着、太賀吉迎ニ来リ、自働車ニ而遠賀川ヲ軽〔経〕而香椎山ニ茸狩ニ行キ、午後七時帰リタリ

十月二十九日　月曜

野田・義之介相見へ、社長ノ挨拶アリタ
瓜生〔長右衛門〕其他社長就任ノ挨拶ニ見ヘタリ
米国滞在ノ有井米夫〔新井米男〕[5]氏相見へ、米国資本安利ニテ九水ニ融通ノ内談アリタ、九水内情確定ナルコトヲ明言ス、鮎田発電所[6]ヲ検査セラレタリ

堀氏より電話アリ、明日出福ヲ約ス

十月三十日　火曜

中村俊雄[7]氏来訪アリタ、博済会社嘱托ノ名義ニテ出務之事ヲ内談ス
午前十一時出福ス
堀氏相見ヘタルニ付、一同相政［お］ニ行キ食事ヲナス
伊藤傳右衛門君より祝詞ノ電話アリ、相政ニ而食事ノ打合ヲナシタリ、堀氏モ一同
小染[8]来リ、伊藤カ医師ニ不礼ヲナシ、堪兼外出ス

十月三十一日　水曜

堀氏一同相政ニ行キ食事ヲナス
午後八時帰リタリ

1　小川ヒナ＝麻生家荒戸別荘（福岡市）管理人
2　福岡女学校＝一八八五年英和女学校として開校、一九一九年移転改称（福岡市平尾）、のち福岡女学院中高等学校
3　○ノ料理＝スッポン料理
4　一宮房治郎＝衆議院議員、元大阪朝日新聞記者
5　新井米男＝ハリス・ホーブス商会（ニューヨーク）
6　鯰田発電所＝九州水力電気株式会社火力発電所（飯塚町）、一九二三年設立
7　中村俊雄＝元田川郡長、のち博済無尽株式会社嘱託
8　小染＝中洲券番（福岡市）芸妓

十一月一日　木曜

知事及才判所・郵便局・両新聞[1]等社長ノ挨拶ニ訪問ス
香椎・箱〔宮〕崎・住吉ノ三社ニ参拝ス
一方亭ニテ食事ヲナシ、直チニ食事仕払タリ
午後五時半より知事其他一同招待シ社長新任ノ挨拶ヲナシ、午後十時帰リタリ

十一月二日　金曜

午後二時九水会社ニ社長トシテ初而出務ス
職員一同ニ別記ノ意旨ニヨリ社長之挨拶ヲナシタリ
午後三時より九洲重役ノ協義会[2]ヲナシタリ
今後ハ指向キタルモノハ専務・常務及社長ニテ決定セシモノハ工事ヲ進行シ、上京ニハ跡ニテ御評決ヲ乞コトニ内意申合ス、左モナクテハ営利上不為メ多ク故ナリ
午後五時半常盤館ニテ晩饗ヲ職員一同ニ出シタリ
午後十時半より恵比須祭[3]ニ付帰飯ス

十一月三日　土曜

午前吉例ニヨリ恵比須祭挙行、親族一同参拝シ、食事後午前九時半より夏子一同自働車ニ而出福ス
浜ノ町より大宰府ニ参詣、トンネルノ場所ニ行キ、山内・西高辻宮司・橋爪根〔禰〕宜一同大和屋ニ而食事ヲナシ、午後四時頃より二日市湯町大丸館ニ而食事ナシ、午後八時浜ノ町ニ帰リタリ

十一月四日　日曜

平尾・荒戸ニ行キ、工事ノ指図ス

午後二時より福村家ニ而○ノ料理ニテ食事ヲナシ、午後七時より自働車ニ而義太賀・太助[介]ト帰リタリ

十一月五日　月曜

野田勢次郎君相見へ、九水来客及社員ニ対シ挨拶等ノ意味ヲ相咄シ、将来九水之有望之事モ呑込アル様、貯水ノ為メ植林等ノ点迄相咄シタリ、鹿町ハ斤先キ掘[4]ヨリ譲渡ノ方針ニテ進行方打合ス
猪野[鹿次]町長相見へ、税務署復活願等ニ付注意ス
大里[広次郎][5]君等ニ尚念入アル様申添ヘタリ
書類整理及出状等ヲナシタリ
金三千五百円別口預ノ分臼杵より受取、此外弐千五百円京都行費用[6]ニ受取

十一月六日　火曜

棚橋君ト電話ニ而打合、日向ニ出張ニツキ指引ナキ様打合セ、万一ノ場合ハ小生社長就任ノ際ニ付打合ノ必要アル旨ヲモ打合ス
十六日迄ハ滞在ニツキ、京都滞在心配ナキ様注意アリタ
久恒[貞雄]君社長ノ挨拶ト警察図書館寄付ニ付内談アリ、矢張是迄ノ方針ニテ打合ノコトニ申向ケタリ、補[保]険法案政務調

1　福岡日日新聞および九州日報（福岡市）
2　協議会＝九州水力電気株式会社九州在住重役協議会
3　恵比須祭＝負立八幡宮（飯塚町栢森）境内社恵比須神社祭
4　斤先掘＝炭鉱において鉱業権者が採掘権を他人に委ねること
5　大里広次郎＝医師（飯塚町）、飯塚実科高等女学校長、衆議院議員
6　太吉、十一月十日天皇即位礼に実業家功労者並びに勲三等受勲者総代として参列

査之件相頼ミタリ
午後六時ニ出発ス

十一月二十日　火曜

午前十時自働車ニ而浜ノ町ニ行、十二時着ス
一九水会社ノ惣而関係セシ会社ニ投資額調査方、調査部ニ電話ニ而頼ミタリ
一横倉〔英次郎〕[1]君相見へ、予備中学設備ニ付援助申入アリタ
一久保田〔貞次〕秘書大坂出発ヲ聞キタリ
一警察部長〔安井誠一郎〕ニ電話セシニ、若松出張中ニ付明晩出発ノ旨高等部〔課〕ニ電話ス
一午後五時五十分福村家ニ而◯〔スッポン〕ノ食事ヲナス
一水茶屋おちよ[2]死去ニ付香典五十円つや子[3]ニ托ス
一許斐安太郎・上野文雄両氏相見へ、許斐寛氏ニ銀行より貸付金ノ担保除外方申入アリタ

十一月二十一日　水曜

午前八時久恒代議士、実藤〔実岡半之助〕・吉田〔久太郎〕県会議員其外五、六人相見へ、太七郎ニ県会議員ニ承諾申入アリタルモ、上野文雄氏ニ極力懇談ノ旨申向ケタリ、同氏ヲ撰挙ハ政友トシテ尤〔ママ〕適当ニテ、将来郡ノ平和之為メナリ、撰挙ヲ要セヌヨウ尽力方懇々申向ケタリ
安井警察部長相見ヘタリ
野村銀行福岡支店長武田敏信君相見へ、二十七日晩食ノ案内アリ、承諾ス

十一月二十九日　木曜

午前宮崎県内務部長及土木課長ト相見へ、九水より県舎建築費寄付ノ相談アリタルニツキ、九水ハ火力設備十分ナ

ラザル為メ他之寄付等ノ余力ナキ旨申向ケタリ
午後一時より九水営業所ニテ杖立・筑後電気会社[4]・九水電気会社ノ惣会ヲ開催ス
午後二時重役協義会ヲ催ス
午後五時福村家ニ而晩食ヲナス

十一月三十日　金曜

村上・内本・久野外［五十志］[5]一氏相見へ、塚原貯水池設計及発電所打合ヲナス
木村・棚橋両氏相見へ、宮崎県官ノ不法之処置ニ付木村君上京ノ打合ヲナス
福村家ニ行キ、おゑん・おはま・金次[6]等久方振食事ヲナス

十二月一日　土曜

山内範造君相見へ、宝満ノ鳥居工事ノ打合ヲナス
棚橋・木村ノ両氏ト宮崎県九送ノ件打合ス
大宰府・宝満宮・住吉神社ニ参詣ス

1　横倉英次郎＝九州高等予備学校長、元貝島鉱業株式会社採鉱技師長、元麻生商店
2　おちよ＝水茶屋券番（福岡市）芸妓カ
3　つや子＝水茶屋券番（福岡市）芸妓カ
4　筑後電気株式会社＝一九二三年九州水力電気株式会社が九州電気酸素株式会社（浮羽郡田主丸町）を買収して改称、太吉取締役、のち社長
5　久野五十志＝杖立川水力電気株式会社取締役、のち九州送電株式会社取締役
6　おゑん・おはま・金次＝水茶屋券番元芸妓、おエン・おハマは馬賊芸者の祖

棚橋君議長問題ニ付内談アリ、尽力承諾シ、山内君ニ内話ス
堀氏相見へ、東京ノ模様ヲ聞キ、相[お]政ニ行キ食事ヲナス

十二月二日　日曜

木村君上京ノ打合ヲナス
相[お]政ニ行キ堀氏ト食事ヲナス

十二月三日　月曜

福岡日々新聞斉田[耕陽]君父子相見ヘタリ

十二月四日　火曜

箱[宮]崎八幡宮・香椎宮・宮地嶽神社・宗像神社・稲荷神社ニ参詣ス
福村家ニ而◯[スッポン]ノ食事ヲナス

十二月五日　水曜

伊藤傳右衛門君訪問、種々□□[電球カ]及八郎[伊藤][1]君九水ニ雇入ノ内談アリタ
午前十二時食事ヲモナサズ九水重役会ニ臨ミ、午後四時迄打合ス
午後四時半より自働車ニテ帰宅ス

十二月二十七日　木曜

午前十一時自働車ニ而帰着ス
渡辺皐築君相見へ、産鉄ノ打合ヲナス
嘉穂銀行支配人来リ、打合ス
飯塚警察署長[皆良田善太郎]相見ヘタリ

十二月二十八日　金曜

花村久助[2]、下ミヲ《[三緒]》・栢森区長来リ、時枝《[満雄]》[3]司《[祠]》掌ノ件内談アリタルニ付、順序誤ザル様注意ス
酒屋[4]ニ悔ミニ行キタリ
午前十一時自働車ニ而太賀吉・夏子ト出福ス
西田《[熊吉]》[5]先生ニ診察ヲ乞タリ
九水ニ出社、棚橋・木村・村上・今井ノ諸氏ト九送宮崎県問題及九水寄付ノ件打合ス
午後四時半相《[お]》政へ行キ堀氏ト会合、鉄道電化之打合ヲナス
小染来リ遣銭遣ス、相政ノ仕払、五十円余帳面ヲ見テ仕払、外ニ五十円年末年替遣ス

十二月二十九日　土曜

村上功《[巧]》児君浜ノ町ニ見ヘ、九送問題及専務ノ件磯村豊太郎[6]より木村君ニ内定之由聞キタリ、事実如何トノ事ナリ
シモ、一向其ノ事ハ不存旨申答タリ
山内範造氏ニ電話、三十日福岡ニ而出会ヲ約ス
平尾及荒戸ニ行キ、小川《[ヒナ]》カ非常ニ立腹シテ苦情申向ケタルモ、取構《[ママ]》マズシテ其侭ニナシタリ

1 伊藤八郎＝伊藤金次（大正鉱業株式会社取締役）養子、のち大正鉱業株式会社長
2 花村久助＝醤油醸造業（飯塚町立岩）、かつて太吉と笹原炭坑を共同経営、元飯塚町会議員
3 時枝満雄＝負立八幡宮（飯塚町栢森）祠掌
4 酒屋＝麻生物兵衛養子尚敏、酒造業（飯塚町栢森）、元飯塚町会議員、元福岡県会議員
5 西田熊吉＝医師（福岡市下洲崎町）、元福岡医師会副会長
6 磯村豊太郎＝北海道炭礦汽船株式会社専務取締役、翌年社長

自働車故障ニ付秋山自働車[1]ニ而帰リタリ、午後六時半帰リタリ
新喜楽[2]ニフク送リ方、下ノ関春帆楼ニ電話ス
興津西園寺〔公望〕侯[3]ニフク送リ方、同所ニ同断

十二月三十日　日曜

午前野田勢次郎相見へ、鉄道電化問題ニ付懇談ス
午前十時半自働車ニ而出福ス
山内範造氏待受アリタ
十五銀行[4]階下ニテ昼食ヲナシ、宝満宮トンネル工事ノ見分ニ山内氏一同行キタリ
鳥居代五百円、三百円ハ受取証ヲ貰、弐百円ハ本人ニ仕払ノ上受取書ヲ貰フ事ニセリ、外ニ五十円木家代仕払
午後五時福村家ニテ九水年末歴〔慰〕労会ヲ催ス
荒戸ニ行キ一泊ス

十二月三十一日　月曜

午前九時半久恒〔貞雄〕氏相見へ、県会議員ノ件依頼アリタリ
吉田利彦[5]君相見へ、九水従事ノ申込アリタ
午前十時半より自働車ニ而帰宅ス
実藤〔実岡半之助〕・瓜生〔長右衛門〕・篠崎〔団之助〕外三氏相見へ、県会議員上野〔文雄〕氏ニ交渉ノ依頼アリタ
九水宮崎営業所主任ニ転セシ荻野清太郎君相見へ、未納金ノ件ニ付聞キ取タリ

備忘録

昭和三年一月十五日
金五百七十六円　博済会社昭和二年七月一日より十二月迄賞与金
同壱千四百五十二円八十銭　嘉穂銀行同上
同弐百十六円四十四銭　貯蓄銀行同上
〆金弐千二百四十五円廿四銭
内
金四十円　小遣・給仕心付、支配人ニ取次ヲ乞タリ
残而二千二百〇五円廿四銭
昭和二年十二月廿四日東京より帰着ノトキハ四千六百三十六円八十三銭アリ、九水賞与金ナリ、状袋アリタ
昭和三年一月十五日現在
金三百円　別封

1　秋山自動車＝秋山延蔵（福岡市海岸通り）
2　新喜楽＝料亭（東京市京橋区築地）
3　西園寺公望＝元総理大臣、元立憲政友会総裁
4　十五銀行＝十五銀行福岡支店（福岡市片土居町）
5　吉田利彦＝のち博多電気軌道株式会社営業課

同弐千三百円　同
同弐百二十五円　懐中
〆二千八百廿五円

昭和三年七月二十九日
金五千円　義之介より受取
内
壱千五百円　義之介一月より六月迄賞与
百円　太右衛門
五十円　操〔ミサヲ〕[1]
五十円　米〔ヨネ〕
二十円　義太賀・太助〔介〕
五十円　君代〔きみを〕[2]
十円　たきよ〔多喜子〕[3]
五十円　ふよ〔フヨ〕[4]
三十円　摂良〔郎〕・忠二[5]・お□□
五十円　夏
四十円　太賀吉・典太・つや〔ツヤ子〕・たつ〔辰子〕[6]
壱千円　野田〔勢次郎〕

〆二千九百五十円

残而金弐千五十円　　昭和三年七月廿九日現在

内

五百円　　大浦

五百円　　中嶋[7]

五百円　　立岩[8]

残而五百五十円　　現在ス

昭和三年十二月二十五日

上京中ニテ夏子前記之通渡金シテ、残金五百五十円

十二月廿七日東京より帰リ受取タリ

1　麻生ミサヲ＝麻生太右衛門妻
2　麻生きみを＝太吉四男麻生太七郎妻
3　麻生多喜子＝太吉孫
4　麻生フヨ＝太吉五女、麻生五郎妻
5　麻生摂郎・忠二＝太吉孫
6　麻生辰子＝太吉孫
7　中島＝麻生五郎家
8　立岩＝麻生太七郎家

一九二九（昭和四）年

一月一日　火曜
天照皇大神・明治天皇・昭憲皇太后・天皇陛下・皇后陛下・皇大后《［ママ］》陛下遥拝
諸方神社仏閣ヲ拝ス
氏神[1]ニ太賀吉《［麻生］》[2]同供参拝、夫より墓所ニ参詣
各所より新年ノ祝賀見ヘタリ
一月二日　水曜
午後一時義之介《［麻生］》父子・太七郎《［麻生］》・五郎[3]一同箱崎《［宮］》・香椎・住吉[4]ノ三社ニ参拝ス
大宰府・宝満[5]ノ二社ニ義之介父子・太七郎・五郎ト参詣ス、義太賀《［麻生］》・太介[6]ハコルブ《［ゴルフ］》ユク、おいし茶家[7]ニテ屠酒ヲ呑ミ、女中ニ二十円、主人ニ三十円、茶代遣ス
福村家[8]ニテ昼食ナシ、女中ニ三十円、芸者ニ二十円、祝義遣ス
宮地嶽・宗像神社・多賀神社[9]ニ参詣ス
午後六時帰宅
義之介ヲ上野文雄[10]君県会議員候補ノ内諾アル様懇談セシニ、考慮ノ上返事スル旨答ヘラレタリ
一月三日　木曜
上野君代理トシテ定雄《［上野］》[11]君相見ヘ、絶体辞退之申出アリ、何ニカ口外ナキモ費用ノ件ニツキ考慮セラレシ如ク見ヘタリ
午前十時商店[12]ニ於テ各営業所々長及主任会合、本年ノ炭況ニツキ別記ノ如ク親シク申向ケタリ
篠崎《［団之助］》[13]・実藤《［実岡半之助］》[14]外数名相見ヘ、上野君県会議員候補内諾之件申入呉レル様申入アリタルモ、内諾ナキ旨申答候、間際迄引延シノ外アル間敷ト申添ヘ、一同帰ラル

［欄外］弐千四百円、外ニ五百円、三百円ト二百円宝満鳥居代、五十円小家代、臼杵［弥七］[15]ニ相渡、別口預ケニナス

一月四日　金曜

午前十時自働車ニ而雪降リ中ナルモ福岡ニ行キ、途中八木山[16]ニテ自働車ニ故障アリ、一時後着ス

食事後姪ノ浜岩愛［愛宕］神社[17]ニ参詣

1　氏神＝負立八幡宮（飯塚町栢森）
2　麻生太賀吉＝太吉孫、のち株式会社麻生商店社長
3　麻生義之介＝太吉女婿、株式会社麻生商店監査役　麻生五郎＝太吉女婿、株式会社麻生商店吉隈鉱業所坑内係、のち株式会社麻生商店取締役　麻生太七郎＝太吉四男、のち株式会社麻生商店取締役
4　筥崎宮＝糟屋郡箱崎町　香椎宮＝糟屋郡香椎町　住吉神社＝福岡市住吉
5　太宰府天満宮＝筑紫郡太宰府町　宝満神社＝竈門神社（筑紫郡太宰府町）
6　麻生義太賀＝太吉孫　麻生太介＝太吉孫
7　おいし茶屋＝江崎いし経営茶屋（太宰府天満宮境内）
8　福村家＝料亭（福岡市東中洲）
9　宮地嶽神社＝宗像郡津屋崎町　宗像神社＝宗像郡田島村　多賀神社＝鞍手郡直方町
10　上野文雄＝嘉穂郡庄内村長、元福岡県会議員、この月再度福岡県会議員
11　上野定雄＝嘉穂郡庄内村会議員
12　商店＝株式会社麻生商店本店（飯塚町立岩）
13　篠崎団之助＝嘉穂郡穂波村長、元福岡県会議員
14　実岡半之助＝宮野銀行（嘉穂郡宮野村）頭取、福岡県会議員、嘉穂郡宮野村長
15　臼杵弥七＝株式会社麻生商店会計部
16　八木山＝地名、嘉穂郡鎮西村
17　愛宕神社＝早良郡姪浜町

相〔お〕[1]政ニ行キ堀〔三太郎〕[2]氏ト会合ス
女中ニ三十円ト下男ニ十円遣ス

一月五日　土曜

午前十時自働車ニ而おきみと一同帰リタリ
亀井貫一郎[3]・柴尾与一郎[4]ノ両人相見へ、金壱千円自働車賃トシテ補助ス

一月六日　日曜

九水[5]大和田〔市郎〕[6]氏相見へ、宮崎ノ件聞キ取タリ
渋谷喜次郎[7]君相見へ、故野田〔卯太郎〕[8]翁ノ履歴編集方ノ件ニ付相見ヘタリ
午後二時九水重役会出席
午後五時福村家ニテ九水社員招待ス

一月七日　月曜

午前九時九水会社ニ於而職員一同ニ新年之挨拶ト職務上ニ付口演ス（別記アリ
午後六時一方亭[9]ニ於而三井銀行支店招待会ニ列ス

一月八日　火曜

午前九時半自働車ニ而帰宅
午後弐時五十分芳雄駅[10]、貝嶋家ノ新年宴会ニ列ス
別口預金五百円、百円札五枚受取、懐中ス
春帆楼[11]ニ一泊ス
　百円茶代、五円風呂場

五十円召使

百五十円お千代・お若・千代・山口・大吉《［楼脱］》[12]鶴兵衛ニ遣ス

一月九日　水曜

午前十時三十分文門《［門司］》駅発ニ而博多ニ一時半着ス

棚橋《［琢之助］》[13]氏より電力統一ノ電話アリ、直チニ九水ノ利害調査ヲ乞タリ

宮崎《［山岡国利］》知事ノ内蜜ノ件聞キタリ

午後五時半一方亭ニテ新聞一同招待ス

午後九時自働車ニ而義之介・林田《［晋］》[14]一同帰リタリ

1　お政＝矢野ソデ（マサ）経営待合（福岡市東中洲）
2　堀三太郎＝第一巻解説参照
3　亀井貫一郎＝衆議院議員、社会民衆党九州聯合会長
4　柴尾与一郎＝農民運動家、政治運動家、太吉へ有馬頼寧（元衆議院議員）紹介
5　九水＝九州水力電気株式会社、一九一一年設立、太吉取締役、この年七月より太吉社長
6　大和田市郎＝九州水力電気株式会社取締役、九州送電株式会社取締役、元日向水力電気株式会社長
7　渋谷喜次郎＝『野田大塊伝』（坂口二郎著、昭和四年四月発行）編纂関係者
8　野田卯太郎＝大塊、元逓信大臣、元商工大臣
9　一方亭＝料亭（福岡市東公園）
10　芳雄駅＝筑豊本線（飯塚町立岩）、のち新飯塚駅
11　春帆楼＝料亭（下関市阿弥陀寺町）
12　大吉楼＝旅館（下関市阿弥陀寺町）
13　棚橋琢之助＝九州水力電気株式会社専務取締役、この年下期より副社長、第三巻解説参照
14　林田晋＝株式会社麻生商店商務部長

一月十日　木曜

嘉穂銀行重役会[1]ニ列ス

一月十一日　金曜

若菜[2]ノ金子代竹内某[3]相見へ、金融ノ件相談アリシモ断リ、忘備録ニアル、競売ノトキニ家屋敷買受（五百円位）ノ内咄ヲ洩シタリ

谷田〔信太郎〕[4]来リ、九水株買収ノ打合ヲナス

午後二時より博多ニ行ク

村上功〔巧〕児[5]君相見へ、福岡日々新聞[6]より揮毫ヲ申入アリ、無止認メタリ

十九日東京来客操〔繰〕合之件黒木〔佐久馬〕[7]君より電報アリ、直チニ木村常務〔平右衛門〕[8]ト打合セ、承諾ノ電報セリ

午後八時より十時迄高橋流ノ手術ヲ乞タリ

一月十二日　土曜

迎昭和維新致奉公之誠ノ書シ、福岡日々新聞社ニ送ル

午前十時ヨリ湯町大丸館[9]ニ行キ、山内範造氏[10]ニ面会、宝満宮埋立地ノ打合ヲナシ、午後七時帰リタリ、江崎〔いし〕[11]相見ヘタリ

三十円茶代、二十五円女中、五円ツ、相浜〔お〕[12]・湯場ニ遣ス

一月十三日　日曜

県会議員ノ件ニ付篠崎団之介〔助〕君より電話アリ、花岡某辞退スル様勧告ヲ注意ス

博済会社[13]中村君ニ辞令書之件、西園〔磯松〕[14]君ニ出状ス

岡松〔直〕[15]ニ、年頭商店諸君ニ訓示指送リタリ

一月十六日　水曜

午前渡辺〔皐築〕[16]君相見へ、撰挙ノ打合ヲナス
午前九時嘉穂銀行惣会ニ出席
上野文雄君挨拶ニ見ヘタリ
午後一時自働車ニ而出福ス

1 嘉穂銀行＝一八九六年設立（飯塚町）、太吉頭取
2 若菜＝地名、嘉穂郡穂波村
3 金子＝金子家、太吉親族
4 谷田信太郎＝株式仲買商（福岡市下鰮町）
5 村上巧児＝九州水力電気株式会社常務取締役、第二巻解説参照
6 福岡日日新聞＝一八七七年筑紫新聞創刊、めさまし新聞、筑紫新報を経て一八八〇年福岡日日新聞と改題（福岡市下警固薬院）
7 黒木佐久馬＝九州水力電気株式会社、第三巻解説参照
8 木村平右衛門＝九州水力電気株式会社常務取締役、第三巻解説参照
9 大丸館＝旅館（筑紫郡二日市町湯町）
10 山内範造＝筑紫銀行（筑紫郡二日市町）頭取、元衆議院議員
11 江崎いし＝おいし茶屋（太宰府天満宮境内）経営
12 お浜＝大丸館女中
13 博済無尽株式会社＝一九一三年博済貯金株式会社として嘉穂郡大隈町に設立、翌年本社を飯塚町に移転して改称、太吉社長
14 西園磯松＝嘉穂銀行取締役支配人
15 岡松直＝株式会社麻生商店家事部
16 渡辺皐築＝九州産業鉄道株式会社専務取締役、嘉穂銀行嘱託検査係、元株式会社麻生商店会計部長

一月二十三日　水曜

午前十一時自働車ニ而門司駅より直チニ折尾ヲ経而帰着ス、植木橋[1]迄ニ壱時間ト七分ヲ要セリ
上野氏、瓜生[長右衛門][2]其外ヲ連レ挨拶ニ見ヘタリ
徳光[3]其他工事ヲ視察ス
池上[駒衛][4]君ニ出状ス

一月二十四日　木曜

風邪ニ而引籠リタリ

浜ノ町[5]ニ岩崎寿喜蔵[6]氏見舞ニ見ヘラレタル由、名刺ヲ以通知来リタリ

一月二十五日　金曜

風邪ニ而引籠リタリ
太助[介]ニコルブ[ゴルフ]費用金壱百廿円遣ス

一月二十六日　土曜

風邪ニ而引籠リタリ

一月二十七日　日曜

風邪ニ而引籠リタリ
花村久助[7]君相見ヘ、土取場ノ申入アリタリ、旧川埋立ハ山内[8]ボタ[9]ニテナスコトヲ申向ケタリ

一月二十八日　月曜

風邪ノ為メ在宿ニテ静養ス
耕地整理ノ林田[10]・藤森[善平][11]・武田[星輝][12]相見ヘ打合ス

村上常務ニ電話シ、日田岩尾［昭太郎］[13]氏より殖［ママ］林ノ件同氏ト協商ヲ頼ム
金宮鉄道[14]検査官相見へ、実地踏査アリタ

一月二十九日　火曜

嘉穂銀行土地掛・監事［有田広］[15]相見へ、戸畑ノ件打合ス

1　植木橋＝鞍手郡植木町
2　瓜生長右衛門＝嘉穂電灯株式会社取締役、飯塚町会議員、元麻生商店常務、元福岡県会議員
3　徳光＝地名、飯塚町、太吉女婿麻生義之介家所在地
4　池上駒衛＝石炭鉱業聯合会常務理事
5　浜ノ町＝麻生家浜の町別邸（福岡市浜町）
6　岩崎寿喜蔵＝岩崎炭坑経営者、元遠賀郡長津村会議員
7　花村久助＝醬油醸造業（飯塚町立岩）、元飯塚町会議員
8　山内＝株式会社麻生商店山内鉱業所（飯塚町）
9　ボタ＝石炭の中に混在する無用のもの、常磐・北海道ではズリ
10　林田＝飯塚町役場耕地整理係主任
11　藤森善平＝元飯塚町長、この年六月福岡県会議員
12　武田星輝＝株式会社麻生商店庶務部土地係
13　岩尾昭太郎＝薬種商（大分県日田町）、日田商工会議所会長、大分県会議員
14　金宮鉄道株式会社＝一九二三年創立（田川郡後藤寺町）、金田（田川郡金田町）・宮床（後藤寺町）間鉄道、太吉社長、この年六月九州産業鉄道株式会社に譲渡
15　有田広＝嘉穂銀行取締役監事、株式会社麻生商店監査役、九州産業鉄道株式会社監査役

二月十三日　水曜

野田勢次郎[1]相見ヘ、綱分不毛《〔フケ〕》[2]坑区買入、及別府地所ト湯ト引離シ経営方打合、信用組合[3]大会飯塚町ニテ開会ニツキ補助金出金之件、篠崎氏等より相談之件

太右《〔麻生〕》衛門[4]別府療養ニ自働車ニ而行ク

二月十六日　土曜

〔欄外〕百九十五円三十二銭上京旅費受取、久保田《〔貞次〕》[5]秘書ヨリ浜ノ町ニ送リ来ル

受取証ハ三月三日書面ニテ送ル

二月十八日　月曜

岡本季治[6]・喜久田又一郎[7]両氏、金山[8]ノケーフルカノ作業実地視察ノ序ニ来訪アリタ

中野景雄[9]君ニ別記ノ電信ヲ以太七郎遣ス旨申シタルニ、アス午後一時来別ノ電報来タ

二月十九日　火曜

中野景雄・津屋崎児国常次郎《〔児玉恒次郎〕》[10]両氏来リ、懇談ス、右ニ付廿二日博多ニ而挨拶スル旨返答シテ返シタリ、丸而思ヒも不寄事ニテ返事ニ困ル旨ヲモ添ヘ置キタリ[11]

太七郎ハ午前七時五十分別府駅発ニテ中野面会ノ為メ出福サス

大分日々新聞社長来リ、金壱百円遣ス（廿一日臼杵《〔弥七〕》より受取）

二月二十日　水曜

別府滞在

亀ノ井[12]ニ昼食ニ行キ、帰宅後一時半山野ヲ猟犬連レ遊ビタリ

久保田秘書ヲ以二十五日議題ナキ旨報告アリタルニ付、中上《〔村カ〕》・今井《〔三郎〕》[13]ノ両氏ニ打合セ、廿五日操延《〔繰〕》ノ旨電話ス

二月二十一日　木曜

午前九時四十分別府駅発ニ而太賀吉見送リ帰リタリ

しよえ〔松江〕駅[14]より下車シテ自働車田中〔正夫〕[15]待受、夫レニ乗リ、下女ト一同午後二時半帰宅ス

〔欄外〕三百三十四円臼杵より受取

二月二十二日　金曜

午前八時半中野景雄君訪問アリタルニ付、別府別荘ニ訪問上田〔殖田俊吉〕内閣大臣秘書官面会ノ件ハ他日間違ノ恐レアリ、打

1　野田勢次郎＝株式会社麻生商店常務取締役、九州産業鉄道株式会社監査役
2　フケ＝傾斜炭層深部の採掘困難な石炭層
3　信用組合＝保証責任福岡県信用組合聯合会（福岡県農会内）、一九一七年設立
4　麻生太右衛門＝太吉長男
5　久保田貞次＝九州水力電気株式会社庶務課長兼秘書
6　岡本季治＝九州水力電気株式会社別府営業所
7　喜久田又一郎＝九州水力電気株式会社別府営業所長、のち副支配人
8　金山＝別府市の鉱山跡に開設された別府遊園（ラクテンチ、岡本製作所一九二九年開業）
9　中野景雄＝紫葉、福岡日日新聞編集主事
10　児玉恒次郎＝津屋崎（宗像郡津屋崎町）干拓推進者、元津屋崎活州株式会社取締役
11　太吉叙爵問題
12　亀の井＝亀の井ホテル食堂（別府市不老町）
13　今井三郎＝九州水力電気株式会社常務取締役、第三巻解説参照
14　松江駅＝日豊本線（築城郡角田村）、のち豊前松江駅
15　田中正夫＝麻生家自動車運転手

切之旨相答、承知アリタ

津屋崎児玉常〔恒〕次郎君ニハ午後福岡浜ノ町ニテ面会ノ電報シテ、午前十一時自働車ニ而出福ス

児玉君延引ニ付電話ニ而乞合セシニ、遅取ル模様ニ付廿三日午前八時出福ノ打合ヲナシタリ

伊藤傳〔傳右衛門〕[1]サン相見へ、倉知〔倉智伊之助カ〕[2]君退職慰労金大里〔広次郎カ〕[3]君より申入之旨申向ケアリタ

〔欄外〕午後四時半一方亭ニ行キ晩食ス、末次[4]来リ、模様聞キ合ス

二月二十三日　土曜

児玉君午前八時半相見へ、別府訪問之謝意ヲ表シ、上田〔殖〕秘書官面会ノ件ハ中野君ニ相答ヘタル通リ間違ノ生スル恐レアリ、打切之旨相答、了解アリタ

午前十時半黒瀬〔元吉〕[5]一同自働車ニ而帰リタリ

博済会社藤嶋〔伊八郎〕[6]及有田〔広〕監事相見へ打合ス

野田勢次郎君相見へ、上田秘書官より花田〔凌雲カ〕[7]ニ何ニカ伝ヘラレタル旨ニテ、花田より書面着セシ由ナルモ、同様ノ意味ニテ含マラレル様申向ケタリ

〔欄外〕千五百円

六百円

百九十四円

〆二千二百九十四円　現在

二月二十四日　日曜

午前九時半加納〔狩野嘉市〕[8]・花村〔徳右衛門〕[9]一同出福ス

午前十時宝満宮工事ノ処ニ行キ、午後一時帰リ、二時半より丸太や[10]ニ行キ、午後七時帰リタリ

二月二十五日　月曜

午前十時半堀氏〔三太郎〕[11]病気見舞、九水重役協義会ニ出席

福村家ニ而午後六時新貝〔真貝貫一〕[12]君送別会ニ列シ、九水ノ役員一同招待ス、餞別三百円包ミタリ

二月二十六日　火曜

午前七時三十二分博多駅発ニ而別府ニ向ケ出発、午後十二時半別府駅ニ着ス

博多駅より折尾迄明治炭坑白土善太郎[13]君ト同車ス

二月二十七日　水曜

別府滞在

1　伊藤傳右衛門＝第一巻解説参照
2　倉智伊之助＝元嘉穂銀行本店支配人
3　大里広次郎＝医師（飯塚町）、衆議院議員
4　末次＝麻生家看護婦
5　黒瀬元吉＝古物商集古堂（福岡市上新川端町）
6　藤島伊八郎＝博済無尽株式会社取締役支配人
7　花田凌雲＝西本願寺執行、仏教大学勧学、のち学長
8　狩野嘉市＝麻生家営繕主任
9　花村徳右衛門＝株式会社麻生商店庶務部
10　丸太屋＝まるたや、呉服商（福岡市中島町）
11　堀三太郎＝第一巻解説参照
12　真貝貫一＝九州水力電気株式会社技師長、第三巻解説参照
13　白土善太郎＝明治鉱業株式会社取締役

佐藤寅〔虎〕雄[1]君相見へ、種々懇談アリタ
九水□〔要カ〕録ニ記ス

二月二十八日　木曜

午後十時五十分、別府より同所五時三十分発鎎〔汽〕車ニ而博多駅へ着、直チニ浜ノ町ニ着ス

三月一日　金曜

末永節[2]君来訪アリ、二日ニ面会ヲ約ス
平尾山[3]ニ工事ヲ視察ス

三月二日　土曜

午後三時まるたや[4]ニ行キ、午後四時半帰リタリ
午後一時福村家ニ行、○[5]食事ヲナス、平尾山ニ行キ、午後五時半帰宅ス
午前八時末永節君・山川某相見ヘタリ、御用邸[6]ノ件談話ス
渡辺綱三郎[7]君相見へ、撰挙費補助問題希望アリタ

三月三日　日曜

午前九時半福岡中学校卒業式[8]ニ列シ、別記ノ挨拶ヲ父兄惣代トシテナシタリ
平尾ニ行キ、午後四時半より自働車ニ而帰宅
福村相と〔お〕よ[9]来リ、六日斉藤氏〔守圀〕[10]招待ノ打合ヲナシタリ

三月四日　月曜

午後十二時半自働車ニテ典太〔麻生〕[11]ト一同自働車ニ宰府ニ廻リ、工事ヲ視テ午後四時半着ス

三月五日　火曜

午後一時九水〔福岡〕営業所ニ出頭、九軌[12]ノ調査ノ打合ヲナス、午後五時半帰ル

晩食ハ太賀吉卒業ノ祝ヲナシ会食ス

三月六日　水曜

午後一時お政ニ行キ、堀・石田〔亀一〕[13]ノ両氏ト会合ス

午後五時半福村家ニ行キ、知事一行ヲ招待ス

三月七日　木曜

午前村上功〔巧〕児君相見へ、八日午前熊本〔永野清〕県警察部長来福ノ旨談合アリタ

1 佐藤虎雄＝大分県会議員、元大分県玖珠郡南山田村長、のち同村長
2 末永節＝黒竜会、玄洋社、九州日報社友
3 平尾山＝福岡市平尾、麻生義之介家小笹別荘および麻生家小笹庵建築場
4 まるたや＝丸太屋とも、呉服商（福岡市中島町）
5 ○＝スッポン料理
6 御用邸＝鎮西御用邸（旧福岡城内に誘致しようとした新離宮）カ
7 渡辺綱三郎＝九州水力電気株式会社監査役
8 太吉孫麻生太賀吉福岡県立福岡中学（福岡市堅粕）卒業
9 おとよ＝料亭福村家（福岡市東中洲）女中
10 斉藤守圀＝福岡県知事
11 麻生典太＝太吉孫、のち麻生鉱業株式会社取締役
12 九軌＝九州電気軌道株式会社（小倉市）、一九〇九年電気供給と電鉄経営を目的として設立
13 石田亀一＝帝国炭業株式会社専務取締役

谷田君来リ、九軌ノ件打合ス
嘉穂銀行より大蔵省検査官出張ニ付電話アリ、二日市ヲ初メ其他各所聞キ合ス
遠賀郡より、小撰挙区改正ニツキ、若松・戸畑ト則八幡ヲ引離シ一区トスルコトニ希望、伊藤〔傳右衛門〕ノ宅ニ行キ各有志者会合ス
渡辺素[1]、雑誌発行ニ付金三千円出金ノ申入ヲナシタリ
大辻坑西端〔鎮次郎〕[2]氏相見へ、峠〔延吉〕[3]君出張先より返財ノ返事アリタル旨通知アリタ

三月八日　金曜

午後二時重役協義会ニ列ス
午後五時福村家ニテ有馬〔秀雄〕[4]・堀・森田〔正路〕[5]ノ諸氏ト食事ヲナス
水券演[6]〔空白〕[7]所ニ見物ニ行キタリ
山内範造氏ニ小撰挙区ノ件ニ付遠賀郡引離ノ為ノ上京方、本人ハ承諾アリタルモ、有馬氏ニ委托ヲ良法ナリトシテ有馬氏ニ頼ミ、其旨伊藤〔傳右衛門〕及遠賀田代〔丈三郎〕[8]・岡部〔種実カ〕[9]両氏ニ電話ス

三月九日　土曜

熊本永野〔清〕敬〔警〕察部長相見へ、橋本[10]ニ而食事ヲナス
同氏相見へ、鈴木〔喜三郎〕[11]氏より申込之旨相談アリタ
午後水券演〔空白〕所ニ一同見物ニ行キタリ

三月十日　日曜

永野熊本県警察部長訪問、鈴木氏より申込之金壱万円出金ノ事ヲ返事ヲナス
村上氏ニも右返事ノ旨了解ヲナサシム

棚橋氏ニも電話ニ而、右之旨意ヲ以今回ハ自分ノ立場ヲ明瞭ニシ、此ノ次キニ鉄道電化之援介方申入ノ手続ヲ講究スルコト安全ナリトノ旨意了解ナサシム

野田《〔勢次郎〕》・義之介《〔麻生〕》両氏ト右一件打合、決定ス

［欄外］実地ヲ野田・義之介両氏ニ乞タリ

帝国炭坑[12]所有地所ハ買入見込ナキ之旨返事ヲ堀氏ニ電話ス

午後四時半より中光[13]ニ行キ、有馬氏ヲ待受食事ヲナス

三月十一日　月曜

大坂朝日新聞社中村春三君訪問、五十年紀念広告申込アリ、三百円ノ申込ナス

1 渡辺素＝九州電業新聞（福岡市東中洲）発刊を企図、日本電業新聞（福岡市東中洲）を刊行
2 西端鎮次郎＝大辻岩屋炭礦株式会社総務部長
3 峠延吉＝大辻岩屋炭礦株式会社専務取締役、元貝島合名会社理事
4 有馬秀雄＝衆議院議員
5 森田正路＝元衆議院議員
6 水券＝水茶屋券番（福岡市水茶屋）、一九〇一年相生券番から分裂設立、筑豊炭鉱主後援
7 水茶屋券番温習会、大博劇場で三月八日から十日まで開催
8 田代丈三郎＝元福岡県会議員
9 岡部種実＝元福岡県会議員
10 橋本＝料亭（福岡市東公園）
11 鈴木喜三郎＝貴族院議員、元司法大臣・内務大臣、のち再度司法大臣・内務大臣、のち立憲政友会総裁
12 帝国炭坑＝帝国炭業株式会社（若松市）、一九一九年下関市に設立、株式会社鈴木商店破綻により破産
13 中光＝料理屋（福岡市中島町）

福岡日々新聞菊竹淳君相見へ、九水採用ノ申込アリタ
午前十時自働車ニ而おいし《[野畠]》[1]ト同車帰リタリ
立岩土取場ニ行キ境界ヲ実見シ、武田ニ土取方ヲ注意ス、又境界実測図ニヨリ注意スル様申付
福村家ノ招待電話ニ而断リタリ

三月十二日　火曜

十二日朝出福ノコト黒木君《[佐久馬]》ト約ス、又研究所ト電化事業約束ハ已人《[ママ]》的契約ニテ不苦、早く調印ヲ促シタリ
前夜迎ノ九水自働車ニ而出福ス
午前七時野田勢次郎氏ト同車ス
大和田・棚橋両氏相見へ、宮崎市電灯市営問題ニ付市長面会等ノ打合ヲナス

三月十三日　水曜

新茶屋青柳《[卯之吉]》[2]親子及黒瀬立会、従来より相政《[青柳マサ]》ノ行為ヲ咄シ、金融不能旨申向ケタリ
九洲電気業新聞社[3]創立ニ付渡辺素訪問、金□《[紙カ]》千三百円ト現金七百円寄付スルコトニシテ、再三本店ニ電話シ引渡ス
午後一時半宝満宮埋立場所ニ臨ミ、瓜生《[政五郎]》[4]初メ休業セリ
江崎《[いし]》一行福村家ニ申伝へ河井ダンス[5]案内ス
熊本電気監《[ママ]》理局長相見へ、商工会儀所《[博多]》[6]二階ニ而挨拶シ、福村家ニ而晩食ヲ出ス

三月十四日　木曜

松本健次郎氏[7]相見へ、聯合会[8]ニ於而小炭坑買収調節ニ代用ニツキ七海《[兵吉]》[9]氏希望アル旨申向ケアリ、此件調節ニハ多太《[ママ]》ノ有望ニ付実行方同意ノ旨申向ケタリ

阿部功一[10]君相見へ、菊竹〔淳〕[11]君紹介ニテ九水会社ニ就職ノ希望アリタ

［欄外］大学生

西田〔熊吉〕[12]氏ニ診察ヲ乞タリ

午後四時荒戸[13]ニ行キ一泊

三月十五日　金曜

午前青柳〔卯之吉〕父子来リ、金融之相談セリシモ断リタリ

午後一時より九水協義会ニ列ス

1 野畠いし＝麻生家女中
2 新茶屋＝地名、福岡市水茶屋
3 九州電気業新聞社＝九州電業社（福岡市東中洲）、九州電業新聞の発刊を企画、発行されたか否か不明
4 瓜生政五郎＝麻生家職工
5 河合ダンス＝河合幸七郎（お茶屋河合、大阪市宗右衛門町）が一九二二年設立したバレー団
6 博多商工会議所＝一八七九年福岡商法会議所設立、その後福岡商工会、博多商業会議所を経て、一九二八年設立
7 松本健次郎＝石炭鉱業聯合会副会長、明治鉱業株式会社社長、第二巻解説参照
8 聯合会＝石炭鉱業聯合会、送炭調節を目的として一九二一年創立、太吉会長
9 七海兵吉＝石炭鉱業聯合会理事、三井鉱山株式会社専務取締役
10 阿部功一＝のち九州電力株式会社副社長
11 菊竹淳＝六鼓、福岡日日新聞主幹、のち副社長
12 西田熊吉＝医師（福岡市下洲崎町）元福岡医師会副会長
13 荒戸＝麻生家荒戸別荘（福岡市荒戸町）

午後四時より自働車ニ而（青柳）[1]雇入帰リタ

三月十六日　土曜

午前八時二十分徒歩ニテ銀行ニ出店、大蔵省検査官ニ面会シ、昼食ヲナシ午後五時半帰リタリ

三月十七日　日曜

徳光其他工事ノ指図ヲナス

赤坂坑[2]恒久［清彦］[3]君ニ徳光ニテ出逢ヒ、同坑近傍之掘方ニ付注意ス

午後七時半太賀吉・典太ト出福ス（自働車）

三月十八日　月曜

野田勢次郎君相見ヘ、九軌株買収ニツキ谷田ノ書状持参、打合ス

棚橋・木村［平右衛門］両氏相見ヘ、九軌株ノ打合ヲナス

堀氏ニ棚橋十八日出発ノ電信ヲナシ、御帰県ノトキハ有馬氏ニ［空白］局長紹介方頼ミ電シタ

山口喜三郎[4]外一氏相見ヘ、電気会社外国社債有利ナリト種々申向アリタ、九水ノ内様［ママ］宜敷旨相咄シタリ

［欄外］山口氏ハ東京電気会社々長ナリ、神奈川県川崎市

昼食ヲ十五銀行[5]ノ地下室ニ行キ、山口氏外三井銀行連ニ逢ヒタリ

平尾ニ行キ、平野［市三］[6]ニ工事上申付タリ

三月十九日　火曜

末永節氏ノ紹介ニテ大神亀太郎[7]君来リ、海外研究ニ付援介ノ申入ナシ、金壱百円遣ス（大神ハ福岡人）

午前九時四十分福岡女学校[8]卒業式ニ出席、午後一時帰リ

山内範造君相見ヘ、中光ニテ昼食ヲナス

午後四時半太介ト一同帰リタリ

三月二十日　水曜

在宿

野田君相見へ、九軌株ノ件打合ス

徳光及本家工事ノ差図ヲナス

新宅[9]買収宅地ニ付土地異動ノ件鬼丸平一〔市〕より聞取タリ、調査セシニ間違ナリシ

三月二十一日　木曜

麻生太〔多〕次郎[10]相見へ、金融之相談アリ、商店ニ電話スルニ付打合セアル様申向ケタリ

京都及別府ニ皆行キタリ

1　青柳＝青柳自動車商会（飯塚町宮ノ下町）、青柳近太郎経営
2　赤坂坑＝株式会社麻生商店赤坂鉱業所（嘉穂郡庄内村）
3　恒久清彦＝株式会社麻生商店赤坂鉱業所長
4　山口喜三郎＝東京電気株式会社長、日本電気証券株式会社取締役、大正電球株式会社取締役
5　十五銀行＝十五銀行福岡支店（福岡市片土居町）
6　平野市三＝麻生家庭師兼雑務
7　大神亀太郎＝南方南洋研究者
8　福岡女学校＝福岡市平尾、英和女学校として一八八五年開校、のち福岡女学院中高等学校
9　新宅＝太吉叔父故麻生太次郎息多次郎家
10　麻生多次郎＝麻生家新宅、元福岡県会議員、元飯塚町長

仙〔鶴〕[1]学院法要ヲナス

三月二十二日　金曜

午前八時自働車ニ而出福（青柳自働車）

堀氏帰福ノ筈ナリシモ直方ヘ返〔ママ〕リニナリ、博多ニハ二十三日午後ノ事ニナリタ

午後一時半一方亭ニテ昼食（喰堂）ヲナシタ

午後四時より白魚ノ料理ニ而食事ヲナシ、午後十時お玉[2]同車帰リタリ

三月二十三日　土曜

午前黒瀬買物持参セリ

木村氏ト九軌株ノ打合ヲナシ、榊原円次郎[3]ヘ返電ヲナス

棚橋君ニモ打電ス

宝満宮ニ参詣、宮司ト面会、鳥居建設ハ暫ラク見合スコトニ打合ス

野田勢次郎君相見ヘ、川村〔河村幹雄〕[4]博士ト太賀吉教育方針ニツキ打合ノ結果報告アリタ、九軌株ノ打合ヲナス

原田〔勝太郎〕[5]氏相見ヘ、学生九水採用ノ申向ケアリタ

宝満宮帰リニ五郎〔麻生〕一行ト落合、自働車ニ而帰、商業会議所〔博多商工〕階下ノ食堂ニ而食事ヲナス

［欄外］一方亭ノお玉来リタリ

三月二十四日　日曜

堀氏相見ヘ、帝国炭坑所有調査書類一切返上ス

電化調査方増永〔元也〕[6]氏ノ模様聞キ取タリ

江藤与太郎（相羽〔虎雄〕[7]君紹介、地所売込ノ申入アリタルモ断リタリ

午後一時相〔お〕政ニ行キ、堀氏ト会合ス
午後十時帰リタリ、お千代〔花田カ〕[8]午後二時頃起キ居タリ
黒田家々従梅崎亮吾氏相見へ、九水へ採用方申入アリタ

三月二十五日　月曜

ライフル初而使用ス、万事安定
村上功〔巧〕児君相見へ、会社要件打合ス
午後一時営業所ニ九洲重役協義会[9]ニ列ス
午後五時相政ニ行キ、堀氏ト食事ヲナス
勝野重吉[10]氏相見へ、九水へ採用方人撰アリタ
［欄外］金三百円三月分報洲〔酬〕、会社より受取捺印ス

1　仙鶴院＝太吉次男故麻生鶴十郎、米国留学中に死去
2　お玉＝料亭一方亭女中
3　榊原円次郎＝株式仲買商カ（東京市牛込区戸山町）
4　河村幹雄＝九州帝国大学工学部教授
5　原田勝太郎＝元貝島鉱業株式会社監査役
6　増永元也＝鉄道省電気局長、この年退官して九州送電株式会社嘱託、のち衆議院議員
7　相羽虎雄＝株式会社麻生商店鉱務部長、のち技術理事
8　花田千代＝元麻生家浜の町別邸女中
9　九州重役協議会＝九州水力電気株式会社九州在住重役協議会
10　勝野重吉＝鞍手郡直方町長、元郡長

三月二十六日　火曜

木村常務相見ヘ、宮崎県問題ニツキ上京ノ打合ヲナス、尤表面ノ用向ハ八千キロ女〔子脱〕[1]畑ニ増設ニ関スル用件トシテ打合ス

営業所[2]ニ行キ、新キ採用方申入之人々ノ打合ヲナス

日田森〔平太カ〕[3]氏相見ヘ、殖〔ママ〕林ノ件ニ付実地家ニ調査方ヲ依頼ス

午後四時相〔お〕政ニ行キ堀氏ト会食ス

女中町ニ出デ、ふみ〔吉松カ〕[4]留主番ス

吉田利彦[5]君相見ヘタリ

三月二十七日　水曜

大森嘉右衛門[6]君相見ヘタリ

間組代表小〔清〕[7]谷氏挨拶ニ見ヘタリ

渡辺〔皐築〕氏ト後藤寺ノ件ニ付電話ス

吉浦〔勝熊〕[8]君相見ヘ、幅物買入ニツキ手伝ヲ乞タリ

午後二時より自働車ニ而帰リタリ

買物ノ整理ス

市会議員ノ件ニ付松本種次郎[9]（飯塚ノ人）相見ヘタリ

渡辺皐築君相見ヘ、後藤寺町[10]ノ件打合ス

［欄外］四百七十八円六十銭受取

三月二十八日　木曜

野田君ト長崎行ノ打合ヲナス、草[空白、天脱]無煙炭坑区[11]堀氏より申込ノ実地踏査ノ為ナリ

午前七時自働車ニ而出福ス

大分佐藤寅[虎]雄君相見へ、殖[ママ]林其他保険会社申込等ノ懇談アリタ

黒瀬より買入物ノ整理ス

荒戸ニ行キ、貝嶋ト申人ニ逢ヒタリ

まるたやニ行キ、末次▨[ニカ]面会ス

下ノ関桝谷[音三カ][12]氏見ヘタリ

1 女子畑＝九州水力電気株式会社女子畑中央開閉所（大分県日田郡中川村）
2 営業所＝九州水力電気株式会社福岡営業所（福岡市庄）
3 森平太＝日田銀行（大分県日田町）取締役、この年日田共立銀行監査役
4 吉松フミ子＝麻生家女中
5 吉田利彦＝博多電気軌道株式会社営業課
6 大森嘉右衛門＝昭和義塾（福岡市）創設者、薬種業
7 小谷清＝合資会社間組代表社員
8 吉浦勝熊＝元株式会社麻生商店庶務部、前年三月辞職
9 松本種次郎＝普選準備会幹事、刀剣鑑定家
10 後藤寺町＝地名、田川郡後藤寺町、九州産業鉄道株式会社・金宮鉄道株式会社本社所在地
11 天草無煙炭坑区＝日本煉炭株式会社魚貫炭鉱カ（熊本県天草郡魚貫村）
12 桝谷音三＝株式会社桝谷商会社長、下関商業会議所会頭、衆議院議員

三月二十九日　金曜

午前九時自働車ニ而若松築港会社重役会[1]ニ列ス、重要用件評義ナシ、午後三時半退散、直チニ飯塚本宅ニ帰リタリ

酒屋[2]・森崎屋[3]・有田[広]ノ三氏相見へ、津屋崎別荘[4]借受申込ニ付、狩野[嘉市]ヲ遣シ実地調査ノ上返事ナスコトニセリ

三月三十日　土曜

津や崎別荘借受ノ件ハ断リニナリタ

野田氏ト銀行及谷田[信太郎]九軌ノ件打合

渡辺氏ト、金宮[鉄道]増資、産鉄[5]ト合同ノ打合ス

狩野津屋崎より帰リ、地下リアリ旨報告ナシタルニ付、修繕ノ件打合ス

内藤蘇南ト外二人市会議員候補ニ付援助申入タリ

新茶屋青木[青柳卯之吉]父子来タリ、不相変金融ノ相談ナシタルモ断リタリ

三月三十一日　日曜

黒瀬買物ナス

若松築港会社立石鉄蛇・大城谷良文ノ両君相見へ、若松市特別税ノ件ニ付認可ナキ様上伸書認メ、吉田[良春カ][6]・中沢[勇雄][7]両氏ニ打合ヲ托ス

松本種次郎君市会議員候補之義ニ付相見へ、中野昇商店[8]ノ役員ナリ

長崎上野家旅館ニ電話セシニ、野田・堀両氏既ニ出発跡ナリシ

四月一日　月曜

村上功[巧]児君相見へ、九水ノ件打合ス

中野景雄君相見へ、先般来ノ上田[殖田俊吉][9]秘書官ニ面会ノ件児玉[恒次郎]氏より申来リ、上京カ相分ナラバ為知呉レル様申向ケアリ

タリモ、月末迄ニハ上京ナス可キモ確と難申向旨相答ヘタリ
山内範造氏相見へ、宝満宮埋立ノ件打合ス
宇美常吉氏[10]、八女郡辺春村大字上辺春、成清君〔信愛〕[11]引立ノ件ニ付申入アリタ
伊藤傳右衛門君相見ヘタリ、坑区ノ件松本氏〔健次郎〕ト打合ヲ申合
〔欄外〕築港会社立石君相見へ、書面持参アリタ
黒瀬へ五百円かし、二百円ハ浜ノ町家費より仕払
二千円臼杵〔弥七〕より送金受取

四月二日　火曜

野田勢次郎氏、天草無煙炭調査ノ結果及谷田ノ九軌株ノ件打合ス

1 若松築港株式会社＝一八八九年若松築港会社設立、九三年若松築港株式会社と改称、太吉取締役
2 酒屋＝麻生物兵衛、酒造業（飯塚町栢森）、嘉穂銀行取締役、元飯塚町会議員
3 森崎屋＝木村順太郎、株式会社麻生商店監査役、株式会社森崎屋（酒造業）代表社員
4 津屋崎別荘＝麻生家別荘（宗像郡津屋崎町渡）
5 産鉄＝九産鉄、産業鉄道とも、九州産業鉄道株式会社（田川郡後藤寺町）、一九一九年設立、一九二二年より太吉社長
6 吉田良春＝元若松築港株式会社取締役、元若松市会議員
7 中沢勇雄＝若松築港株式会社取締役
8 中野昇商店＝株式会社中野商店、一九二二年設立（嘉穂郡二瀬村）、社長中野昇
9 殖田俊吉＝田中義一内閣総理大臣秘書官
10 宇美常吉＝宇美銀行頭取、成清貯金銀行（大分県速見郡日出町）取締役、八女郡辺春村長
11 成清信愛＝朝陽銀行（大分県速見郡日出町）頭取、成清貯金銀行頭取、衆議院議員、元貴族院議員

若松築港会社江若松市より特税ノ件ニ付県庁ニテ内務部長ニ面会、親シク陳情ス
青柳［喜兵衛カ］[1]ニ金壱百五十円遣ス（東京ノ画師）
荒戸ニ行キタリ
住吉神社・櫛田神［ママ］[2]・箱［筥］崎宮ノ三社ニ参詣ス
一方亭ニテ昼食ス
殖［ママ］林ノ件ニ付村上・鶴丸［卓市］[3]・日田ノ老陣［ママ］▨［人カ］方相見へ、研究ス

四月三日　水曜

早朝相政［お］ヲ出テ帰リタリ
午前十時自働車ニ而帰リ
棚橋氏ト電話ニ而打合ス
相羽君相見へ、瓜生［長右衛門］坑区ノ件申向ケアリタルモ、断リタリ
帝炭［帝国炭業］坑区調査ノ件図面ト一同ニ渡ス
［欄外］百七十二円五十銭ト十五円、〆臼杵より受取

四月四日　木曜

野田・義之介両君相見へ、金宮鉄道ヲ増資、産鉄ト合同ニ付打合ス
野村証券会社福岡支店長冨田七郎・大坂市大坂屋商店取締役伊藤英吉ノ両氏、野村銀行支店長武田敏信氏ノ紹介ニテ相見へ、九水株ヲ関西地方ニ分配シ、株ノ直［値］上ケ法ヲナスコトニ懇談アリシモ、不明ニ付専務・常務ト打合ノ旨懇談ス
午後七時ニテ出福ス

四月五日　金曜

午前八時半棚橋・木村両氏相見へ、種々打合、九軌株ハ本日ノ重役会ニ而大体ノ了解ヲ得テ上京スルコトニ打合ス
午前十時重役会ニ出席
午後一時宗〔崇〕福寺[4]ニ於テ追悼会[5]ニ臨、祭文ノ意味ヲ陳弁ス
一方亭ニ大薮〔守治〕[6]・渡辺〔綱三郎〕両氏ト立寄、食事ヲナス

四月六日　土曜

青柳卯之吉等訪問、〔青柳〕政子ノ件ニ付今後異存ナキ旨ノ書面ヲ取リ、祝義ヲ遣ス

四月七日　日曜

野田勢次郎氏相見へ、別府土地ノ件并ニ太賀吉修学ノ件打合ス
午前十一時半一方亭ニ行キ昼食ヲナシ、食堂ニテ仕払ス
中根〔寿〕[7]氏ト晩食シ、午後八時荒戸ニ行キ一泊ス
黒木氏相見へ、九軌ノ二十三万株之件調査書ヲ貰ヒタリ

1　青柳喜兵衛＝大正昭和期の静物画家、挿絵画家
2　櫛田神社＝福岡市社家町
3　鶴丸卓市＝九州水力電気株式会社副支配人
4　崇福寺＝臨済宗大徳寺派寺院（福岡市千代町）、旧福岡藩主黒田家菩提寺
5　九州水力電気株式会社物故社員追悼法会
6　大薮守治＝九州水力電気株式会社取締役、元筑後水力電気株式会社社長、のち貴族院議員
7　中根寿＝元貝島鉱業株式会社取締役

四月八日　月曜

午前八時栄屋旅館[1]ニ團《〔琢磨〕》氏[2]訪問、一行ヲ一方亭ニ招待ス
伊藤《〔傳右衛門〕》ト一同一方亭ニテ昼食ヲナス
午後十一時過キ帰リタリ
木村・渡辺両氏より電話アリ、九日面会ヲ約ス
大森嘉右衛門君ノ家内相見ヘタリ

四月九日　火曜

木村・黒木両氏相見へ、社員就職ニツキ打合ス
九軌会社株買入ニ付打合ス
渡辺皐築君相見へ、金宮鉄道運賃割引及芳雄駅前地所買入（運□《〔輸カ〕》[3]店入用）ニ付打合ス
午後二時より宰府《〔太宰府〕》ニ行、埋立地ノ指図ス
池上駒衛君相見へ打合ス

四月十日　水曜

黒木君相見へ、九軌ノ打合ヲナス
谷田来リ、九水株ハ棚橋氏ニ直接交渉ヲ照合ヲナス
午後二時自働車借入、八木山峠[4]ニテ帰途中ノ田中《〔正夫〕》ニ逢ヒ、夫ニテ午後四時半帰リタ
芳雄駅付近ニ倉庫ノ敷地ヲ踏査ス
正恩寺[5]相見へ、撰挙ノ不始末ヲ十分ニ責付ス
［欄外］五千三百四十三円二十銭山内範造氏より預ケタル分受取

五千円ハ定期預ケトシ、臼杵ニ渡ス

四月十一日　木曜

麻生屋[6]見舞タリ

渡辺・義之介及産鉄福田〔基治〕[7]相見へ、駅ノ計画ヲ聞キタリ

野田君相見へ、九軌ノ一件打合ス

午前十一時自働車ニ而義之介夫婦一同出福ス、診察ノ為ナリ

午後三時棚橋・木村・黒木ノ三氏相見へ、九軌株ノ打合ナス

［欄外］金三百廿二円三十五銭買物代、臼杵より受取

四月十二日　金曜

谷田君来リ、株ハ先方之催促ヲ待チ価格ノ押合ニ取掛ル順序等打合ス

午前十一時三十分博多駅ニ井上〔良馨〕元師〔帥〕ノ御遺□〔骨カ〕ヲ御見送リ申上ル

松本〔健次郎〕氏より十六日福岡ニテ会合ヲ約ス

1 栄屋旅館＝福岡市橋口町
2 團琢磨＝三井合名会社理事長、三井鉱山株式会社取締役、北海道炭礦汽船株式会社取締役会長
3 運輸店＝株式会社麻生商店芳雄運輸店、のち新飯塚商事運送株式会社
4 八木山峠＝嘉穂郡鎮西村八木山を越え飯塚町と福岡市を結ぶ峠
5 正恩寺＝井上叩端、麻生家菩提寺正恩寺住職
6 麻生屋＝太吉弟麻生太七、株式会社麻生商店取締役、嘉穂銀行取締役、嘉穂電灯株式会社取締役
7 福田基治＝九州産業鉄道株式会社工務部長

平尾ニ行キ、午後四時頃より一方亭ニ行キ、中根氏等会食ス、午後十時過キ帰ル
小野寺〔直助〕[1]博士博多駅ニ待受、午後二時麻生屋ニ御供スルコトニセリ

四月十三日　土曜

野田氏より株之一件電話アリタ、又十六日朝鮮山林踏査ノコトモ打合ス
小野寺博士急行ニ而帰福ヲ駅ニテ待受、午後二時麻生屋ニ西田〔熊吉〕博士ト診察ノ承諾アリタ
午後二時自働車ニ而小野寺・西田両博士ト麻生屋ニ行キ、診察アリタ
棚橋氏より、木村君より電報ノ電話アリタ
小野寺博士ハ午後四時半自働車ニ而帰福アリ
本宅・野田・上田・武田・義ノ介等打合、種々打合セタリ
〔欄外〕午後七時より青柳ノ自働車ニ而出福ス

四月十四日　日曜

棚橋君相見へ、九軌株買入ニ付木村常務より打電ノ件打合セ、野田勢次郎・谷田信太郎ノ両人上京ニ打合ス、今夜
出発ノコトニ打合ス
石田〔亀二〕君（帝国炭坑）会社創立ニ付懇談アリタ、堀氏帰県ヲ待チ打合ノコトニセリ
午後四時より石田氏ト一方亭ニ行キ、午後十時帰ル
株買入ニ付ニテ〔ママ〕電信ノ件ハ、別ニ九水肝要録ニ記載アリ、略ス
〔欄外〕田辺為三郎[2]君相見へ、幅物ノ大ヲ承諾ス、野崎〔広太〕[3]・益田〔孝〕[4]・望月〔圭介〕[5]ノ三氏ノ紹介アリタ
鳥飼本村[6]七十六　田辺唯司[7]方ニ宿所

四月十五日　月曜

渡辺《〔皐築〕》君ト電話シ、産鉄ノ件ニ付出福ヲ乞タリ

野田氏より電話アリ、是も九軌ノ株買入ト産鉄ノ件アリ、出福ヲ乞タリ

渡辺・野田両氏相見へ、金宮鉄道ヲ現金ニテ産鉄ニ売込ノ打合ヲナス

午後一時より自働車ニ而渡辺君一同麻生や《〔屋〕》病気重クナリ帰リ、直チニ見舞ヲナシ、小野寺博士ノ診察ヲ乞タリ

四月十六日　火曜

午前三時半起キ、麻生屋へ見舞ノ為メ、午前六時半迄看護ス

谷田来リ、九軌株ノ打合ヲナス

午後四時自働車ニ而出福、福村家ニ而増永《〔元也〕》氏一行ニ晩食ヲナシ、八時半自働車ニ而帰宅、麻生屋ニ見舞ニ行ク

［欄外］六百十一円三十五銭臼杵より受取

懐中ニ八百廿円在リ

1　小野寺直助＝九州帝国大学医学部教授

2　田辺為三郎＝碧堂、明治大正期の漢詩人

3　野崎広太＝太吉の古道具・古美術の友人

4　益田孝＝鈍翁、元三井物産社長

5　望月圭介＝内務大臣、元逓信大臣

6　鳥飼本村＝地名、福岡市鳥飼

7　田辺唯司＝九州帝国大学工学部教授

四月十七日　水曜

午前瓜生長右衛門来リ、片嶋公園[1]ノ社前ニ手洗体〔鉢〕石坂本[2]ノ現在品適当ノモノアリ、遣シ呉レ候様相談ニ付、承諾ス

麻生屋ニ見舞ニ行キ、午後十時帰リタリ

四月十八日　木曜

麻生屋ニ詰切、看護ス

麻生屋より徳光ニ而野田勢次郎氏ト会合、九軌株及帝国炭業[3]買入ノ件等打合

四月十九日　金曜

午前一時二十分麻生屋養体〔容態〕悪敷ナリ、取急キ見舞ニ行キ、午前六時四十分死去ス[4]

野田氏ト麻生屋より帰リ、食事中村上功〔巧〕児氏相見へ、九軌ノ件松本〔枩蔵〕[5]氏ト面談ノ模様報告アリタ

麻生屋ニ悔ミニ行キ、午後五時過キ帰ル

嘉一郎〔麻生賀一郎〕[6]修業ニツキ不都合ノ事申向ケタルニ付、責リ付タリ

四月二十日　土曜

麻生屋ニ仏参シ、社葬ニ付野田・義之介外三部長ニ実行方懇談ス、今後重役ノ貫〔慣〕例ヲ実行スルコトニセリ

野田・相羽・嶋田〔寅吉〕[7]・安達〔足立辺〕[8]ノ四氏ト帝国炭坑買入ニ付調査ス

谷田来リ、九軌株一時ニ引受之方ニヨリ交渉ヲ内示ス

松本健次郎氏火葬場ニ仏参アリ、二十四日上京旨打合ス

［欄外］三百五十円太助〔麻生太介〕ニ遣ス

四月二十一日　日曜

午前自働車ニ而出福、浜ノ町ニテ野田勢次郎君ト九軌株買入ニ付打合ス
谷田連レ上京ノコトニシテ、棚橋氏ニ打電ス
午後四時自働車ニ而帰宅ス
麻生屋ニ仏参ス

四月二十二日　月曜

麻生屋ニ仏参ス
道路及墓所ノ除掃［ママ］等差図ス
博済藤嶋［伊八郎］君相見へ、新築之件打合ス

四月二十三日　火曜

麻生屋ニ仏参ス

1　片島公園＝嘉穂郡二瀬村
2　坂本＝地名、嘉穂郡桂川村寿命カ
3　帝国炭業株式会社＝若松市、一九一九年下関市に設立、株式会社鈴木商店破綻により破産
4　麻生太七（太吉弟、株式会社麻生商店・嘉穂銀行・嘉穂貯蓄銀行取締役）死去、四月二十四日葬儀
5　松本杢蔵＝九州電気軌道株式会社専務取締役
6　麻生賀一郎＝太吉甥、のち作家大井広介
7　島田寅吉＝株式会社麻生商店本店鉱務部
8　足立辺＝株式会社麻生商店本店鉱務部

堀氏ニ電話、午後一時相見ヘタリ、帝国炭坑引受ニ付調査書ヲ示シ、相羽君立会打合、石田氏ノ意向聞取ヲ願タリ
金宮鉄道・産鉄合同ニツキ渡辺君立会打合ス

四月三十日　火曜

木村平右衛門君訪問アリ、株買入ノ件懇談ス
堀氏相見ヘ、帝国炭業買入ノ件懇談アリタ
野田・相羽両君出福ヲ乞、帝炭ノ件打合、相[お]政ニテ堀氏一同昼食ヲナス
午後九時過キ帰ル

五月一日　水曜

野田勢次郎君木屋瀬炭坑[1]実地ニ検査ニ行キ、電話アリタ
村上功[巧]児君相見ヘ、九軌株買入より重役交換ノ希望アリタ、今暫[ク脱]ラ時機ヲ待ツ方得策ナラント申向ケタリ
午後十二時一方亭主婦負債[傷カ]ノ事昨夜相政ニ而聞キタルニ付、見舞ニ行キタリ

五月二日　木曜

内本浩□[亮][2]君相見へ、杖立川[3]水利権付件解除ニ付熊本県庁ニ出願ノ件打合ス
最初出願ニツキ、許可ノ水力使用スル上ニ条件アリテハ実行不能旨ノ理由ヲ以、出願スル方穏当ナリトノ意味
注意ス
一山内範造君相見ヘタリ
一午後三時より自働車ニ而帰リタリ
[欄外] 方広寺[4]建設費壱万円寄付ス、但五ケ年賦棚橋氏紹介セラル

五月三日　金曜

帝炭引受ニ付、野田・渡辺・義之介等打合ス
方広寺〔足利紫山〕[5]管長相見へ、麻生屋ニ仏参ニ付御供シ、午後二時四十分ニテ御見送リ致タリ
午後三時過自働車ニ而出福
相〔お〕政ニ於而野田・石田・堀ノ三氏ト帝炭ノ件ニ付打合、星野〔礼助〕[6]氏ニも研究ヲ乞タリ

五月四日　土曜

麻生益郎〔良〕[7]氏外二人、挨拶ニ見ヘラレタリ
［欄外］橋爪安彦[8]野上村・井上義雄[9]東飯田村
一星野・野田両氏相見へ、帝炭ノ件書類整理及研究ヲ乞タリ

1　木屋瀬炭坑＝帝国炭業株式会社木屋瀬鉱業所（鞍手郡木屋瀬町ほか）、この年五月九州鉱業株式会社が譲受け
2　内本浩亮＝杖立川水力電気株式会社取締役支配人、元九州水力電気株式会社、のち九州送電株式会社長、第三巻解説参照
3　杖立川＝筑後川水系（熊本県）
4　方広寺＝臨済宗方広寺派大本山（静岡県引佐郡引佐町）、前管長間宮英宗
5　足利紫山＝臨済宗方広寺管長、元万寿寺（大分市）住職
6　星野礼助＝弁護士（福岡市）
7　麻生益良＝麻生観八男、酒造業（大分県玖珠郡東飯田村）、のち玖珠銀行頭取
8　橋爪安彦＝玖珠実業銀行（大分県玖珠郡東飯田村）取締役
9　井上義雄＝玖珠実業銀行取締役

一渡辺皐築君より庄内村長ノ電話アリ、有松重降［隆］[1]氏相続人［有松清隆］[2]ハ如何ヤト注意ス

五月五日　日曜

星野氏相見へ、帝炭坑区譲受ニ付打合ス

午後一時より九水重役会ニ出席ス、午後四時半退散

午後六時福村家益郎［麻生益良］氏ノ招待会ニ出席、午後八時半帰リタリ

五月六日　月曜

午前五時床起キシ、渡辺皐築君ニ石田［亀一］氏ノ所有ノ権利ハ堀［三太郎］氏名前ノ電話ス

野田・堀・石田三氏相見へ、契約文案研究セシモノ全部異義ナキコトニ決定ス

京都孤蓬［篷］[3]庵主相見へ、昼食ヲナシ、百円菓料トシテ進呈ス

［欄外］孤蓬庵　小堀月洲《シウ》　京都紫野大徳寺町

棚橋氏相見へ、株買受決定シ、谷田ヲ引合セリ

宗像神社宮司幡掛正木君相見ヘタリ

午後五時半一方亭ニ麻生益郎［良］氏一行招待シ、午後九時自働車ニ而帰リタリ

五月七日　火曜

産鉄会社皐築［渡辺］君より電話アリタリ

森崎や相見へ、組田［駒之助］[4]ノ買物打合ヲナス、昼食ヲ呈シ帰ラル

五月八日　水曜

午前九時野田氏ト自働車ニ而出福ス

堀・石田・星野［礼助］・小野［政太郎カ］[5]ノ諸君ト一同帝炭引受ニ付打合ス

午後四時政[6]ニ行キ、午後七時荒戸ニ行一泊ス
電車運動費ノ内ニ百円遣ス、秋根〔昌美〕[7]事務員来リタリ

五月九日　木曜

石田・堀両氏相見へ、帝炭引受ニ付申入アリタルモ、他日異儀ナキ様尚一層内輪之納得セラル、様申向ケタリ
野田氏相見へ、七海〔兵吉〕・松本〔健次郎〕両氏ニ打電ス
堀氏今六時東京行ニツキ、尚十分帝炭調査ノ件申入アリタ
九軌株二百廿株買入方久保田〔貞次〕秘書ニ電話ス
浅原鉱三郎[8]外二君、一名ハ小倉森松仁七郎[9]、来リ、援介方申入タルモ、鎎〔汽〕車賃トシテ金弐百円遣ス
［欄外］藤島〔伊八郎〕君相見へ、博済貸付金担〔保脱〕品ハ勧銀ノ代弁ヲナシ、暫ラク見合ノコトヲ申付ル
大隈[10]小林家負債片付ノ為メ両氏相見へタリ

1　有松重隆＝元嘉穂郡庄内村長、元嘉穂郡会議員
2　有松清隆＝嘉穂郡庄内村綱分郵便局長、元庄内村助役
3　孤篷庵＝臨済宗大徳寺派大本山大徳寺塔頭、庵主小堀月洲
4　組田靭之助＝書画骨董商（東京市外渋谷町）
5　小野政太郎＝帝国炭業株式会社監査役、弁護士（小倉市）
6　政＝お政とも、待合（福岡市東中洲）
7　秋根昌美＝博多電気軌道株式会社、のち神都電気興業株式会社（宮崎市）営業課長
8　浅原鉱三郎＝東洋民報社（小倉市大阪町）、薬種商（八幡市中本町）、日本大衆党
9　森松仁七郎＝東洋民報社
10　大隈＝地名、嘉穂郡大隈町

五月十日　金曜

野田氏相見へ、帝炭ノ件ニ付松本〔健次郎〕・七海〔兵吉〕両氏ヨリ返電来リ、打合ス
斉藤〔守圀〕知事御一行宿泊アリタ
原安太郎[1]君相見へ、勧銀ノ支店長ニ紹介ス

五月十一日　土曜

渡辺皐築君相見へ、後藤寺地所調査ノ件依頼ス
産業会員庭園ノ見物アリタ[2]

五月十二日　日曜

野田・義之介一同帝炭一件打合ス
森崎屋・和田や[3]相見へ、掛物及庭園之見物アリタ
昼食ヲ共シ〔ママ〕、午後二時半宰府ヲ経而午後五時半浜ノ町ニ着ス
宝満宮ノ鳥居及惣而設計ノ差図ヲナス

五月十四日　火曜

荒戸より帰リ、大宰府町宮司西高辻〔信任〕[4]氏ニ鳥居額ハ見積書通ニ而異存ナク故、申付方書面ニ而依頼ス、惣額八十三円ナリ
棚橋君相見へ、九水ノ打合、又筑後軌道[5]金融ニ付懇談アリタ
平尾ニ行キ十二時帰リタリ
一時より九水重役会ニ出席
午後六時自働車ニ而帰ル

野田君相見へ、帝炭ノ件打合ス

五月十六日　木曜

午前十二時産鉄重役会ニ出席
引続キ物会ニ出席、会長席ニツキ議了ス
原田〔勝太郎カ〕氏より種々懇談アリタ
石田氏帝炭引受ニ付懇談アリタルモ、二十二日迄ハ調査ニ手間取ルコトヲ弁明ス、堀氏一同帰直アリタ
午後七時太賀吉ト自働車ニ而出福ス

五月十七日　金曜

午前九時半九水営業所ニ出頭、杖立[6]及東望〔東邦〕[7]ノ打合ヲナシタリ

1　原安太郎＝東洋製鉄株式会社嘱託
2　第五回福岡県産業組合大会が飯塚町中座で開催され、組合員が麻生家の庭園を見学
3　和田屋＝和田六太郎、醤油醸造業（飯塚町本町）、元飯塚町会議員
4　西高辻信任＝竈門神社（宝満宮、筑紫郡太宰府町）宮司
5　筑後軌道株式会社＝一九〇三年設立（浮羽郡吉井町）、この年三月解散
6　杖立＝杖立川水力電気株式会社（大分市）、一九二三年設立、太吉社長
7　東邦＝東邦電力株式会社（東京市）、一九二二年九州電灯鉄道株式会社（福岡市）と関西電気株式会社（名古屋市）が合併して発足

筑後軌道借リ入ノ件ニ付、筑後電気[1]ノ香月盈司[2]ヲ営業所ニ而打合セ、怡土〔勲〕[3]支配人一同打合セ、九水株ヲ嘉穂銀行ニ預ケ融通スルコトニ打合ス
森田〔正路〕氏ニ村上氏ト悔ニ行キタリ
星野氏相見ヘ尚打合ス
恒久〔久恒貞雄〕[4]氏外数人県会議員候補ノ件ニ付申入アリ、断リタリ
嘉穂銀行伊藤〔久〕貸付掛ヲ呼ビ、金融ノ打合ヲナス

五月十八日　土曜

堀氏相見ヘ、帝炭交渉問題引渡ニ切迫セシ事情アリ、調査安定スル迄堀氏ト石田氏ト引受、調査安定ノ上引渡ノ交渉ナス可キ旨申入アリ、野田等ノ関係セシ向と相談ノ上確報ス可キ旨返事ス
野田・相羽ノ両君電話シ、堀氏ノ意向ヲ打合セ、尤ナル事ニ付松本〔健次郎〕氏ニ其旨電話シテ返事スルコトニシテ戸畑ニ電話セシニ、既ニ福岡ニ向ケ乗車ノ事相分リ、二時五十一分博多駅ニ而野田君待受、懇談セシニ、無止事ニ付其ノ方針ニテ進ムコトニシテ、堀氏ニ来訪ヲ乞タリ
堀氏相見ヘ、野田・相羽立会、堀氏ノ意向ニ而進ムコトニセリ
中山〔柳之助〕[5]営繕掛呼ヒ、便所ノ積書調査ナサシム
京都今井〔貞次郎〕[6]ニ入札ノ電報シタ
山内範造君相見ヘタリ
安河内政次郎〔治〕[7]君来リタルモ、多忙中ニ而面会断リタリ
午後四時半森田君ノ火葬ニ会ス、帰途壱方亭ニ友人一同立寄、食事ヲナシ一泊ス
有吉百郎氏相見ヘ、坑区及亀川[8]地所ニ付申入アリタ

五月十九日　日曜

壱方亭ニ而朝食ヲナシ帰リタリ

石田亀一氏相見へ、帝炭交渉問題変更ニ付挨拶ニ見ヘタリ

野田勢次郎氏相見へ、太賀吉河村[幹雄]博士ニ同供ヲ乞タリ

自働車ニ而宝満神社鳥居建設場所ニ行キ、山内範造氏ト立会取極メヲナス

大丸館ニ而山内氏ト食事ヲナシ、午後九時帰リタリ

[欄外] 安河内政[治]次郎君来リ、金壱百円遣ス

五月二十日　月曜

木村順太郎[9]氏相見へ、[木村]重吉[10]氏縁談ノ件ニ付内談アリ、同意ス

久保田[貞次]氏ニ、払込承諾之旨返電方電話ス

1 筑後電気株式会社＝一九二三年九州水力電気株式会社が九州電気酸素株式会社を買収して改称、太吉社長
2 香月盈司＝筑後電気株式会社常務取締役
3 怡土勲＝元筑後軌道株式会社支配人
4 久恒貞雄＝久恒鉱業株式会社長、衆議院議員
5 中山柳之助＝株式会社麻生商店鉱務部
6 今井貞次郎＝美術商八方堂（京都市四条麩屋町）
7 安河内政治郎＝黒竜会九州支部長、福岡大踏社主
8 亀川＝地名、大分県速見郡亀川町
9 木村順太郎＝株式会社森崎屋商店（酒造業）社長、株式会社麻生商店監査役
10 木村重吉＝九州水力電気株式会社、のち九州電気軌道株式会社取締役

岩崎寿喜蔵氏相見へ、〔石炭鉱業〕聯合会関係ノ坑区買上ケ件内談アリ、二十五日ニ松本氏ト面会ノ筈ニ付、其上ニ而尚懇談ノ打合ヲナス

堀・石田両氏相見へ、帝炭引受ノ件重而申入アリタ

野田君ニ電話シ、二十一日出福ヲ乞タリ

西田〔熊吉〕先生ニ診察ヲ乞タリ

五月二十一日　火曜

野田・相羽一同ニ堀氏より前日申入之帝炭ノ件申込アリタ、右ニ付尚調査ノ上相答ヘルコトニセリ

橋詰又三郎[1]氏外一人相見へ、筑後軌道会社ノ買入金ノ件申込アリタ

中村俊雄[2]・南条〔覚〕[3]両氏相見へ、南条氏ハ六月末日迄ニ申込ノ旨打合ス

五月二十二日　水曜

午後十二時半聖福寺[4]ニ森田〔正路〕氏ノ葬儀ニ列ス

〔お〕相政ニ行キ晩食ヲナシ、午後八時半より帰ル

五月二十三日　木曜

野田・渡辺両氏ト帝炭引受ニ付打合ス

上田〔利七郎〕[5]外三氏相見へ、渡辺〔皐築〕氏ヲ県会議員候補ノ申入アリタル、不宣敷旨申含メタリ

午後二時より野田氏ト一同出福ナシ、帝炭契約ノ打合ヲナシ、星野氏来邸ヲ乞、研究ス

堀・石田両氏ト会合ノ積リニテ電話セシニ、下ノ関行ニテ明日出福ヲ約ス

五月二十四日　金曜

野田・堀両氏立会、石田氏ニ帝炭契約第九条ノ明文改正之件打合ス、惣而同意アリ、星野氏ノ異見ニ依成案ス

午前十時より九水ニ出頭、宮崎市長ト面会ス
十二時福村家ニ而昼食ヲ出ス
午後四時より相《〔お〕》政ニ行キタリ
荒戸ニ行キ一泊ス

五月二十五日　土曜

午後八時末次看護婦連レ津屋崎別荘ニ行ク

五月二十六日　日曜

津屋崎滞在

五月二十七日　月曜

津屋崎滞在

五月二十八日　火曜

午前七時自働車ニ而出福、九水重役会ニ出席ス、筑後・電化[6]・杖立ノ惣会ヲナス

1　橋詰又三郎＝筑後軌道株式会社清算人、元同社長（三月解散）
2　中村俊雄＝博済無尽株式会社支配人、元田川郡長
3　南条覚＝博済無尽株式会社、元飯塚警察署長
4　聖福寺＝臨済宗妙心寺派寺院（福岡市御供所町）、栄西創建日本最初の禅寺
5　上田利七郎＝嘉穂政友青年党幹部
6　電化＝九州電気工業株式会社（大分県速見郡川崎村）、一九二三年九州水力電気株式会社が大分電気工業株式会社を買収し、一九二六年改称、太吉社長

村上・木村両氏相見へ、浜ノ町別荘ニ而打合ス
午後七時半福村家ニ而食事ヲ出シ、自働車ニ而午後九時帰ル

五月二十九日　水曜

実藤〔実岡半之助〕・篠崎〔団之助〕両氏ヲ初外三名相見へ、藤森〔善平〕君候補之件[1]ニ付相見へ懇談アリタ
野田・渡辺両氏ト帝炭ノ件打合ス
午後二時太宰府ニ行キ、工事ノ差図ヲナシ、昼食ヲナシ、津屋崎ニ行ク
〔欄外〕四百五十五円
三百十円
〆受取
二千円別口預ケ受取

五月三十日　木曜

津屋崎滞在

五月三十一日　金曜

午前▨時〔以下空白〕
午後十二時五十二分産鉄会社山崩ノ場所視察ス（渡辺専務一同）
午後三時十二分発ニ而帰リタリ
午前九時過キ自働車ニ而津屋崎別荘より女中一同帰ル
金壱百円津屋崎番人〔八波儀助〕[2]ニ仮渡ス

六月一日　土曜

氏神ニ参詣ス
野田氏相見ヘ、帝炭ノ打合ヲナス
堀氏ト電話ス
花村久助君相見ヘ、吉川村[3]山林買収申込アリタ
野田・渡辺両氏相見ヘ、産鉄買収金宮鉄道精算人ノ件打合ス
大塚［三代作］[4]警察署長相見ヘタリ
［欄外］金壱百五十円黒瀬買物口受取

六月二日　日曜

午前十時自働車ニ而原［嘉道］司法大臣歓迎会ノ為メ出福
午後六時十六分博多駅着ニ付御迎ノ為メ博多駅ニ行キ、直チニ福村家ニ而才判所・県庁・九水歓迎会ニ臨ミ、午後九時過帰リタリ、九水主人トナル筈ナルモ才判所ト同一ニナリ、寺嶋［久松］[5]検事正挨拶アリタ
荒戸ニ立寄一泊ス

1　福岡県会議員候補
2　八波儀助＝麻生家津屋崎別荘管理人
3　吉川村＝地名、鞍手郡
4　大塚三代作＝飯塚警察署長
5　寺島久松＝福岡地方裁判所検事正

山内範造氏出福之序ニ浜ノ町ニ立寄アリ、宝満宮工事其他打合ス

六月三日　月曜

原司法大臣旅館栄屋ヲ訪問、前夜ノ御礼ヲナス

宝満宮ニ参詣、工事ノ指図ヲナス

木村常務相見へ打合ス

午前十二時児玉[恒次郎]・中野[景雄]両氏相見へ、例ノ爵位問題懇々申向ケアリタルモ、従業員安定ノ為メニ此ノ場合ニ如何トモ致方ナシト申答タリ

十二時十分自働車ニ而津屋崎ニ行キ、草刈其ノ他ノ作業ヲ見而、昼食弁当ヲ食シ帰リタリ

渡辺皐築君相見へ、銀行取付一件聞取タリ

六月四日　火曜

堀三太郎氏相見へ種々懇談ス

相羽君も呼ビ、木屋瀬坑山ノ中野昇[1]氏ノ所有坑区調査ヲ乞タリ

渡辺君相見へ、撰挙ノコトヲ報告アリタ

野田君相見、九水木村氏より九水会社ノ件ニ付内談アリ、同異見ナリ、い才[委細]聞取タリ

橋爪安彦君相見へ、麻生益郎[良]氏ノ件懇談アリタ

［欄外］千七百三十六円ト五十円ト受取

六月十日　月曜

渡辺皐築君相見へ、撰挙ノ実状ヲ聞キタリ、上野[文雄]撰挙之時ハ有志者ニ於而且[勝]手ニ費消セシコトアリ、確実ニ聞キ取タリ

野田君相見へ、帝炭引受ノ件ニ付尚注意ス、甲子会[2]及七海[兵吉]・三谷[一二][3]・池上[駒衛]ノ面会ノ模様報告ス
義之介帰県ニツキ東京鉄道局模様聞キ取タリ
大塚[三代作]警察署長相見へ、撰挙実状ヲ聞キ取タリ
西園支配人・藤嶋支配人相見へ、種々打合ス
野見山[米吉][4]氏ニ藤嶋君ノ件ニ付電話ス

六月十一日　火曜

午前九時半自働車ニ而出福
歯医師執印[宮夫][5]氏ニ診察ヲ乞タリ
加納[鎰子][6]様御出アリタ
津屋崎ニ行キ、午後三時帰ル
実岡[半之助]・許斐[7]・阿部[兵四郎][8]・田中[武雄]（二瀬村長）ノ四名相見へ、撰挙費補助ノ申込アリタルモ、□算ノ上他方面ト御協義セ

1　中野昇＝株式会社中野商店社長、嘉穂銀行取締役、嘉穂鉱業株式会社取締役
2　甲子会＝石炭販売協定組織、三井・三菱・古河・安川・貝島が一九二五年結成、麻生・帝炭は翌年加盟
3　三谷一二＝三菱鉱業株式会社社会長、飯塚鉱業株式会社社長
4　野見山米吉＝太吉妹婿、株式会社麻生商店取締役、嘉穂銀行監査役、嘉穂電灯株式会社監査役
5　執印宮夫＝歯科医師（福岡市中島町）
6　加納鎰子＝故加納久宜妻、麻生夏・野田勢次郎妻八重子母
7　許斐健＝嘉穂政友青年党幹部カ、許斐安太郎＝嘉穂郡頴田村長カ
8　阿部兵四郎＝飯塚町会議員、嘉穂政友青年党幹部

ラレタキ旨返事ス
荒戸ニ一泊ス
［欄外］六百六十一円組田買物代、臼杵より受取
六月十二日　水曜
星野氏相見へ、帝炭仕払金ノ件打合ス
村上功［巧］児氏相見へ、縁談ノ件及事業上ニツキ聞キ取リタリ
九水営業所ニ而九洲重役会[1]ニ出席、議題ノ外、惣会ハ全部現在之通ニテ、惣会後親シク協義ナスニツキ出席ノ件ヲ
相談ス
福村家ニテ有馬［秀雄］・青柳［郁次郎］[2]・安井［誠一郎カ］[3]ノ三氏ト晩食ヲナス
午後八時半過キ帰ル
［欄外］津屋子［麻生ツヤ子］[4]へ東京行ノ旅費補助ス
六月十三日　木曜
黒木君相見へ、東望［東邦］九洲区域ノ調査書説明ヲ聞キ、尚資産額ト株代差益金等東望ノ利益ノ予算ヲ乞置キタリ
平尾ニ行キ、平野［市三］ニ指図ス
午後三時半過キ自働車ニ而帰ル
松風工業会社[5]福岡出張所三木松之助并ニ本店川崎保ノ両氏別荘ニ相見へ、九水納品ニ付申入アリタルモ、何ニカ
不正品ノ関係アリヤニ聞込マスカラ得と詮義致マスト答へタリ
六月十四日　金曜
野見山米吉君相見へ、銀行関係辞退ノ旨申出アリタ

野田君相見候ニ付、太賀吉修学ノ件打合ス
星野氏来邸ヲ乞、野田・渡辺・岩成〔自助〕[6]等帝炭引受ノ件懇談ス
麻生太〔多〕次郎[7]氏相見ヘタリ

六月十五日　土曜

佐藤寅〔虎〕雄君相見ヘ、九水ニ関シ別府付近之関係ニ付懇談アリタ、昼食ヲ饗応ス、自働車ニ而行橋行キ、定期自働車ニ送ル
郵便局飯塚敷地之件ニ付渡辺君ニ電話ス

七月一日　月曜

義之介・渡辺両人相見ヘ、芳雄駅工事ノ件打合ス
堀三太郎氏相見ヘ、海東〔要造〕[8]氏不在ニ付東望〔東邦〕ノ件其侭トナリタル理由ト九水ニ副社長置クコトニナリタル理由等了解ヲ得、尚増永〔元也〕氏ノ件内談ス

1 九州重役会＝九州水力電気株式会社九州在住重役会
2 青柳郁次郎＝元衆議院議員
3 安井誠一郎＝福岡県警察部長
4 麻生ツヤ子＝太吉孫
5 松風工業株式会社＝一九一七年設立（京都市東山区）
6 岩成自助＝株式会社麻生商店庶務部、弁護士（飯塚町）
7 麻生多次郎＝新宅、元飯塚町長、元福岡県会議員
8 海東要造＝東邦電力株式会社常務取締役、九州鉄道株式会社取締役支配人、第三巻解説参照

芳雄工事ノ件ニ付実地ニ臨ミ、エンドレス[1]布設ノ有利ノ打合ス
［欄外］壱万円定期、四千円臼杵渡ス

七月二日　火曜

県会議員撰挙費補助之件ニ付両度多数来リタルモ、面会断リタリ
飯塚署長相見ヘタリ
野田氏見舞ニ行キ、後藤《〔文夫〕》[2]氏送金打合ス
［欄外］八百九十一円組田払ノ分
　　百十五円伏見様[3]御勧請御初穂
　〆千六百円受取

七月三日　水曜

耕地整理組合林田書記相見へ、武田《〔星輝〕》・中山《〔柳之助〕》立会調査ノ上取極メ方申付ル
浜口《〔雄幸〕》首相ヲ初メ懇意ノ大臣ニ祝電ス
後藤文夫氏ニ一ケ月五百円宛生活費融通懇談ニ付承諾、七月より十二月迄ノ分金三千円送金ス
午《〔前脱〕》九時半自働車ニ而出福ス
午前九時半自働車ニ而出福、九水営業所ニ而木村・棚橋・今井・黒木ノ諸氏ト九軌株買入ニ付十ケ年社債ノ計算ヲナス
午後四時半より帰リタリ
［欄外］六月十九日別府出発上京、三十日帰着
　弐百四十二円廿四銭旅館《〔ママ〕》、久保田《〔貞次〕》より受取

七月四日　木曜

野見山米吉君ニ出張ヲ乞、嘉穂銀行ニ而博済又ハ嘉穂銀行定款改正及計算ノ打合ヲナシタリ

銀行所有地郵便局ニ買入ニ付、渡辺[皐築]氏より報告アリタ

七月五日　金曜

午前九時半山内範造氏金宮鉄道株金壱万円持参、浜ノ町ニテ相渡

宝満宮宮司及山内範造氏相見ヘ、鳥居代払ヲナシ、持参金員ヲ渡シ、昼食ヲナス

午後一時九水重役会ニ出頭、午後四時半浜ノ町ニテ堀氏ト会合、増永氏ノ打合ヲナシ、福村家ニ同供ス

村上功[巧]児氏米国電気事業視察ノ為メ近ク出発ニ付、送別宴会ヲナス、餞別五百円ヲ進上ス、堀・菊竹[淳]・山内・斉藤[英一][4]ノ四氏ヲ初メ、九水・杖立ノ重役及職員二十一名余ニナル

松月[5]ノ主婦来リタリ、荒戸ニ行キ四百円渡ス

［欄外］杖立上半期賞与金三百円浜ノ町ニテ受取

七月六日　土曜

午前八時自働車ニ而帰宅ス

1　エンドレス＝炭車運搬用の環状索道
2　後藤文夫＝元台湾総督府総務長官、翌年貴族院議員、のち農林大臣
3　伏見様＝伏見稲荷神社（京都市伏見区）、麻生家邸内に屋敷神として稲荷神社勧請
4　斎藤英一＝東邦電力株式会社福岡支店長、のち取締役
5　松月＝松月楼とも、料亭（飯塚町新川町）

相羽・渡辺・浦地［裏地正生］[1]ノ諸氏相見へ、芳雄駅工事之打合ヲナス、ヱンドレスニ不及トノ事ナリシモ押而ヱント［ママ］レスニ申付ル、不利益ノ時ハ全部自分ノ責ナリト申向ケタリ

昼食ヲナス

郵便局ハ百八十円ニテ約五百坪売渡ス、無理□［モカ］ナレバ断ル旨申向ケタリ（西園支配人）

東洋製鉄会社[2]より中元トシテ白木屋[3]商品券五百円一枚送付来リタリ

［欄外］金九十四円宝満鳥居代約メ残リ受取

弐千円銀行別口預ケ受取

外ニ東鉄［東洋製鉄］ノ白木や商品券千円、五百円二枚受取、一枚昨冬ノ分

七月七日　日曜

直方より渡辺皐築ノ電話アリ、送別ノ意味留主中ニテ老母ニ托シ［ママ］サレタリ

銀行所有地電話局ニ買上ケ件打合ス

七月十二日　金曜

午前十一時半東京ヨリ帰宅ス

棚橋氏ト電話シ、宮崎ノ件ニ付義之介差遣スニ付事情能ク承知セシ

二千円封金、壱▨［千カ］円ハ古反［ママ］状袋ニ入、明瞭トナリタ

大分玖珠郡橋詰［橋爪安彦カ］君ニ十四日午後面会ノ電信シタ

［欄外］九百五十一円臼木［臼杵弥七］より受取、出入帳ニ記ス

七月十三日　土曜

嘉穂銀行重役［会脱］ニ出席

警察署長相見ヘタリ
午後二時半出福ス
午後六時橋本ニテ福岡銀行家一同九水ヨリ招待
ツヤ子［麻生］ニ面会ス

七月十四日　日曜

宝満宮ニ参詣、工事ノ視察ス
大分橋本君［良資カ］[4]相見へ、棚橋君副社長ノ件ニ付詳細相咄、了解アリタ
菊竹君［淳］も副社長問題ニ付用談アリ、是レもい才［委細］相咄シ了解アリタ
九洲電気事業［電業］社松田ト申人来リ、棚橋氏紹介アリタル人ナリ、金弐百円遣ス
午後五時半福村家ニ而安井［誠一郎］送別会ヲ催ス、内務［部脱］長［平田貫一］[5]・山内［範造］氏出席アリ
荒戸ニ立寄、午前一時帰リタリ

七月十五日　月曜

住吉神社宮司及佐賀常吉［経］[6]ノ両氏相見へ、石灯籠ノ打合ヲナス

1　裏地正生＝九州産業鉄道株式会社工務部長
2　東洋製鉄株式会社＝一九一七年設立、太吉設立委員、取締役
3　白木屋＝株式会社白木屋（東京市日本橋）、元白木屋呉服店
4　橋本良資＝九州水力電気株式会社大分出張所、のち九州電気軌道株式会社支配人
5　平田貫一＝福岡県内務部長
6　佐賀経吉＝鉱業家、玄洋社

午後二時安井氏博多駅ニ見送ル
一方亭ニ行キ中根〔寿〕氏ト会合ス
午後六時三宅〔速〕[1]博士ヲ博多駅ニ見送リタリ
一方亭ニ於而晩食ス、午後八時半帰リタリ
藤野某地所貯水池ノ大串氏所有地ノ件買収ノ相談セシモ、取消シタリ

七月十六日　火曜

午前大橋ノ療治ヲナシ、井上〔博通〕[2]支配人宮崎出張中ニ付、急ニ帰社シ、更ニ出張之件電話アルヨウ久保田氏ニ電話ス
午前九時自働車ニ而帰宅
今井〔三郎〕常務ニ、自働車営業願今井君己〔ママ〕人ノ営業トナリ居ルニ付、会社代表者ノ名義ニ出願ノ件注意ス
山内範造君礼ニ見ヘラレタリ

七月十七日　水曜

渡辺皐築君東京より帰県、勝〔正憲カ〕[3]氏ニ面会ノ模様咄ヲ聞キタリ
浦地〔裏地正生〕・義之介・渡辺氏ト昼食ヲナス
九水久保田君ニ電話シ、井上君ニ注意セシモ其ノ動ナク、知事面会セリ
午後六時芳雄駅発ニ而上京ス

七月二十一日　日曜

廿二日午前一時東京より帰リタリ、午後拾時下ノ関着、夫より十一時門司ニ着、直チニ自働車ニ而帰リ、床ニツキ時ハ午前二時トナル

七月二十二日　月曜

義之介夫婦来リ、義太賀・太助〔介〕ノ修学方針ニ付懇談ス、東京ニ於而修業ヲ賛成ス

青柳〔茂〕[4]ニ電話、銀行利益惣高、及実際払込金ニ対スル利廻リノ調査ヲ命ス

久保田秘書より電話アリ、渡辺君〔俊雄カ〕[5]ハルビンニ於而滞在中ノ由ニ付、米国廻リノ照合中、分リ次第通報旨申来リタリ

臼杵ヲ渡辺君娘子病気見舞ニ別府ニ遣ス

七月二十三日　火曜

堀氏より電話アリ、二十五日出福ヲ約ス

県道新設線ニ付実測ノ分一見ス、県庁ノ予定ノモノト約十万円ノ減少トナル見込ナリ

七月二十四日　水曜

午前七時嘉穂銀行惣会ニ出席、貯蓄〔嘉穂〕銀行[6]・博済会社ノ惣会ヲ開催、九時過キニテハ〔ママ〕閉会ス

重役会ヲ開催、十一時半帰リタリ

東京行□〔費カ〕金立替分千二百二円五十八銭受取、銀行賞与金ノ内より弐千円別口ニ預ケ入ル

午後一時自働車ニ而出福ス

1　三宅速＝九州帝国大学医学部教授

2　井上博通＝九州電気軌道株式会社支配人、元貝島商業株式会社会計部長

3　勝正憲＝衆議院議員

4　青柳茂＝嘉穂銀行支配人代理、翌月副支配人、のち支配人

5　渡辺俊雄＝九州電気工業株式会社取締役

6　嘉穂貯蓄銀行＝一九二一年設立（飯塚町）、太吉頭取

午後四時半一方亭ニ行キ晩食ス

［欄外］二千八百円
千七百円
二百十円
四千七百十円
二十四日現在、此外弐千円別口預ケ入レ分

七月二十五日　木曜

村上功《〔巧〕》児君相見へ、副社長ノ件懇談ス
事務規定成案ノ事モ打合ス
堀氏相見へ、増永《〔元也〕》氏ノ件東望《〔東邦〕》ハ八月中ハ中止ノ打合ス
堀氏ト福村家ニ行キ昼食・晩食ヲナシ、午後八時帰ル
別府中山病院療養中ノ渡辺阜築君長女死去ニ付、電報ニ而悔ミヲナス、且太七郎会葬ヲ電話ス

七月二十六日　金曜

児玉《〔恒次郎〕》君相見へ、津屋崎埋立田地ノ件ニ付伊藤傳《〔傳右衛門〕》さんト相見へ、懇談アリ、県庁調査ノ上確報スルコトニセリ
頭山円之助君相見へ、伊勢之合宿所建築ニ付援助ノ申込アリタルモ、断リタリ
荒戸ニ行キタリ
午後四時福村家堀氏より村上《〔巧児〕》君送別会ニ列ス
海東君相見へ、米国行ハ九洲区域担保除外ノ懇談ニテ了解出来タル由ナリ
午後九時荒戸ニ行キ一泊ス

七月二十七日　土曜

南条覚君相見へ、博済ノ件ニ付種々打合ヲナス

お円《桑原エン》・お浜《後藤ハマ》[1]来リ、お浜困難ノ事情申入、救助ス

七月二十八日　日曜

午後三時二日市大丸館ニ行キ療養ス、午後九時電車ニ而帰宅ス

七月二十九日　月曜

岩崎[2]野見山ニ電話、銀行・博済・貯蓄惣会決議ノ事項下調査ヲ頼ミタリ

黒瀬病人前夜大谷《ひさき》[3]ニ通知セシ付、本人ニ見舞ニ遣シ、金五十円見舞金ヲ遣ス

高宮《乾一》[4]校長・津田利夫[5]・白坂《栄彦》[6]校長・小塩《熊次郎》[7]教育会主事相見へ、学館[8]建設ニ付補助ノ申入アリタ

県庁ニ出頭、知事・警察部長・学務部長ニ名刺ヲ以訪問ス（秘書掛ニ頼ム）

1　桑原エン・後藤ハマ＝水茶屋券番元芸妓、馬賊芸者の祖
2　岩崎＝地名、嘉穂郡稲築村、野見山米吉家所在地
3　大谷ひさき＝麻生家女中
4　高宮乾一＝福岡県教育会幹事、福岡県立福岡中学校長
5　津田利夫＝福岡県教育会幹事、日本共立火災保険株式会社福岡出張所長、元福岡日日新聞記者、元福岡市会議員
6　白坂栄彦＝福岡県教育会幹事、福岡県中学修猷館長
7　小塩熊次郎＝福岡県教育会主事
8　学館＝福岡県教育会館、この年四月設計開始、一九三一年竣工（福岡市薬院堀端）

七月三十日　火曜

木村常務相見へ、九送横山〔通夫カ〕[1]君之件ハ、海東君ヲ以松永〔安左衛門〕[2]・田中〔徳次郎〕[3]両氏ニ了解ヲ得ルヲ以、夫迄相待チ〔ママ〕セラル様申合ス

二日市大丸館ニ両三日見合ノ電話ト、山内氏ニも同様電話ス

午後〔空白〕時自働車ニ而帰宅ス（秋山〔延蔵〕[4]）

平尾ニ行キ、家具ノ取揃ス

〔欄外〕二千八百円

　　千二百五円

　　黒瀬より五十円大谷受取ル分ハ同人より受入セリ

七月三十一日　水曜

野見山君相見へ、銀行ノ打合ヲナス

西田先生相見へ、診察ヲ乞タリ

義之介より五千円受取、残金五百五十円アリ

八月一日　木曜

氏神ニ参詣、時枝〔満雄〕[5]氏ノ神前御抜〔祓〕ニ参加ス

旧盆ノ指図ス

堀氏相見へ、九洲工〔鉱〕業会社[6]石田〔亀一カ〕君ノ意向ヲ聞キタリ

大丸館弟来リ、三十円貸付ル

八月二日　金曜

野田君ト電話ニ而打合ス

午前十時半自働車ニ而出福ス（梁瀬[7]森田）
昼食ヲナシ
午後三時半二日市大丸館ニ而晩食ス
おしん[8]来り、博多節[9]ヲ聞キタリ
午後十一時帰宅ス
消防義捐金百円南組[10]ノ火消連相見へ金遣ス
［欄外］五百三十円懐中

八月三日　土曜

午後二時半湯町ニ大丸館ニ行ク

1　横山通夫＝のち東邦電力株式会社営業係
2　松永安左衛門＝東邦電力株式会社長、第三巻解説参照
3　田中徳次郎＝東邦電力株式会社監査役、元同社専務取締役
4　秋山延蔵＝秋山自動車（福岡市海岸通）
5　時枝満雄＝負立八幡宮（飯塚町栢森）宮司
6　九州鉱業株式会社＝この年五月設立（飯塚町）、元帝国炭業所有の木屋瀬・起行小松鉱業所経営、株式会社麻生商店傍系会社
7　梁瀬＝梁瀬自動車株式会社博多支店（福岡市上呉服町）、一九二〇年支店設置
8　おしん＝水茶屋券番（福岡市）元芸妓、婆族（馬賊）芸者の一人
9　博多節＝博多の民謡、お座敷歌
10　南組＝福岡市消防組南組、市内には常備消防組・私設消防組のほか七消防組があった

八月四日　日曜

午後一時半平尾新築[1]家移リニ行キ、湯町大丸館ニ行ク

八月五日　月曜

木村君相見ヘタルモ、事務打合ノ件ハ村上君海外より帰県迄是迄ノ通ニ進行方打合ス

午前十時重役会ニ出席

村上功〔巧〕児君送別会ニ付金五十円、外ニ新聞ノ人ニ弐十円、久保田〔貞次〕君ニ渡ス

［欄外］百六十八円十二銭
　七月七日出発、十二日帰着
　同額
　七月十七日出発、二十二日帰着
〆三百三十六円廿四銭　東京行旅費受取

八月六日　火曜

午前八時嘉穂銀行重役会ニ臨ミ、博済等ノ関係会社ノ件打合、午後二時帰リタリ

病院ニヨリおまさ病気ヲ見舞、三時半帰リ

瓜生〔小太郎〕[2]方悔ミニ行キタリ

八月七日　水曜

午前十二時自働車ニ而戸畑金子〔辰三郎〕[3]氏告別式ニ参拝ス

午後三時半戸畑ヲ立チ、午後五時半福岡ニ達シ、午後六時福村家ニ而村上氏送別会ニ列ス、おとよニ祝義遣ス

午後八時帰リタリ

八月八日　木曜

午前八時自働車ニ而帰宅

中光・常盤館[4]・橋本ニ五十円ツヽ、中光〔而脱カ〕ニ百五十円大谷ニ渡ス

八月九日　金曜

自働車ニ而午前十一時出福

棚橋氏相見へ、九水方針ニ付打合ス

藤嶋〔伊八郎〕・有田〔広〕両氏相見へ、博済ノ件打合ス

荒戸ニ行ク、一泊ス

八月十日　土曜

午後九時半村上常務米国出発ニ付、博多駅ニ見送リタリ

福村家ニ而山内氏ト昼食ヲナシ、堀・石田両氏も相見へ晩食ス

和才〔誠司〕[5]氏相見へ、博済ノ件ニ付懇談ス

1　麻生義之介家小笹別荘（福岡市平尾）

2　瓜生小太郎＝長右衛門息、株式会社麻生商店上三緒鉱業所坑内係死去

3　金子辰三郎＝十七銀行（福岡市）取締役、若松築港株式会社監査役

4　常盤館＝料亭（福岡市水茶屋）

5　和才誠司＝九州産業鉄道株式会社人事部主任、元陸軍少佐

八月十一日　日曜

元[福岡]警察署長山崎[国彦]外二氏挨拶へ見へ、武徳殿寄付ノ申向ケアリシモ、講究ノ上返事スル旨申向ケタリ
東京原田[延雄カ][1]来リ、金壱百円遣ス
堀氏相見へ、帝炭社員出資ノ件申入アリタ
午後四時一方亭ニ行ク
金壱百円女中五人ニ遣ス

八月十二日　月曜

岡松ヲ呼ヒ、小今井[本次][2]氏より申込ノ襖間引受かたく旨挨拶ニ遣ス
後藤文夫氏相見へタリ
午後松本[学][3]知事ト一同立寄アリ、晩食ヲ呈シ、六時三十八分博多駅ニ見送リタリ
筑紫郡町村長女学校寄附ノ件ニ付挨拶ニ見へタリ
楠田[彰司][4]病院ニ野田氏病人見舞ニ行ク
佐藤寅[虎]雄君相見へ、九水ノ件懇談アリタ

八月十三日　火曜

堀・石田両氏并ニ渡辺皐築君相見へ、九洲工[鉱]業会社元帝炭社員ノ分引受方ニ付打合ス
有田[広]氏相見へ、博済臨時会議案ノ打合ヲナス
堀氏ニ融通ノ件青柳[茂]ニ電話ス
午後二時よりおちか[5]ニ行キ晩食ヲナシ、午後七時過キ帰ル
志賀海神社[6]阿曇宮司并ニ橋本禰宜相見へ、石灯籠神納ニツキ挨拶ニ見へタリ

八月十四日　水曜

午前八時自働車ニ而帰リタリ

大塚《[三代作]》元警察署《[飯塚]》長ニ逢、送別ノ挨拶ヲナス

午後一時半過キ芳雄駅拡張工事ヲ実視ス、浦《[裏]》地君ニ石材之ノ《[ママ]》有所等示シタリ

八月十五日　木曜

午前八時自働車ニ而出福

九州水力電気会社重役会ニ出席、昼食ヲナシ、午後四時閉会

渡辺《[綱三郎]》・大薮《[守治]》両氏ヲ送リ、平尾義《[麻生]》之介別荘ニ行キ、西田先生も相見へ、米子《[麻生ヨネ]》[7]ノ病状ヲ聞キ、晩食ヲナシタリ

八月十六日　金曜

午前七時半自働車ニ而太助《[介]》・義太賀一同帰リタリ

1　原田延雄＝東京の「ゴロ」（東京市外荏原町）
2　小今井本次＝医学士、金子廉次郎（九州帝国大学医学部）教室
3　松本学＝福岡県知事
4　楠田彰司＝医師（福岡市）、元九州帝国大学医学部助教授
5　おちか＝料理屋（福岡市西中洲）
6　志賀海神社＝糟屋郡志賀島村
7　麻生ヨネ＝太吉三女、麻生義之介（株式会社麻生商店取締役）妻

八月十七日　土曜

小野山善三郎[1]氏相見へ、同氏二男九水会社ニ就職ノ申入アリタ
麻生屋・瓜生及酒屋等ニ仏参ス
墓所ニ参詣、花立ヲナシタリ
村上君出発ニ際シ、送別ノ電信ヲナス

八月十八日　日曜

旧盆

八月十九日　月曜

旧盆
飯塚麻生茂[2]君仏参ス

八月二十日　火曜

午前七時自働車ニ而義之介一同出福
九水会社ニ出頭、内本〔浩亮〕君相見へ、事業上ニ付打合ス
渡辺皐築君ト打合ス

八月二十一日　水曜

野田君相見へ、九洲工〔鉱〕業及九水業務規定ニ付打合、同意アリタ
野田君及堀・石田両氏相見へ、九洲工業安藤〔平吾〕[3]外三人ノ所有権譲渡ニ付懇談、廿四日全部麻生□〔商カ〕店ニ引受、仕払事ニ打合ス
午前十一時九水会社ニ行キ打合ス

一方亭ニ行キ、石田・中根氏等食事ヲナス

八月二十二日　木曜

午後一時営業所〔九水福岡〕ニ出頭

内本君相見へ、役員務ノ余地ナキ旨申向ケアリタルモ、尚詳細調査明日打合ヲナスコトニセリ

八月二十三日　金曜

午前八時宝満宮ニ参詣、山内氏・木村氏ニも面会、道巾六間トシ、夫々実測ヲ頼ミタリ

平尾ニテ昼食ヲナス、山内氏も相見ヘタリ

別荘移リ初メナリ

午後一時九水ニ立寄、杖立ノ役員余地ナキ事ヲ打合ス

午後三時より平尾別荘[4]ニ行キタリ

八月二十四日　土曜

午前八時平尾別荘ニ自働車来リ、乗車ニ而浜ノ町ニ立寄、木村常務ト二十六日午前ニ打合ノ事ヲ電話ス

山崎〔達之輔〕[5]氏一行直方行ニツキ、午後七時過キニハ操〔繰〕合ノ電話アリタ

1　小野山善三郎＝酒造業（嘉穂郡穂波村）、元穂波村長

2　麻生茂＝酒造業（飯塚町向町）、元飯塚町会議員

3　安藤平吾＝元帝国炭業株式会社取締役

4　平尾別荘＝麻生義之介家小笹別荘・麻生家別荘小笹庵（福岡市平尾）

5　山崎達之輔＝衆議院議員、この時直方行中止

直方開月[1]ニ石井〔徳久次〕[2]氏ニ電話、山崎氏一行ノ操〔繰〕合ノ事頼ミ、打合ノ上電話アルコトニセリ
午前九時半自働車ニ而帰リ、午後四時野田・義之介一同一方亭ニ行キ、山崎氏一同会食ス

八月二十六日　月曜

午後七時半自働車ニ而帰ル

八月二十七日　火曜

吉川〔庄兵衛〕[3]山内所長来リ、坑務上ニ付注意ス、内ケ磯[4]病人看護ニハ家内デナク看護婦雇入ヲ注意ス

八月二十八日　水曜

午前九時九洲工〔鉱〕業会社重役会ニ出席ス
午後十二時三十分より出福ス
九水営業所ニ出頭

八月三十日　金曜

午前十時公会堂[5]ニテ、県内重立タル人々約四十名及県当局者ト会合、金融ノ問題ニ付懇談ニ出席、午後三時半会議央ニ退席、帰リタリ
義太賀・太助〔介〕東京ニテ修学ニ付、見送リノ為メ招宴ヲ催ス
先生ノ教授ヲ厳守シ、身体之六〔ママ〕理ヲナサズ、惣而程度ヲ守ル様、両親一同ト申聞セリ

八月三十一日　土曜

義太賀・太介両人挨拶ニ来リタリ
工事場ノ不始末ナキ様現場ニツキ注意ス
午後一時三十分芳雄駅ニ而義太賀・太介上京ニ付見送リタ

二時ヨリ自働車ニ而出福
九水会社ニ出頭、日出工場[6]菱形〔重之〕[7]・坂田〔貞臣〕[8]両人相見へ、製氷器機ノ打合ナス
午後四時三十分井上〔準之助〕[9]大臣博多駅ニ御迎ニ行キタリ
午後五時半大臣招待会及新県庁[10]ノ懇談会ニ列シ、午後八時自働車ニ而帰リタリ

九月一日　日曜

午前八時嘉穂銀行ニ出頭、博済〔無尽〕物会及貯蓄〔嘉穂〕株割宛ノ協義会ヲナシ、何れも原案決定、重役会ヲ開催、午後一時帰リタリ
芳雄駅拡張ニツキ実地ニ臨ミタリ
大蔵大臣ハ招待ノ時間無之旨棚橋氏より電話アリタ

1　開月＝開月亭とも、料亭（鞍手郡直方町殿町）
2　石井徳久次＝鞍手銀行常務取締役、福岡県会議員、のち衆議院議員
3　吉川庄兵衛＝株式会社麻生商店山内鉱業所長
4　内ケ磯＝地名、鞍手郡直方町頓野、太吉親族吉川家所在地
5　公会堂＝福岡県公会堂（福岡市西中洲）
6　日出工場＝九州電気工業株式会社（大分県速見郡川崎村）、一九二六年元大分電気工業株式会社を改称、太吉社長
7　菱形重之＝九州電気工業株式会社常務取締役、筑後電気株式会社監査役
8　坂田貞臣＝九州電気工業株式会社製造部長
9　井上準之助＝大蔵大臣、元日本銀行総裁
10　新県庁＝福岡県庁西別館（福岡市天神町）、この年竣工

九月二日　月曜

午前七時半渡辺皐築君相見へ、クラシヤ増設[1]ニ付打合、同意ス

博済及貯蓄銀行株ニ付、昨日惣会ニテ決議ノ旨意ニ依リ実行方青柳副支配人ニ申伝ヘタリ

工事上ニ付臼杵ニ申付、筆記ナサシム

午前九時半自働車ニ而宝満様ニ参詣、工事上ニ付籾田[喜三郎][2]ニ申付ル

[太宰府]天満宮様ニ参詣

九月三日　火曜

午前十一時東洋製[鉄脱]原安太郎・長田義陽両氏相見へ、紫川[3]水利権ノ件ニ付懇談アリ、右ニ付了解ニ付、尚上京打合方申向ケタリ

堀三太郎氏ト相政[お]ニ而面会、午後六時半自働車ニ而帰リタリ

九月四日　水曜

青年会阿部[4][兵四郎]外二氏相見、会長問題ニ付内談アリタルモ、一部[ママ]氏ニ押而相談シ、承諾ナキ時ハ副会長之侭局[ママ]力尽力方申向ケタリ

メーイトル[5]ノ件ニ付山内坑ニ電話シ、重而安田[震][6]ヲ呼ビ、打合ス

小野見山[小野山善三郎]相見へ、昼食ヲ饗ス

午後二時より自働車ニ而出福

木村氏より電話ニ□、意外ニも被害者ニ金十万円ヲ出ス抔と言語同断[道]之旨東京より電信来リタル由ニ付、尚事実ナキ事ヲ電報ノ事打合

[欄外] 壱千円太介・義太賀ノ告別分

百円津崎屋ト家費ト仕払セシ分
〆受取

九月五日　木曜

午前九時九水営業所重役会ニ出席、午後三時帰ル
夏子〔麻生〕[7]加納様〔鐙子〕御供シテ上京
菊竹氏〔淳〕訪問、倉富氏〔勇三郎〕[8]より依頼ノ件重而申入アリタ
藤田氏〔次吉カ〕[9]訪問アリタ
松風嘉定氏[10]訪問アリタ

九月六日　金曜

午前五時十二分博多駅発ニ而井上大蔵大臣挨拶ノ為メ出発ス

1　クラシヤ＝岩石粉砕機
2　籾田喜三郎＝麻生家庭師兼雑用
3　紫川＝企救郡・鞍手郡境界の福智山を源流とし、北流して小倉市で響灘に注ぐ川
4　青年会＝嘉穂政友青年党、一九二七年発会、立憲政友会地方組織、太吉相談役
5　メーイトル＝メタル（機械の軸受け）カ
6　安田震＝株式会社麻生商店商務部
7　麻生夏＝故加納久宜六女、太吉三男故麻生太郎（株式会社麻生商店取締役）妻
8　倉富勇三郎＝枢密院議長、貴族院議員、元法制局長官
9　藤田次吉＝太吉親族、笹屋、酒造業（遠賀郡底井野村）
10　松風嘉定＝松風工業株式会社（京都市）取締役

午前十時半別府駅ニ着、内本外三氏ノ出迎アリ、別府公会堂[1]ニ歓迎会ニ臨ミタリ
午後一時半大臣帰京ニ付船場ニ行キ、見送リタリ
自働車本家〔麻生〕より着、小川[2]も博多ヨリ驚来リタリ

九月七日　土曜

午前八時半自働車ニ而大分県庁ニ出頭、内本君中途迄出迎アリ、同車シテ県庁ニ而内務〔部脱〕長〔伴東〕ニ面会、水火調和[3]ニ付必要ノ説明ス、学務部長ニも挨拶ス
知事〔本山文平〕・警察部長林田正治・土木課長ハ不在ニ付、名刺ヲ出ス
大分市役所ヲ訪ヒ、市長不在ニ而助役ニ挨拶ス
別府市役所ヲ訪ヒ、市長ニ面会挨拶ヲナス、市ノ公用ニ付用談旨咄シアリ、無止事ニ而帰宅スルカモ難計旨申向ケタリ
正一位稲荷神社勧請[4]ヲナシ、詞〔祠〕掌ニ祈願ヲ乞タリ
午後十二時三十分別府駅ニ而小倉駅ニ午後四時半着、直チニ自働車ニ而直方堀氏訪問
堀氏ヲ訪ヒ、増永〔元也〕氏嘱托ノ件呉々打合ス

九月八日　日曜

大分三浦〔数平〕代議士死去ニ付悔電ス（九水顧問弁護士）、黒木氏ニ依頼シ造花ヲ送ル
今井常務より三浦氏死去ニ付電話アリ、木村氏ト打合セ香典ハ済シ居ル旨申向ケタリ

九月九日　月曜

鬼丸平一〔市〕来リ、鬼丸藤松之所有家屋敷買収ノ懇談アリ、実地ヲ踏査ノ上ニテ交渉ナス打合ス
午前九時自働車ニ而岡松〔直〕ト出福ス

伊藤傳右衛門在宿ニ而、津屋崎児玉氏より申入之耕地整理問題、事業ニ関係セズ町営ニ付、資金ノ融通ニ尽力スル程度ニテ如何打合ス

山内範造・有吉〔勝三郎〕[5]ノ両人相見へ、佐藤正吉雇用方及衆議院候補者打合ノ件等打合ス

土肥松之介[6]ニ岡松ヲ以九水株希望ナキ旨返答ナス（岡松ノ筆記アリ）

九水ニハ、今井氏三浦代議士告別式ニ出張ニ付、出務見合セ、電話ス

九月十日　火曜

午前八時暴風ニ付其ノ支度ヲナシ九水営業所ニ行キ、午後三時過キ帰リタリ、倉富勇三郎氏ニ出状ス

岡松より黒瀬ノ関係聞取タルモ、尚不安心ニ付、七時半ノ乗合ニ而飯塚ニ返シ書類取寄スルコトニセリ

津田利夫氏相見へ、教育協会[7]寄付ノ件打合

福村家若主婦来リ、九水ニ雇用ノ申入セリ

毛利看護婦相見へタリ

［欄外］九十一円九十二銭玄洋葬議〔儀社〕[8]舎ニ払

1 別府公会堂＝一九二八年竣工（別府市田湯）、麻生家田の湯別荘地跡、のち別府市中央公民館
2 小川＝元麻生家田の湯別荘内居住
3 水力発電と火力発電の併用調和
4 稲荷神社＝麻生家邸内、屋敷神として勧請
5 有吉勝三郎＝筑紫銀行（筑紫郡二日市町）取締役
6 土肥松之介＝株式仲買商（福岡市雁林町）
7 教育協会＝福岡県教育会、一八八五年福岡県私立教育会設立、一八八八年再建改称
8 玄洋葬儀社＝福岡市鍛治町

八十円花

二円花籠

九円九十二銭運賃及旅費

九月十一日　水曜

吉浦氏ニ音吉《［田辺］》[1]遣シ相見ヘタルニ付、黒瀬より買物品預リノ有無聞合タルモ、少シモ預リ品ナキ旨明答アリタ

岡松来リ、二日市某幅物黒瀬取次セシモ先方ニ不届ノ由ニ付、黒瀬同道其ノ解決ノ為メ遣ス

午後一時より九水ニ行キ、五時帰リタリ

あちよ《［花田お千代カ］》縁談ニ付、おてる《［新原］》[2]本家より来リタリ

九月十二日　木曜日

東洋製鉄原安太郎・長田義陽両氏待受、一同県庁ニ行キ、知事ニ陳情セシ折柄、内務部長・土木課長も相見へ、三氏揃ノ上ニ而尚親シク申入、能ク了解アリ、許可ニハ何ニ等指閊ナキ様申向ケアリタ

商業会議所階下ニ而原・長田両人ト一所《［ママ］》ニ食事ヲナス

午後二時安川男《［敬一郎］》[3]・中根氏ト一方亭ニ行キ、晩食ス

九月十三日　金曜

午前九時宝満宮工事場ニ臨ミ、帰途直チニ九洲《［水］》営業所ニ出頭

三菱商事会社門司支店長増田力松・技師長井卓夫・三原正武ノ三氏ニ九水営業所ニ而面会、九洲電気《［軌道］》ニ付、水火[4]ノ有利ナル旨縷々申向ケタリ

木村氏帰着ニ而、東京ノ用向ヲ聞キ、訴訟ノ件熊本逓信局員ノ申分相分兼、堀本君上京サスコトニ打合ス

午後五時半帰ル

午後六時半夏子・太賀吉一同帰リタリ

［欄外］三百四十六円四十九銭

九月十四日　土曜

倉庫ノ古代ノ書類ヲ整理ス

花村徳右衛門ヲ呼ヒ植木ヲ買入、宝満宮ノ茶店ニ植付ルコトニセリ

午前一門及瓜生［長右衛門］・酒屋夫人相見へ、仏参アリタ

九月十五日　日曜

渡辺皐築君相見、産鉄会社引離シノ旨申入アリ、其方ハ確実ナル方法ト同意ス

鬼丸藤松屋敷実地ニ鬼丸平一［市］・臼杵ノ両人一同実地ヲ見タリ

蔵内の幅物其他整理ニ付、棚付等打合ス

午後二時五十分自働車ニ而太賀吉・典太ト一同出福ス

九月十六日　月曜

福村家ニ立寄、病人ヲ見舞、若主婦より九水任用ノ件懇談ス

一方亭ニ行キ昼食ヲナス

1　田辺音吉＝麻生家浜の町別邸雑用
2　新原テル＝麻生家女中
3　安川敬一郎＝第一巻解説参照
4　水力発電と火力発電の併用

午前十二時九水営業所ニ行キ、重役会ニ臨ミタリ
午後五時半福村家ニ而野田・菊竹・堀・青柳ノ四氏晩食ヲ出ス

九月十七日　火曜

佐藤寅〔虎〕雄君相見へ、援助ス

壱千円遣ス、補欠選挙費

倉冨龍郎[1]君相見へ、種々事業上ニ付自然的ノ異見ヲ聞キタリ
午前十一時半九水営業所ニ行キ、午後三時半帰ル

九月十八日　水曜

古代ノ書類整理及倉庫内ノ整理ヲナス
野田君相見へ、家政上ニ付懇談ス

九月十九日　木曜

午後二時岡松連レ出福ス
山内氏相見へ、二日市古物商某ニ対シ談判ヲ頼ミタリ
〔欄外〕二百円ヲ仕払タリ、山内氏ニ取次キヲ頼ミ片付タリ
皆良田〔善太郎〕[2]君相見ヘタリ
午後五時一方亭ニ行、晩食ス

九月二十日　金曜

午前十一時宝満宮参詣
二日市大丸館ニ而晩食ヲナス

山内氏ニ案内シ、黒瀬〔元吉〕不埒ノ掛物口片付タリ
午後九時帰福ス
掛物ノ件片付、親族ノ人挨拶ニ見ヘタリ

九月二十一日　土曜

黒瀬債金〔ママ〕ノ件ニ付、岡松・吉浦両君相見ヘ、夫々手数ヲナス

九月二十二日　日曜

午後二時四十分一方亭ニ行キタリ

九月二十三日　月曜

午前九水営業所ニ出頭ス
営業上ニ付打合、又来月七日出発渡支ニ付副社長留主中ノ用向打合ス
午後壱時福村家ニ而棚橋・木村両氏ト昼食ヲナス

九月二十四日　火曜

午前七時半自働車ニ而帰宅ス
午前十時嘉穂銀行重役会及博済会社重役会ニ列ス
午後三時十分自働車ニ而有田氏葬儀[3]ニ列ス

1　倉富龍郎＝倉富勇三郎（枢密院議長）紹介、勇三郎親族
2　皆良田善太郎＝飯塚警察署長
3　有田広（嘉穂銀行取締役、株式会社麻生商店監査役）息死去

松本《[健次郎]》氏より廿六日上京ニ不及旨電報達ス

九月二十五日　水曜

午前七時半自働車ニ而出福、九水営業所ニ於而重役会ニ列ス

午後二時自働車ニ而帰リタリ

［欄外］九月分報《[酬]》洲受取

社員見舞金百円引去リタリ

九月二十六日　木曜

渡辺皐築君相見へ、産鉄重役会ノ問題打合ス

小委員会[1]欠席ノ旨知事ニ電報ス

九月二十七日　金曜

野田・渡辺両氏相見へ、電灯会社[2]九水ト合同ニ付打合ス

午前十一時ヨリ産業鉄道重役会ニ臨ミ、午後三時堀氏一同自働車ニ而出福ス

福村屋《[家]》ニ立寄、伊藤《[傳右衛門]》君も来リ、〇《[スッポン]》ノ料理ヲ食ス

九月二十八日　土曜

九水営業所ニ行キ打合ス

堀氏相見へ、石田《[亀一]》氏ノ件相談アリタ

須山《[正躬カ]》ノ件ハ海東君之尽力ニ而円満ニ片付タルニ付、堀氏ト会合見合ス

政ニ行キ、石田・堀両氏ト食事ヲナス

九月二十九日　日曜

岡松出福、小川墓所ノ打合ヲナシ、午後五時岡松ト一同帰リタリ

九月三十日　月曜

若松築港会社重役会欠席ノ電信ヲナシ、午前十時自働車ニ而別府ニ向ケ出発、よふゐ〔松江カ〕駅より鎎〔汽〕車ニ而午後四時二十分別府ニ着ス

十月一日　火曜

棚橋氏相見へ、日出工場〔九州電気工業〕等ノ打合ヲナス

麻生益郎〔良〕外二氏相見へ、挨拶ニテ別ニ用向ハナカリシ

午前十一時四十分より自働車ニ而大分営業所〔九州水力電気〕ニ行キ、十二時ニ大分公会堂ニ電気会社会ニ臨ミ、別記ノ挨拶ヲナシ、会済後営業所ニテ木村氏等ト待合セ、午後五時京〔共〕楽亭[3]ノ宴会々場ニ臨ミ、午後九時過キ帰リタリ

十月二日　水曜

藤沢良吉[4]君相見へ、温泉熱度十分ナラザル分ヲ無料ニプール遊〔空白〕場設置ニ付市ニ分与ノ旨内意アリタルモ、断リタリ、市ニ於而土地買入ノ場合、一時的名義ニスルコトハ承諾ス

観音様大分より買入代金七十円仕払タリ

1　小委員会＝福岡県都市計画福岡地方委員会、太吉委員

2　電灯会社＝嘉穂電灯株式会社、一九〇八年設立（飯塚町）、太吉社長

3　共楽亭＝料亭（大分市北新町）

4　藤沢良吉＝別府市信用販売購買組合長、別府市会議員、元別府温泉鉄道株式会社専務取締役

直方堀氏ニ電話シ、四日朝五時半ニ而出発十一時過ニ福岡着ノ旨申通ス
永井［菅治］[1]支配人挨拶ニ見ヘタリ

十月三日　木曜

別荘滞在
平山［茂八郎］市長相見へ、堀田上水溜地所買入ニ付当分名義ヲ借ス様申入アリ、承諾ス
藤沢君より申入ノ湧湯不用分分配ノ件ハ、調査ノ上返事スル旨申向ケタリ

十月四日　金曜

午前七時四十五分別府駅発ニ而福岡ニ向ケ出発ス
小倉駅ニテ一時間余待合セシニ、増永氏より電話アリ、一時五十分着博ニ付福村家ニ而待合ノコト電話ス
午後一時五十分博多駅ニ着、直チニ福村家ニ行キ、堀・増永両氏ト食事ヲナス
午後七時半過キ帰リタリ
［欄外］百七

十月五日　土曜

午前九時半九水重役協義会ニ列ス
会義［ママ］中山内［範造］氏より電話アリ
十二時半済、直チニ一方亭ニ行キ昼食ヲナス
山内氏停車場ニ送リ帰リ、野田氏ト電話ニテ帝炭石田氏ノ件打合ス

十月六日　日曜

浜ノ町ニ付夫々手配ヲナシ、午前十時より帰リタリ

高尾〔ママ〕工事場ニ臨ミタリ
〔欄外〕二百六十一円九十二銭臼杵より受

十月七日　月曜

在宿、福岡浜ノ町送リノ品物取揃

十月八日　火曜

午前十時自働車ニ而出福
昼食、直チニ九水会社ニ出頭、木村常務大坂より帰リニツキ其ノ用向、則大田黒〔重五郎〕[2]氏より九軌ノ一件交渉ノ始末聞取タリ
午後五時頃帰リタリ

十月九日　水曜

午前山内範造・宰府有吉ノ両氏相見へ、大和や[3]ノ弟九水ニ雇入ノ件申入アリタ
宝満宮井戸二ケ所掘下ケヲ頼ミタリ
十一時九水営業所ニ出頭、菱形〔菱山芳造カ〕[4]主任出頭付、小野家工場移転ニ付打合ス

1　永井萱治＝九州水力電気株式会社支配人、筑後電気株式会社取締役、第三巻解説参照
2　大田黒重五郎＝九州水力電気株式会社取締役、杖立川水力電気株式会社取締役、のち九州電気軌道株式会社長
3　大和屋＝旅館（筑紫郡太宰府町大町）
4　菱山芳造＝九州水力電気株式会社福岡営業所経理課

十月十日　木曜

午前八時宮様御成[1]ニ付順序一通リ打合済ニ付自働車ニ而帰リ、途中野田[勢次郎]氏夫人ヲ楠田病院ニ見舞タリ
堀氏より電話ニ付、十一日午前出福之旨通話ス
渡辺[皐築]氏相見へ、電気会社之件[2]ニ付懇談アリタ、久恒[貞雄]氏病気ニ付迚も候補ノ見込ナキ旨洩サレタリ

十月十一日　金曜

午後一時出福ス

十月十二日　土曜

午後十二時十分九水営業所ニ出頭、安藤山林嘱托ト［空白］山林主任、其外靏丸[卓市]次長ト、将来殖林[ママ]ニ付方針ヲ示シ、福[詳]細ノ方針ヲ調査ノ件打合ス

十月十三日　日曜

十五銀行階下食堂ニ而昼食ス
午後三時福村家ニ而堀氏ト会合ス
午後五時福村家ニ而増永氏ノ招待会ニ列ス

十月十四日　月曜

午前九時九水営業所出頭
午後五時福村家ニ行キ食事ナシ、午後十時帰ル

十月十五日　火曜

午前九時三十分九水営業所ニ出頭
午後十二時半飯塚ニ帰ル

十月十六日　水曜
田山《〔クマ〕》[3]同行出福ス
午後四時政ニ行キ、堀氏ト会食ス
午後六時停車場ニ宮様御通過ニ付見送リタリ、義之介一同政ニ引返シ食事ナシ、午後十時帰ル

十月十七日　木曜
午後五時福村家ニ而食事ヲナシ、津太夫《〔竹本〕》[4]一座ノ芝居ニ行キタリ
金五十円津太夫ニ花ヲ一方亭ニ頼ミ遣シタリ

十月十八日　金曜
午前十一時半梨本宮様博多駅ニ御迎ヒ申上グ
午後六時山口恒太郎[5]君中光ニ而晩食ス

十月十九日　土曜
午後四時四十分閑院若宮様博多駅ニ御迎ヒ申上奉ル
御成リニナリ奉伺

1　宮様＝閑院宮春仁、この月十九日より二十四日まで麻生家浜の町別邸滞在、陸海軍連合演習視察
2　嘉穂電灯株式会社を九州水力電気株式会社に合併する件
3　田山クマ＝麻生家浜の町別邸管理人
4　竹本津太夫＝本名村上卯之吉、義太夫節太夫
5　山口恒太郎＝九州電気軌道株式会社取締役、東邦電力株式会社取締役、衆議院議員

十月二十四日　木曜

午前八時宮様御出発ニ付、下ノ関山陽ホテルニ御見送リ申上ゲ帰リタリ、県庁ノ当局ノ御方ト一同ナリ

仙石〔貢〕[1]氏船中ニ訪問ス

県庁ニ挨拶ニ出頭ス

九水ニ出社シテ木村氏ト打合ス

十月二十五日　金曜

午前九時半九水営業所重役協義会ニ列ス

午後七時福村家ニ而堀氏ト義之介ト○〔スッポン〕ヲ食ジナシ、午後八時半より自働車ニ而帰リタリ

十月二十六日　土曜

午前七時半自働車ニ而門司港ニ行キ、加納〔鋕子〕様見送リタリ、九時半小舟ニ而税関より乗込ノ時殿方〔加納久朗〕[2]ニも御面会、御送リ申上タリ、丁度大学高〔壮吉〕[3]氏も洋行ノ由ニ而、一同見送リタリ

同地午前十時半自働車ニ而帰リ、工事ノ件申付ケタリ

午後七時半より自働車ニ而太賀吉・夏子一同出福ス

十月二十七日　日曜

木村・黒木両氏相見へ、九軌ノ件打合セ、尚六朱ヲ五厘増加ニ付計算書調成方打合ス

野田勢次郎君相見へ、九洲工〔鉱〕業ノ肥前坑区[4]採掘権ノ件ニ付打合ス

午後十二時半中光ニ而木村・黒木・野田・靍丸ノ諸氏ト○ヲ食ス

荒戸[5]ニ行キタルモ、不穏当ノ事ヲ申スニ付帰リタリ

十月二十八日　月曜

午前木村平右衛門君相見へ、大田黒氏より打電ニ付返電ノ打合ト棚橋氏ニ電信ノ件打合ス
加藤某田川日高氏所有地所ノ件ニ付電話セシニ付、直接面談スルモ甚不責任ノ申立ハ不宜旨申向ケ、卅一日カ一日カニ電話ノ事打合ス
安河内代吉氏[6]相見へ、桂川坑区[7]買受ケ相談アリ、ホーリング[8]ナラバ何程、見面ナラバ何程カ、坑区主ノ意向ヲ極メ申入方返事ス

十月二十九日　火曜

十五銀行地下室ニ行キ、一方亭連中ト食事ヲナシ、夫より一方亭ニ行キ中根氏ト会食ス

十月三十日

午前九時半自働車ニ而木村氏ト九洲電気事業〔電業〕社ノ秋季懇話会日田町ニ而開催ニ付出向ス
日田四時亭[9]ニテ昼食ヲナス

1　仙石貢＝南満洲鉄道株式会社総裁、元鉄道大臣、元九州鉄道株式会社社長
2　加納久朗＝麻生夏兒、横浜正金銀行カルカッタ支店支配人
3　高壮吉＝九州帝国大学工学部教授
4　肥前坑区＝株式会社麻生商店所有坑区（長崎県北松浦郡鹿町村）カ
5　荒戸＝麻生家荒戸別荘、管理人小川ヒナ
6　安河内代吉＝太吉親族、元桂川（嘉穂郡桂川村）郵便局長代理
7　桂川坑区＝土居坑区とも、桝谷平三郎所有坑区（嘉穂郡桂川村）
8　ボーリング＝石炭層調査のための試錐
9　四時亭＝料亭（大分県日田町隈町）

同松栄館[1]ニ行キ休息ス、茶代二十円遣ス
公会堂ニ而会合アリリ[ママ]、開催ノ挨拶ヲナシ、局長より希望ノ挨拶アリタ
子[市]山亭[2]ニテ宴会アリ、午後八時より帰リタリ

十月三十一日

午前八時自働車ニ而帰リタリ
午後一時十五分芳雄駅発ニ而[九州]産業鉄道会社ノ惣会ニ行キ、会議済後三時十分船尾駅[3]発ニ而帰リ
本店[4]ニ而堀・石田・野田ノ三氏ト立会、九洲工[鉱]業ノ件打合ス
加藤政光ナル者、大坂市天王寺区勝山通一丁目一三八、来リ、嘉穂銀行所有地渡辺氏ト約定セシニ付売渡方請求シ来リタリ
堀・石田両氏ト自働車ニ而出福ス
小西方ニテ食事ヲナス

十一月一日　金曜

午前九時九水会社ニ行キ九軌ノ件打合ス、棚橋氏モ不在中ノ方針同意アリタリ、尚調査ヲナシ木村氏ニ上京ヲ乞コトニセリ
菱形[重之]・渡辺[俊雄]両氏相見へ、日出工場ノ件打合ス
棚橋・渡辺両氏帰国ニ付、福村家ニ而会社より招待セリ
午後三時半過小西方ニ而山内・堀ノ両氏ト会合ス

十一月二日　土曜

野田氏出福ヲ約ス

木村氏ニ九軌ノ件注意ス
渡辺氏ト加藤交渉ノ事聞キ取タリ
別府ニ電話ス
［欄外］七百円、四百円、五百三十五円、〆千六百卅五円在

十一月六日　水曜

午前鐘《[鍾]》《[風連]》乳洞[5]ニ殿下《[東伏見宮妃]》[6]御成ニ付、御奉供ス
午後六時晩餐ニ倍《[陪]》列ノ御許ヲ受、知事外数名ニ粗餐ヲ呈ス
博多二和カ[7]・博多券《[拳]》[8]ヲ余《[興]》キヨヲ御台覧ニ供ス

十一月七日　木曜

午前宮殿下写真之御許ヲ願、一同打揃《[空白]》写ス
午前九時別府駅発ニ御乗車ニ付御見送リ奉ル

1　松栄館＝旅館（大分県日田町豆田町）
2　市山亭＝料亭（大分県日田町豆田町）
3　船尾駅＝九州産業鉄道線（田川郡後藤寺町）
4　本店＝株式会社麻生商店本店（飯塚町立岩）
5　風連鍾乳洞＝大分県大野郡川登村、一九二六年発見、一九二七年国指定天然記念物
6　東伏見宮妃＝周子、台北における愛国婦人会総会帰途別府に立寄り
7　博多にわか＝博多面をつけ博多弁で行う即興芝居
8　博多拳＝手と盃で勝負を争う博多の遊戯

御座所・御寝室拝見ニ相見ヘタリ

亀ノ井主人［油屋熊八］[1]来リ、加藤某例日高氏地所ノ件ニ付申入タルモ、甚タ困難ノ旨申向ケ、十日午後本宅ニ而面会ヲ約ス

午後五時十五分別府駅発ニ而殿下御見送リニ下ノ関駅ニ行ク

十一月十日　日曜

午前七時五十二分別府駅発ニ而庄江［松］駅ヨリ下車、自働車ニ而帰途ニツ［キ脱］十二時着ス
増永元也君相見ヘ、鉄道ノ件打合、昼食シテ地方巡視セラル
加藤某来リ、不法ノ申込ヲナシ当惑セシモ、帰リタリ

十一月十一日　月曜

午前自働車ニ而門司ニ行キ、上京ス
渡辺専務相見ヘ、産鉄ノ件打合ス

十一月二十二日　金曜

間宮［英宗］[2]禅師御出発ニ付、午後一時自働車ニ而夏子ト出福ス
福村家ニ而山口［恒太郎］・堀［三太郎］・山崎［達之輔カ］氏等も相見ヘ晩食ス

十一月二十三日　土曜

祭日ニ付在宿ス
午後山家駅[3]及冷水峠[4]実地ニ臨ミ、大丸館ニ而食事ヲナス

十一月二十四日　日曜

山内範造君相見ヘタリ
午後有馬［秀雄］・山内［範造］・堀ノ三氏ト福村家ニ而食事ヲナス

間宮禅師午後九時相見へ、久方振打解キ座談ス

十一月二十五日　月曜

利国静意[5]・明連〔蓮〕寺[6]住職安国勝縁ノ両氏相見へ、大谷光瑞[7]氏ノ援護会[8]組織ノ申入アリ、旦那寺[9]ト打合セ返事スル旨申向ケタリ
九水重役会ニ列ス
十一時急行ニ而通行ノ牧北〔牧田環〕氏[10]ヲ訪問ス
野田勢次郎君ニ電話、廿六日午後面会ヲ約ス
橋詰又三郎・怡土動〔勲〕ノ両氏相見へ、金融ノ懇談アリタ
県庁ニ出頭、松本〔学〕知事ニ水利上ニ付参考書類差出タリ

1　油屋熊八＝亀ノ井ホテル（別府市不老町）経営者、亀ノ井自動車経営者
2　間宮英宗＝栖賢寺（京都市）住職、元臨済宗方広寺派管長
3　山家駅＝筑豊本線筑前山家駅（筑紫郡山家村）、この年十二月七日開業
4　冷水峠＝嘉穂郡内野村と筑紫郡山家村を結ぶ峠、長崎街道の難所
5　利国静意＝本派本願寺福岡教区（福岡市渡辺通）管事
6　明蓮寺＝浄土真宗本願寺派寺院（福岡市渡辺通）
7　大谷光瑞＝浄土真宗本願寺派法主、探検家
8　援護会＝光寿会福岡市支部、太吉光寿会終身会員
9　正恩寺（飯塚町川島）
10　牧田環＝三井鉱山株式会社常務取締役、電気化学工業株式会社取締役、松島炭鉱株式会社取締役

十一月二十六日　火曜

執印歯医師ニテ治療ス

商工大臣[俵孫一]博多駅ニ挨拶ニ行キタリ

常盤館村上[巧児]氏ノ招待会ニ列ス

新県庁大臣歓迎会ニ出席ス

十一月二十七日　水曜

執印歯医師ニツキ治療ス

一方亭ニ行キ、中根氏ト面会ス

商工大臣通過ニ付、挨拶ノ為メ博多駅ニ行キタリ

十一月二十八日　木曜

十五銀行階下ノ食堂ニ而山内範造氏ト食事ナス

執印氏ニツキ歯治療ヲナス

山内氏ト宝満ニ参詣、夫より湯町ニ行、武蔵寺[1]地方ノ地所ヲ見分ナス

大丸館ニテ食事ヲナシ、八時ニテカエル

十一月二十九日　金曜

午前十時ヨリ一方亭ニテ牧北[牧田環]氏来着ヲ待ツ

牧北氏外三氏ニ昼食ヲ呈ス

牧北氏より八代[2]石灰山之件内談アリ、取調ノ上返事スルコトニ返事シタ

午後三時頃出発アリタ

福村家ノ銀行家ノ招待会ニ出席

　十一月三十日　土曜

吉田良春氏相見へ、津崎屋〔屋崎〕埋立地[3]ノ件内談アリ、兼而伊藤君〔傳右衛門〕ト申向ケ置キタル通申向ケタリ

午前九時半九水重役会ニ出席

午後五時村上氏招待会ニ福村家ニ行キタリ

　十二月一日　日曜

氏神ニ参詣

時枝〔満雄〕詞〔嗣〕掌ニ面会ス、子供ノイタズラセヌ様囲ヒヲ止メ精心〔ママ〕的ヲ以予防ノコトニ打合ス

産鉄重役会及惣会ニ列ス

　十二月二日　月曜

嘉穂銀行ニ行キ打合ス

山本兵助[4]氏ニも面会ス、銀行ノ件ハ支配人及貸付掛リ可及尽力スル様申伝置候間、己〔ママ〕人ノ営業ニテナク他人ノ金員ヲ預リ置ク故、其ノ主意ハ十分了解セラル様申向ケ、約一時間余種々懇談シテ引取アリタ

1　武蔵寺＝天台宗寺院（筑紫郡二日市町）
2　八代＝地名、熊本県八代郡
3　津屋崎埋立地＝宗像郡津屋崎町の津屋崎と渡（麻生家別荘所在地）の間の内海埋立地
4　山本兵助＝元嘉穂銀行書記山本三郎保証人

十二月三日　火曜

午前七時五十分自働車ニ而出福
岡松同道、志賀神社献灯ノ件ニ付同神社ニ行ク
九水重役会ニ列シ、三時帰リ、執印〔宮夫〕氏ニツキ入歯ヲナス
午後四時半より湯町大丸館ニ而山内氏ト会合ス
午後八時半帰リタリ

十二月四日　水曜

木村・村上両氏相見ヘ、九水賞与金ノ件打合ス
午前十一時真貝〔貫一〕君帰郷ニ付停車場ニテ歓迎ス
壱方亭ニテ招待ス
執印氏ニ治療ヲ乞タリ
午後四時より帰リタリ

十二月五日　木曜

義之介ト事務所打合ヲナス
徳山石工秋穂[1]来リタリ
瓜生〔長右衛門〕来リ、久方振ニ面会候ニ付、町長ノ不親切及誤悔〔ママ〕セシコトニ付申向ケ置キタリ
永冨貞平[2]氏親族連相見ヘタリ
十二時自働車ニ而出福、八木山登リ口ニ而面会、自働車ニ而引返シニナリ、別荘ニ而候補ノ件打合ス
執印歯医師ニ付治療ス

午後六時ニテ上京ス

　十二月二十三日　月曜

西園支配人来リ、行務上ニ付打合ス

渡辺阜築君モ立会ノ上打合ス

瓜生来リ、衆議員［ママ］候補者之件ハ自重スル様精々申含メ置キタリ

野見山［米吉］監査役相見へ、銀行整理債［ママ］跡好都合ノ報告アリ、余リ熱心シテ整理セラレ、其ノ為メ病気起リノ旨申入アリタ

筑日[3]田中［保蔵］[4]来、援介ノ申込セシニ付、百円程度ナラ救助方岡松ニ申付ル

［欄外］百五十円幸袋工作所[5]六月より十一月迄賞与金受取

　十二月二十四日　火曜

［麻生］太三郎[6]来リ、謙三［木村謙三郎カ］[7]ノ件打合ス

1　秋穂＝長田林太郎、石材商長田組（山口県吉敷郡秋穂）

2　永冨貞平＝長崎地方裁判所長、のち弁護士

3　筑日＝筑陽日日新聞、一九一四年飯塚報知新聞として創刊、一九一九年改題

4　田中保蔵＝筑陽日日新聞（飯塚町）社主、のち福岡県会議員

5　株式会社幸袋工作所＝一八九六年合資会社として設立、一九一八年株式会社に組織変更、太吉取締役

6　麻生太三郎＝故麻生太七次男、のち麻生鉱業株式会社監査役

7　木村謙三郎＝木村順太郎（株式会社麻生商店監査役）息、元嘉穂銀行

本店ニ而堀氏ト打合セ、十一時芳雄駅発船尾[1]ニ行キ、産鉄重役会及惣会〔ママ〕へ済マシ、十二時五十四分ニテ帰リ、九洲
工〔鉱〕業会社ノ件打合ス
堀・石田両氏小開月[2]ニ行キ食事ス
　二千二百七十五円産鉄昭和四年六月より十一月迄賞与金受取

　十二月二十五日　水曜

相羽君〔虎雄〕相見へ、遠賀坑区ニ付吉田〔磯吉〕[3]親分より申入ノ件ニ付間違アリ、芦屋[4]ニ行キ福細〔詳〕申向ケ之旨申含メ、間違明瞭
トナリ致シ方ナキニ付断ルノ外ナキ旨申向ケ方注意ス
本村花久介〔花村久助〕[5]外数人相見へ、芳雄駅ノ設置ノ時、付近ノ地主より寄付ノ分ニツキ打合セ、区長ノ見積リ通ニ出金ノ
打合ヲナス
　四千円別口預ケ入ニ臼木〔臼杵弥七〕ニ渡ス

　十二月二十六日　木曜

午前九時五十分営業所ニ出務
宮崎市長外四名相見へ、同市宮ノ[6]希望買受ノ旨書面ヲ以申入アリ、二月一日迄ニ返事スルコトニ打合ス
山内氏相見へ、二日市大丸館ニ行キ、昼食及晩食後入湯ニテ八時ニ帰ル
〔欄外〕三百円杖立〔水力電気〕昭和四年六月より十一月迄賞与受取

　十二月二十七日　金曜

木村氏相見へ打合ス
村上氏相見へ打合ス
中村清造君[7]ニ福村家ニ而面会セシニ、清酒引受ノ懇談アリタ

午後四時福村家ニ而九水社員ニフクノ料理ニ而晩食ヲ供ス
午後八時帰ル（福太郎[8]送リタリ）

十二月二十八日　土曜

小野寺〔直助〕先生相見へ、洋画ノ件内談アリ、承諾ス
一方亭ニ行キ食堂ニ而食事ヲナス
山内範造君相見へ、吉田鞆明[9]君ノ新聞発行ニ付寄付ノ申入アリ、壱千円承諾ス
午後八時帰リタリ

十二月二十九日　日曜

吉田鞆明君ノ新聞壱千円相渡ス
津屋崎ニ行キ、実地ヲ見テ砂利・籾・糀等施シ方申付帰リタリ
荒戸ニ行キ、金弐百円銀行預ケニスル様申付、渡シタリ

1　船尾＝地名、田川郡後藤寺町、九州産業鉄道株式会社所在地
2　小開月＝カフェー（飯塚町住吉町）
3　吉田磯吉＝若松帆船運輸株式会社長、海老津炭礦株式会社取締役、衆議院議員
4　芦屋＝地名、遠賀郡芦屋町
5　本村＝飯塚町立岩の通称
6　九州水力電気株式会社の元日向水力電気株式会社管内（宮崎市）の宮崎市営計画
7　中村清造＝酒造業（宗像郡上西郷村）、元衆議院議員
8　福太郎＝中洲券番（福岡市）芸妓カ
9　吉田鞆明＝福岡毎日新聞社長、九州人事相談所長、のち衆議院議員

十二月三十日　月曜

棚橋・村上・今井・木村・黒木ノ諸氏相見、九軌買収ニ付打合セ、尚黒木君ニ製表スルコトニナリ、大体ハ引受コトニ確定ス、乍併代価ハ交渉ノ際折半位迄ハ左迄不都合ハナカルベシト一同打合ス、尤主権引受カ完全ニナラネバ実行六ツケ敷、尤〔ママ〕注意ヲスルコトニ打合ス

昼食ヲナシ散会ス

午後二時半自働車ニ而帰リタリ

家門一同相集リ、○ノ料理ヲ食ス

十二月三十一日　火曜

年末ノ片付ヲナシタリ

渡辺阜築君相見へ、産業会社[1]ノ打合ヲナス

義之介財産目六持参ス

一門年暮ニ来リ、午後八時半帰リタリ

〔補遺〕

昭和四年七月二日

金壱百五十円　幸袋製工〔工作〕所昭和四年上期重役報洲〔酬〕

同　六円　重役日当

〆　七月三日義之介より受取

［金銭出納録］

昭和四年一月十六日

金壱千四百八十七円廿銭　三年七月より十二月迄嘉銀賞与

同五百八十円　同博済会社

同弐百廿三円六十八銭　同貯蓄銀行

〆二千二百九十円八十八銭

内

四十円　小使心付渡ス

残而二千二百五十円八十八銭

同四月二十三日

金三百五円　買物代臼杵より受取

同三百二十二円

百五十円　十二日黒瀬渡

残而百七十二円

六百十一円　四月十六日

1　産業会社＝九州産業株式会社、この月設立、九州産業鉄道株式会社の鉄道部門以外をすべて引継ぎ、太吉社長

内
三百五十円　太助〔介〕ニ遣ス
残而二百六十一円
二百円　四月十七日
〆九百三十八円

昭和四年七月十三日
金弐百円　一月より六月迄博済手当
同五円　七月十三日貯蓄重役会日当

昭和四年七月二十四日
金三百円　昭和四年一月より六月迄嘉穂銀行報洲〔酬〕
同弐百三十円六十四銭　同上貯蓄賞与金
同五百三十七円四十銭　博済同
同壱千五百三十八円二銭　嘉〔穂脱〕銀行
〆弐千六百六円六銭
内
四十円　小使給仕
残而弐千五百六十六円六銭　現在

内
弐千円　別口預ケ入ニナス、臼杵渡ス
昭和四年十二月四日
百五十円　筑後電気会社より賞与、七月ヨリ十一月迄ノ分
二十三円三十銭　上京ノトキ芝〔居脱〕見入用五十円、黒木君ニ渡セシ過上金受取
二百三十八円七十六銭　四年十一月十一日上京、廿一日帰県、旅費
〆
三百八十円　懐中
〆七百九十二円六銭
六百円
百八十八円
昭和四年十二月三十日
五千円　義之介より受取
内
壱千五百円　義之介
五十円　米
二十円　義太賀・太介

五百円　太七郎
五十円　君代〔きみを〕[1]
十円　たき〔多喜子〕[2]
五百円　大浦[3]
百円　太右衛門
五十円　操〔ミサヲ〕[4]
五百円　五郎
五十円　ふよ〔フヨ〕[5]
三十円　摂郎・忠二[6]・娘
〆
五十円　夏子〔麻生〕
四十円　太賀吉・典太・ツヤ〔ツヤ子〕・タツ〔辰子〕[7]
〆
壱千円　野田〔勢次郎〕
〆四千四百五十円
残而五百五十円　現在

三十一日現在
二百三十六円　懐中

二千円　千円二ツ
九百円　百円札九十〔ママ〕枚
〆三千百三十六円
外ニ弐百円　荒戸より郵便為替之分
〆

1　麻生きみを＝麻生太七郎妻
2　麻生多喜子＝太吉孫
3　大浦＝麻生太右衛門家
4　麻生ミサヲ＝麻生太右衛門妻
5　麻生フヨ＝太吉四女、麻生五郎妻
6　麻生摂郎・忠二＝太吉孫
7　麻生辰子＝太吉孫

一九三〇（昭和五）年

一月一日　水曜

天照皇大神、明治天皇・昭憲皇太后・天皇陛下・皇后陛下・皇大后[ママ]陛下遥拝

諸方神社仏閣ヲ拝ス

氏神[1]ニ太賀[麻生]吉[2]同供参拝ス、墓所参拝

午前八時自働車ニ而義太賀[麻生]・太介[3]両人連レ出福

午前十時九水営業所[4]ニ而新年ノ挨拶ヲナシ、祝盃ヲナス、村上[巧児][5]氏年始ニ相見へ、一同営業所へ行ク

愛宕神社・箱崎[宮]八幡宮[6]ニ参拝

天満宮・宝満宮・住吉神社[7]ニ参詣ス

辛[宰]府ニ而義之介[麻生]・太七郎[麻生]・五郎[麻生][8]待受、一同参拝ス、午後五時九洲座[9]ニ天勝[10]見物ニ、九水黒木[佐久馬][11]・靍丸[卓市][12]及一同打連行ク

[欄外]　江崎[いし]茶屋[13]三十円ト廿円女中

おのふ茶や[14]ニ弐十円

江崎支店ニ五円遣ス

一月二日　木曜

降雨ニナリ、昼食ヲナシ、義之介・五郎・義太賀・太助[介]ト自働車ニ而帰リタリ

来ル六日九水職員ニ挨拶ノ筆記之草按ヲナス

一月三日　金曜

午前十時商店[15]ニ而開店ス

新年之挨拶ヲナシ、不況気ニ付尚本年モ努力方懇談ス

遠賀坑区[16]其他予算上ニ付注意ス

午後一時廿一分芳雄駅[17]発ニ而長原線[18]ニ而出福ス、三時半過キ博多駅ニ着、君代［麻生きみを］・たき代［麻生多喜子］[19]ハ薬院[20]ニ年始ニ行キタリ

1 氏神＝負立八幡宮（飯塚町栢森）
2 麻生太賀吉＝太吉孫、のち株式会社麻生商店社長
3 麻生義太賀・麻生太介＝太吉孫
4 九水営業所＝九州水力電気株式会社福岡営業所（福岡市庄）、太吉社長
5 村上巧児＝九州水力電気株式会社常務取締役、筑後電気株式会社取締役、第二巻解説参照
6 愛宕神社＝早良郡姪浜町　筥崎八幡宮＝糟屋郡箱崎町
7 天満宮＝太宰府天満宮（筑紫郡太宰府町）　宝満宮＝竈門神社（筑紫郡太宰府町）　住吉神社＝福岡市住吉
8 麻生義之介＝太吉女婿、株式会社麻生商店取締役　麻生太七郎＝太吉四男、株式会社麻生商店、のち監査役　麻生五郎＝太吉女婿、株式会社麻生商店、のち取締役
9 九州座＝九州劇場の通称、一九一二年開場（福岡市東中洲）、一九二三年焼失、同年再建
10 天勝＝松旭斎天勝、本名中井かつ、女性奇術師
11 黒木佐久馬＝九州水力電気株式会社支配人、この年監査役、筑後電気株式会社・杖立川水力電気株式会社監査役、第三巻解説参照
12 鶴丸卓市＝九州水力電気株式会社副支配人、博多電気軌道株式会社監査役
13 江崎茶屋＝江崎いし経営おいし茶屋（太宰府天満宮境内）
14 おのぶ茶屋＝安川のぶ経営（太宰府天満宮境内）
15 商店＝株式会社麻生商店本店（飯塚町立岩）
16 遠賀坑区＝九州鉱業株式会社木屋瀬鉱業所、前年帝国炭業株式会社より譲り受け
17 芳雄駅＝筑豊本線（飯塚町立岩）、のち新飯塚駅
18 長原線＝筑豊本線長尾駅（嘉穂郡上穂波村長尾）と原田駅（筑紫郡筑紫村原田）間
19 麻生きみを＝太吉四男麻生太七郎妻　麻生多喜子＝太吉孫
20 薬院＝地名、福岡市薬院町

一月四日　土曜
棚橋〔塚之助〕[1]氏相見へ、九水[2]ノ方針ニ付内意ヲ聞キ、来ル六日所長会ニ懇談ノ要旨ヲ打合ス
宮地様[3]ニ参詣、香椎宮[4]参詣、同社内より宗像神社遥拝[5]ス
一方亭[6]ニヨリ晩食ス
一月五日　日曜
午前八時半自働車ニ而帰リタリ
午後六時松月[7]ニテ、飯塚町関係者及郡内ノ諸氏新年ノ盃ヲ差上ル為メ招待ス
一月六日　月曜
午前十時半九水各営業所々長会ニ列シ、別記之懇談ヲナス
来ル十一日重而重役会浜ノ町[8]自宅ニテ開会スルコトニ打合ス
午後二時九水重役協義会ヲナス
伊藤〔傳右衛門〕・堀〔三太郎〕[9]両氏相見へ、山口恒太郎[10]君九軌[11]株新三千・旧壱千株引受方申入ニ付、考慮シテ挨拶ナス可ス〔ママ〕可シト申向ケタリ
一月七日　火曜
荻野〔清太郎〕[12]宮崎営業所々長相見へ、営業上ノ有様聞キ取タリ
一月八日　水曜
午後二時橋本[13]ニ行キ、天勝ニ食事ヲナササシム
一月九日　木曜
野田〔勢次郎〕[14]・義之介両人来リ、石田〔亀一〕[15]氏より堀君ヲ以申入ノ株引受ハ、重太〔ママ〕ノ関係ニ付調査ノ上返事スルコトニ打合ス

風邪ニ而療養ス
西田〔熊吉〕[16]博士ノ診察ヲ乞タリ

一月十日　金曜

黒木氏ニ立寄ヲ乞、九軌株引受ノ調査ノ模様聞取タリ
風邪ニテ引籠リ療養ス

1　棚橋琢之助＝九州水力電気株式会社副社長、第三巻解説参照
2　九水＝九州水力電気株式会社（東京市麹町区有楽町）、一九一一年設立、太吉社長
3　宮地様＝宮地嶽神社（宗像郡津屋崎町）
4　香椎宮＝糟屋郡香椎村
5　宗像神社＝宗像郡田島村
6　一方亭＝料亭（福岡市東公園）
7　松月＝松月楼とも、料亭（飯塚町新川町）
8　浜ノ町＝地名、福岡市浜町、麻生家浜の町別邸所在地
9　伊藤傳右衛門・堀三太郎＝第一巻解説参照
10　山口恒太郎＝九州電気軌道株式会社取締役、東邦電力株式会社取締役、衆議院議員
11　九軌＝九州電気軌道株式会社（小倉市）、電気供給と電鉄経営を目的として一九〇八年設立、この年九州水力電気の傘下に入り、太吉取締役就任
12　荻野清太郎＝九州水力電気株式会社宮崎営業所長、のち九州電気軌道株式会社経理課長
13　橋本＝料亭（福岡市東公園）
14　野田勢次郎＝株式会社麻生商店常務取締役、九州鉱業株式会社代表取締役
15　石田亀一＝元帝国炭業株式会社専務取締役
16　西田熊吉＝医師（福岡市上名島町）

一月十一日　土曜

午前十時、橋棚[棚橋琢之助]・村上・今井[三郎][1]・渡辺[綱三郎][2]・大藪[守治][3]・木村[平右衛門][4]各重役及黒木ノ諸氏相見へ、九軌株引受ニ付壱割二分ヲ標準トシテ、壱割ノ利率為念調査スルコトニ打合ス

前記ノ旨意ニヨリ筋書ヲ村上常務ニ托シ、黒木氏ト打合セノコトヲモ打合ス

昼食ヲナシ散会ス

午後五時半中光[5]ニテ、木村・渡辺・大藪・黒木ノ諸氏◯[6]食ヲナス

老人連来リ、壱人ニ五十円、中光ニ五十円ト三十円女中ニ遣ス

堀氏より石田氏ノ株引受相談アリタルモ、十分調査ノ上返事スルコトニ返シ[事]ス

山口[恒太郎]氏株ハ九水ハ時価ニテ引受ケルコトヲ返事ス

一月十二日　日曜

西園[磯松][7]支配人ニ電話シ、行員臨時賞与ハ、野見山[米吉][8]ノ思付ハ相服[承]セザルモ、此際無止事トシテ実行スルノ外ナシト返話ス

山内範造氏[9]ニ風邪ノ見舞ノ挨拶ヲナス

一月十四日　火曜

午前九時村上・黒木両氏相見へ、九軌株買入ニ付調査書ヲ成案ス

午前十時半より帰リタリ

飯塚町道路悪敷ニ付花村久兵衛君[10]ニ注意ス

一月十五日　水曜

野田勢次郎君相見へ、私熟[塾][11]建設ニ付打合ス

来ル二十二日朝出発上京ノコトニ打合ス
瓜生〔長右衛門〕[12]来リ、来ル十七日午後一時衆議院議員候補者ノ件ニ付、嘉穂郡ノ打合会ヲナスコトニセリ

一月十七日　金曜

風邪ニ而療養センモ、全快セシ付午前八時頃より通常之通床起ス
午後久恒〔貞雄〕[13]氏外三氏相見へ、重而郡内有志者多数相見へ、候補辞退ノ件ニ付打合、結局久恒氏ハ辞任ノ事ニナリタ
午後七時過晩食ヲナシ、散会セラル
浜ノ町ニ午後四時三十分上野山重太夫[14]君訪問ノ旨電話ス

1　今井三郎＝九州水力電気株式会社常務取締役、第三巻解説参照
2　渡辺綱三郎＝九州水力電気株式会社監査役
3　大藪守治＝九州水力電気株式会社取締役
4　木村平右衛門＝九州水力電気株式会社常務取締役、第三巻解説参照
5　中光＝料理屋（福岡市中島町）
6　○＝スッポン料理
7　西園磯松＝嘉穂銀行取締役支配人、この年四月支配人離任
8　野見山米吉＝太吉妹婿、株式会社麻生商店取締役、嘉穂銀行監査役
9　山内範造＝筑紫銀行（筑紫郡二日市町）頭取、元衆議院議員
10　花村久兵衛＝嘉穂電灯株式会社主任技術者、飯塚町会議員、この年十二月より昭和電灯株式会社（飯塚町）嘱託
11　太吉は孫太賀吉等の教育のため私塾建設を企図
12　瓜生長右衛門＝嘉穂電灯株式会社取締役、飯塚町会議員、元麻生商店常務
13　久恒貞雄＝久恒鉱業株式会社長、衆議院議員
14　上野山重太夫＝九州水力電気株式会社取締役

一月十八日　土曜

義之介来ル、高家跡始末ニ付等閑セザル様注意ス

野田〔勢次郎〕君相見へ、鯰田[1]地所買収、及別府地所売却療養所[2]設立ノ由ニ付交渉ヲナスコトヲ打合ス

福間久一郎[3]相見へ、銀行副頭取ノ件ニ付注意ス、外ニ飯塚道路及飯塚浦埋立、〔八幡〕製鉄所交渉ヲ申付ル

木村〔平右衛門〕氏より廿一日重役会ノ電話アリタ

堀氏東京より帰県、病気ノ見舞ニ立寄アリタ

大塚〔三代作〕[4]元署長相見ヘタリ

石井徳久次[5]・田代丈三郎[6]両氏、候補者ノ件ニ付岩崎〔寿喜蔵〕[7]氏ニ懇談シタシトノ意味申入、貝嶋〔太市〕[8]氏ニ申入ノコトヲ注意ス、其上ニテ直接可申入旨申向ケタリ

一月十九日　日曜

午後三時自働車ニ而浜ノ町ニ着

堀氏先着、相〔お〕[9]政ニテ待合セアリシモ、発熱ノ為メ二十日面会ヲ電話ニテ約ス

午前九時ヨリ嘉穂銀行[10]・同貯蓄銀行[11]・同博済会[12]〔社脱〕ノ惣会ニ済マシテ、引続キ重役会ヲ開キ、賞与金等夫々受取、金四十円小使・給仕ニ渡ス

増永〔元也〕[13]氏栄屋[14]より鴨弐羽贈呈アリタ

一月二十日　月曜

午後十二時過キ政ニ行キ、堀氏ト会合ス

五十円茶代、三十円頭女中、弐十円朝鮮人、三十円召使中ニ遣ス

一月二十一日　火曜

午前九時営業所ニ行キ、重役協義会開催ス

電灯問題ニ付中津商工会員相見へ、永井［萱治］[15]支配人交渉ノ不宜旨申入アリタ、商工会長岩田虎蔵外三氏相見ヘタリ

中津電灯問題ニ付永井支配人より報告アリタ

1　鯰田＝地名、飯塚町
2　療養所＝九州帝国大学温泉治療学研究所（大分県速見郡石垣村・朝日村）、一九三一年設立
3　福間久一郎＝株式会社麻生商店庶務部主任、飯塚町会議員
4　大塚三代作＝元飯塚警察署長
5　石井徳久次＝鞍手銀行取締役、鞍手軌道株式会社代表取締役、福岡県会議員、のち衆議院議員
6　田代丈三郎＝元福岡県会議員
7　岩崎寿喜蔵＝岩崎炭坑主、元遠賀郡長津村会議員
8　貝島太市＝貝島合名会社代表業務執行社員、貝島商業株式会社長、石炭鉱業聯合会理事、第二巻解説参照
9　お政＝政とも、元中州券番芸妓矢野ソデ（マサ）経営待合（福岡市東中洲）
10　嘉穂銀行＝一八九六年設立（飯塚町）、太吉頭取
11　嘉穂貯蓄銀行＝一九二〇年設立（飯塚町）、太吉頭取
12　博済＝博済無尽株式会社（飯塚町）、太吉社長、一九一三年博済貯金株式会社として設立（嘉穂郡大隈町）、一九一四年本社を移転して改称
13　増永元也＝九州送電株式会社嘱託、元鉄道省電気局長、のち衆議院議員
14　栄屋＝旅館（福岡市橋口町）
15　永井萱治＝九州水力電気株式会社支配人、この年取締役、第三巻解説参照

午後五時福村家[1]ニテ、松本〔健次郎〕[2]氏・長谷川〔恭平〕[3]氏等新年ノ御盃ヲ差上ケタリ

一月二十二日　水曜

中津佐藤〔寅二〕市長相見へ、電灯料金之件ニ付永井支配人交渉頻〔顚〕末ニ付、村上常務立会懇談アリ、最寄重役招集シテ打合セ、来ル三十一日迄ニ返事スルコトニセリ

元警〔察脱〕部長タリシ村地〔信夫〕[4]君、福村家ニ義之介代理ニ遣シ、招待ス

岩崎氏ニ遠鞍〔遠賀・鞍手〕両郡より候補者ニ懇談方申入ニ付、堀氏及貝嶋家打合セ、義之介代理ニ自宅ニ遣ス

午前十一時営業所ニ而中津市長ニ面会、村上氏立会三十一日迄ニ返事ヲ確約ス

藤森〔善平〕[5]外二氏、嘉穂郡候補ノ件ニ付内談アリ

村地氏相見へ居候ニ付、同氏ニ内談方申含メタリ

一月二十三日　木曜

午後一時湯町大丸館[6]ニ行キ、午後八時帰福ス

三十円茶代、二十円召使、十円お浜・お春[7]、十円おきみ[8]、五円三介〔ママ〕ニ遣ス

午前十一時東洋製鉄[9]原安太郎君相見へ、紫川[10]水利権ニ関シ知事ニ答伸〔ママ〕ノ件打合、其ノ結果本社ニ行キ了解ノ上答伸ノ件申向ケ、了解アリタ

一月二十四日　金曜

午前九時今井常務ニ電話シ、自働車ニ而帰リタリ

渡辺皐築[11]君相見へ、営業上ニ付打合、及久恒氏候補之打合ス

一月二十五日　土曜

午前十時半義之介同車出福ス

黒木氏ニ立寄方電話ス、三十日重役会ノ件東京より電報アリ、同意ス
義之介ハ旭日〔旭憲吉〕[12]氏ノ葬式ニ列ス、午後二時黒木君ニ立寄ヲ乞、永井ノ勤務上ニ付聞キ合セリ
今井常務より、伊田[13]集金人要求ニ付、林田〔春次郎〕[14]町長より中裁〔ママ〕ノ申込アリタルモ、常務不在ニ付帰県迄返答ヲ延期ヲ乞タリ

一月二十六日　日曜

増永元也氏相見へ、九洲電気統一ニツキ九送[15]ノ株ヲ熊電[16]・九軌等ニ分配シ、又九水ハ九軌株所持スルノ得策ニ付

1　福村家＝料亭（福岡市東中洲）
2　松本健次郎＝明治鉱業株式会社相談役、石炭鉱業聯合会副会長、第二巻解説参照
3　長谷川恭平＝古河鉱業株式会社西部鉱業所長、大正鉱業株式会社取締役
4　村地信夫＝内務省警保局高等課長、元福岡県警察部長
5　藤森善平＝福岡県会議員、元飯塚町長、元飯塚警察署長
6　大丸館＝旅館（筑紫郡二日市町湯町）
7　お浜・お春＝旅館大丸館女中
8　おきみ＝旅館大丸館女中
9　東洋製鉄株式会社＝一九一七年設立、太吉設立委員、取締役
10　紫川＝福智山を源流とし北流して小倉市で響灘に流入する川
11　渡辺皐築＝九州産業鉄道株式会社専務取締役、九州産業株式会社取締役、九州鉱業株式会社監査役
12　旭憲吉＝九州帝国大学医学部教授、一月二十二日死去
13　伊田＝地名、田川郡伊田町
14　林田春次郎＝田川郡伊田町長、のち田川市長
15　九送＝九州送電株式会社、一九二五年設立、太吉相談役
16　熊電＝熊本電気株式会社、一八九一年熊本電灯株式会社として開業、以後経営と名称を変え一九〇九年熊本電気となる

異見▨〔書カ〕ヲ貰ヒ、文案中打合セ、訂正ヲ乞、再度送付アリタ
伊藤傳〔傳右衛門〕さん相見へ、中鶴[1]坑区貝嶋関係ニ付製図ヲナシ、重役会ノ決議ヲ以返事ノ事申入アリタ
此時ニ九軌ノ合同談持出、幸ナル、自分カ代表セシニ付、九▨〔軌〕ニハ九水ノ株百十万株以上トナリ居ル故、▨▨〔非常カ〕ノ決心ヲ以経営ノ覚悟セリ、無止時ハ九水モ火力ヲ設備シテ大争競〔ママ〕ヲナス決心ヲ咄シ、同異見ヲ申向ケタリ、二分ノ減配ヲ希望スルモ三百万円以上松本〔枩蔵〕[2]カ損スル云々申入タルニ付、夫レハ引受ケテモ競争ノ不利ノ旨申入、大ニ同感ヲ表セリ

〔欄外〕午後五時より福村家ニ而食事ス、老妓来リタリ

　山内犯〔範〕造[3]氏相見、湯町宅地弐百坪、六千五百円迄承諾ス

一月二十七日　月曜

瓜生長右衛門来リ、久恒君承諾ナキニツキ郡内ニテハ秀村〔健〕[4]氏ノ希望ノ由ナルモ、次キノ撰挙スル様注意ス
松本健次郎氏相見へ、満鉄ト石炭合同ニツキ仙石〔貢〕[5]氏ノ意向ヲ聞キタリ
九洲ノ電気統制之件ニ付九軌ト合同ノ必要アリ、出来ネバ競争ノ止ムナキ至リ、困難ノ事情ヲ述ベタリ、同情アリタ
野田勢次郎君相見へ、黒瀬〔元吉カ〕[6]家ノ件及松本〔健次郎〕氏代議士候補ノ内談ス
菱形〔重之〕[7]君相見へ、小倉工場ノ件報告アリタ
平尾[8]ニ行キ、平野〔市三〕[9]及家番〔大塚幸平次〕ニ逢ヒ、仕事上ノ注意ス

〔欄外〕堀氏ニ電話、松本氏候補ニ付伊藤ト打合ノコト注意ス

一月二十八日

浜ノ町ニ堀三太郎君相見へ、候補者ニ付松本氏及貝嶋君ニ於テ協力一致方打合セシニ、同感ナリシ

午後二時より相〔お〕政ニ行キ食事ヲナス
野田勢次郎君ニ貝嶋峠〔延吉〕[10]之処ニ候補者之件ニ付〔以下空白〕
村上氏帰県ニ付打合ス
〔欄外〕前

一月二十九日

藤森善平外五人、候補者之件ニ付浜ノ町ニ相見へ打合、みかとホテル[11]ニテ昼食ヲ出ス
午後一時福村家ニ而有馬〔秀雄〕[12]・山内〔範造〕両氏〇ノ料理ヲ遣ス
〔欄外〕後

1 中鶴＝地名、遠賀郡中間町、大正鉱業株式会社所在地
2 松本枩蔵＝九州電気軌道株式会社専務取締役、この年社長就任後辞任
3 湯町＝地名、筑紫郡二日市町
4 秀村健＝椿八幡宮（嘉穂郡穂波村）宮司
5 仙石貢＝南満洲鉄道株式会社総裁、元鉄道大臣、元九州鉄道株式会社長
6 黒瀬元吉＝古物商集古堂（福岡市上新川端町）
7 菱形重之＝九州電気工業株式会社常務取締役
8 平尾＝地名、福岡市、麻生義之介家小笹別荘および麻生家別荘小笹庵所在地
9 平野市三＝麻生家庭師兼雑務
10 峠延吉＝大辻岩屋炭礦株式会社専務取締役、貝島商業株式会社監査役
11 みかどホテル＝福岡市西中洲
12 有馬秀雄＝衆議院議員

一月三十日　木曜

神仏拝シ、旧元旦ニツキ惣而吉例ニ行ヒタリ
午前十時自働車ニ而出福ス
九水営業所ニ而重役協義会ニ列ス
別荘ニテ午後四時より打合ス、星野〔礼助〕[1]氏ニ立会ヲ乞タリ
中光ニテ食事ヲナス、九水連ナリ

一月三十一日　金曜

村上・黒木両氏相見へ、九軌会社ニ対スル一段、二段、三段ノ方法調査ヲ頼ミタリ
堀氏相見へ、増永氏ノ候補ニ付同氏ニ電信ヲ発ス、堀氏ノ同意アリ、又木村氏九水ニテ皆さんニ報告ス
午前十二時九水営業所ニテ九軌ノ株買入ニ付契約案ノ打合ヲナス
午後五時半帰ル、職制ノ打合セ及賞与金分配方法打合ス
野田氏より電話ニ付松本氏ノ件取消セリ
池上駒衛[2]君相見へ、満鉄社長意向申向ケアリタ

二月一日　土曜

京都行ノ用意ヲナス
野田勢次郎相見へ、松本氏ノ件、及九軌買収及合同ニツキ、方針ヲ打合ス
吉浦〔勝熊〕[3]氏ヲ出浮ヲ乞、筆工〔ママ〕ヲ乞タリ
野田君再応相見へ、野依〔秀市〕[4]外二氏ニ対シ出状等相頼ミタリ
十七銀行[5]小切手ハ銀行ノ間違金ニツキ取調ニ不及候

午後六時四十分博多駅発ニ而京都ニ向ヒタリ

二月六日　木曜

京都より午後八時十五分下ノ関駅着ニテ帰リタリ
午後九時門司より自働車ニテ午後十一時半帰ル

二月七日　金曜

瓜生来リ、青柳〔郁次郎〕[6]候補内定ノ報告セリ
金子〔喜右衛門カ〕[7]・大和〔定五郎カ〕[8]・上野〔定雄カ〕[9]等ニ、秀村〔健〕君此ノ次キハ撰挙スルコトニシテ、今回ハ精々費用ヲ省キ尽力方申伝へ方頼ミタリ
西園〔磯松〕支配人来リ打合ス
野田氏相見へ、京都用向相伝へ、朝鮮山林自家用ニスル様調査方申伝へタリ
午後四時十八分芳雄駅乗ニシ〔ママ〕湯町大丸館ニ入湯シ、午後八時帰ル、山内範造氏ト面談ス

1　星野礼助＝弁護士（福岡市）
2　池上駒衛＝石炭鉱業聯合会常務理事
3　吉浦勝熊＝元株式会社麻生商店庶務部
4　野依秀市＝実業之世界社長、日本真宗宣伝協会長、のち衆議院議員
5　十七銀行＝第十七国立銀行（福岡）として一八七七年設立、一八九七年私立銀行転換
6　青柳郁次郎＝元衆議院議員、この月再度衆議院議員当選
7　金子喜右衛門＝元嘉穂郡穂波村農会総代、元穂波村会議員
8　大和定五郎＝嘉穂郡鎮西村長、鎮西村農会長
9　上野定雄＝工事請負業、嘉穂郡庄内村会議員

二月八日　土曜

小野寺〔直助〕[1]先生相見へ、中山氏より御頼ヲ受ケラレ、洋画三千円ニテ買入ノ内談アリ、承諾ス

靍丸〔卓市〕副支配人相見へ、花瀬坑山[2]経営困難ニ付石炭受取ノ内談アリ、少シニテモ早ク受取ラレル様申向ケタリ

堀氏相見へ、青柳君候補ニツキ、鞍手ハ貝嶋〔太市〕、嘉穂ハ久恒〔貞雄〕君ノ補介アリ、左迄多額モ要シ間敷、援介内談アリ、承諾ス

午前十一時半九水営業所ニ出頭、午後二時より重役会ニ打合ヲナス

午後五時帰宅、銀行家招待ニハ風邪ニテ断リタリ

義之介東京より帰リ、状況報告ス

［欄外］百四十円八銭九水より京都行旅費受取

二月九日　日曜

東京牧北懐〔牧田環〕[3]氏来福ニ付、栄屋旅館ニ電話シ、一方亭ニテ昼食ヲ催ス

堀・野田ノ両氏、及三井銀行次長等相見へタリ

午後九時過キ大牟田ニ帰ラル

二月十日　月曜

大丸館ニ入湯、静養ス

午後一時県庁ニテ北九洲用水計画ノ小委員会ニ列ス

東洋製鉄ノ水利上ニ付、原〔安太郎〕[4]外一氏ト知事ニ面会ス

二月十一日　火曜

大丸館ニ而入湯、静養ス

二月十二日　水曜

大丸館ニ一泊ス

午後一時過キ帰リ、村上・岸〔光憲カ〕[5]両氏ニ面会ス

義之介来リ、商業上ノ打合ヲナシ、自働車ニ而大丸館ニ入湯ス

二月十三日　木曜

午前十一時半大丸館より自働車ニ而天満宮参詣、おのふ茶屋ニテうどんニ而昼食ヲナシ、午後五時自働車浜ノ町より迎ニ来リ、帰リタリ

宝満宮ハ鳥居之処より拝ス

二月十四日　金曜

自働車ニ而大丸館ニ行キ、勘定ヲ済マシ、午後〇時十分熊本立願寺温泉[6]ニ向ケ出発ス

立願寺温泉紅葉館ニ一泊ス

二月十五日　土曜

紅葉館ニ滞在

1　小野寺直助＝九州帝国大学医学部教授
2　花瀬坑山＝坂本忠雄経営鎮西炭坑カ（嘉穂郡鎮西村）、元花瀬炭坑
3　牧田環＝三井鉱山株式会社常務取締役、電気化学工業株式会社取締役
4　原安太郎＝東洋製鉄株式会社嘱託
5　岸光憲＝九州水力電気株式会社営業課
6　立願寺温泉＝玉名温泉とも、熊本県玉名郡弥富村

大谷〔ひさき〕[1]より安田銀行為替ニ而金壱千円送リ来リタリ

　二月十六日　日曜

紅葉館ニ滞在

　二月十七日　月曜

午前十時半紅葉館ニ而為替金壱千円ヲ受取、出発、久留米植木や石橋徳平方ニ立寄、植木ヲ見而、代価ノ見積書ヲ取リタリ

午後四時半大丸館ニ着、一泊ス

安川延父[2]より書状ノ件ハ、他より聞キタル事無之ニ付、何ニカ間違ナラン旨ノ書状ヲ遣シ、本人来リタルニ付、事実ナキ事ヲ相咄、尚精々商業ニ勉強ノ旨申含メタリ

　二月十八日　火曜

午前十一時大丸館ヲ出発、米山越[3]ニ而帰宅ス

義之介〔国彦カ〕[4]山崎君之件ニ付懇談ス

事務ノ整理ヲナス

　二月十九日　水曜

野田君相見へ、電気会社合同ノ件ニ付打合ス

鉄道工事拡張ノ場所実地視察ス、地盤ノ変リ安キ事驚入タリ

稲荷神社[5]勧受〔請〕ニ付、時枝〔満雄〕[6]詞〔祠〕掌相招キ神前ノ▨〔祓カ〕ヲ頼ミタリ

堀氏ニ電話、廿二日上京ノ事通知シテ、兼而東望〔東邦〕[7]合同ノ件もアリトノ意味ヲ申セシニ、自分も可成廿二、三日頃より上京ノ旨被申タリ

松本健次郎氏ニ電話シ、上京ノ日取打合ス

二月二十日　木曜

立岩小学校[8]ニテ撰挙ス

午前十時過キ籾田〔喜三郎〕[9]・武田〔星輝〕[10]ノ両君同車、津屋崎別荘[11]ニ行キ、庭木植込、山林ノ境界ニ付打合ス、弁当持参シテ食事ヲナシ、浜ノ町ニ午後四時半着ス

二月二十一日　金曜

午前谷田〔信太郎〕[12]来リ、大坂ニテ九軌株買入セシ由報告ス

今井〔三郎〕氏相見へ、木村氏書面ノ報告アリタリ

1　大谷ひさき＝麻生家浜の町別邸女中
2　安川延＝おのぶ茶屋（太宰府天満宮境内）経営者
3　米山越＝太宰府と筑豊を結ぶ筑紫郡山家村と嘉穂郡上穂波村の間の峠
4　山崎国彦＝元福岡警察署長
5　稲荷神社＝麻生家邸内屋敷神、伏見稲荷大社（京都市）から勧請
6　時枝満雄＝負立八幡宮（飯塚町栢森）宮司
7　東邦＝東邦電力株式会社（東京市）、一九二二年九州電灯鉄道株式会社（福岡市）と関西電気株式会社（名古屋市）が合併して成立
8　立岩小学校＝飯塚町立岩
9　籾田喜三郎＝麻生家庭師兼雑用
10　武田星輝＝株式会社麻生商店庶務部
11　津屋崎別荘＝麻生家別荘（宗像郡津屋崎町渡）
12　谷田信太郎＝株式仲買商（福岡市下鰮町）

大坂ニテ九軌株入〔買脱〕ノ電話方打合ス
住吉神社ニ参詣ス

三月九日　日曜

東京より帰リ、堀氏より招待ニ而相政〔お〕ニ行キ、午後六時半迄堀氏滞在、上京アリ、其後ハ引受ノ電話ス（勘定ノコトナリ）

三月十日　月曜

福岡日々新聞[1]ノ阿部〔暢太郎〕編輯長ニ電話ニ而鬼丸茂三郎採用方相頼ミ、菊竹〔淳〕[2]氏ニも宜敷相頼ミタリ
野田君より十一時出福ノ電話アリタ

三月十四日　金曜

平尾ニ前夜一泊、朝九時半帰リタリ
木村常務東京ヨリ電信来リ、折柄村上君よりモ同様ノ電話アリ、直チニ今井・黒木ノ両氏ト一同相見ヘ、九軌ノ件及延[3]電合同ノ件打合、返電ス（電文別ニアリ）
團〔琢磨〕[4]氏ニも大嶋〔亮治カ〕[5]氏ノ件ニ付頼之電信セリ
野田君より別府地所ノ件ニツキ上田〔穏敬〕[6]連レ出福ノ電話アリタ
風邪ニテ三十七度ノ発熱セシモ快方セリ

三月十五日　土曜

木村孝太郎[7]君相見ヘ、家政上ニ付種々咄ヲ聞キタリ、吉浦氏も相見ヘタリ
赤司[8]ニ而植木買入、六十七円余仕払タリ
午後五時福村家ニ而食事ヲナス

三月十六日　日曜

午前八時黒木氏相見ヘ、木村氏より電信ニ付打合セ、返電ス（電文別ニアリ）

野田・上田両君相見ヘ、別府地療養地[9]ニ関シ協義シ、尚同地ノ整理ノ件も打合ス

津崎屋《〔ママ〕》ニ行、籾田来リ居リ、松木採取リニ付打合、一同浜ノ町ニ帰リタリ

飯塚小開月[10]ノ主婦《〔平野セン〕》来リ、中野昇[11]氏桜嶋関係ヲ引受ノ内談セシモ、断リタ、為念他日間違出来テハ不相成ニ付能ク注意セリ

三月十七日　月曜

午前七時自働車ニ而女中連レ帰リタリ

1　福岡日日新聞＝一八七七年筑紫新聞創刊、めさまし新聞、筑紫新報を経て、一八八〇年福岡日日新聞と改題

2　菊竹淳＝六鼓、福岡日日新聞編集局長、のち副社長

3　延電＝延岡電気株式会社、一九一〇年延岡電気所（宮崎県延岡町）設立、一九二四年延岡電気株式会社を創立して電気所を継承、一九三〇年四月九州水力電気株式会社の傘下に入り、太吉社長就任

4　團琢磨＝三井合名会社理事長、三井鉱山株式会社取締役、北海道炭礦汽船株式会社会長

5　大島亮治＝日華紡績株式会社取締役、元富士瓦斯紡績株式会社技師長、のち日本油脂株式会社常務取締役

6　上田穏敬＝株式会社麻生商店庶務部長

7　木村孝太郎＝木村順太郎（株式会社麻生商店監査役）息

8　赤司＝赤司広楽園分園、花屋（福岡市新大工町）、本店は久留米市

9　別府地療養地＝九州帝国大学温泉治療学研究所設立予定地（大分県速見郡石垣村・朝日村）

10　小開月＝カフェー（飯塚町住吉町）

11　中野昇＝株式会社中野商店社長、嘉穂銀行取締役、嘉穂鉱業株式会社取締役、九州産業鉄道株式会社監査役

義之介来、東京ノ模様聞キタリ
書類整理ヲナス
渡辺皐築君相見へ、産鉄[1]ノ打合ヲナス

　三月十八日　火曜

午前九時半自働車ニ而出福ス
今井・村上両氏相見へ打合ス
東鉄原〔安太郎〕事務員外一人相見へ、紫川水利権ニ付県庁上伸〔ママ〕打合ス
博済南条〔覚〕[2]君相見へ、種々営業上ニ付打合セ、小倉出店ノ打合モナス

　三月二十七日　木曜

午前十一時半東京より京都ニ立寄、同地昨午後八時廿六分発ニ而帰途ニツク
文字〔門司〕駅より自働車ニ而帰ル
野田君相見へ打合ス

　三月二十八日　金曜

午前八時半自働車ニ而出福ス
九水会社ニ出頭、打合ヲナス

　三月二十九日　土曜

午前十一時十八分閑院宮殿下博多駅御着ニ付、御奉迎申上ル
片倉ヒール[3]ニテ山内範造氏ト昼食ヲナス
午後二時九水重役会ニ臨ミ、午後六時福村家ニテ九水慰労会ニ臨ム、午後九時帰ル

三月三十日　日曜

午前九時三十分済生会病院[4]ニ出席、済生会救療部長紀本参次郎・福岡病院長多賀憲ノ両氏相見へ、面会ス

安川《〔敬一郎〕》[5]男爵出席アリ、久方振面談ス

午前十一時閑院宮様御成ニナリ、拝謁ヲ賜フ

赤十字惣会ノ宴会ニ列ス

帰途、自働車ノ間違ニテ丸太家[6]迄徒歩シ、同方ニテ義之介・太介・義太賀ト落合、片倉八階ニテ昼食ヲナシ、同所ニ而門司商工会会頭吉村勝太郎君ニ面会ス

午後二時松本健次郎氏ヲ訪問シ、伊藤傳《〔傳右衛門〕》君モ相見へ、遠賀坑区ノ件来月四日ニ返答ノ事ニ打合ス

［欄外］午後四時於《〔お〕》政ニ行キ、伊藤・堀両氏より山口《〔恒太郎〕》君救介之内談アリタルモ断タリタリ《〔ママ〕》
公開《〔会〕》堂[7]ニ而賜食之栄ヲ得タリ、階上ニテ重而宮様ヨリ御恩命ヲ拝ス

1　産鉄＝九州産業鉄道株式会社、一九一九年創業（田川郡後藤寺町）、一九二二年より太吉社長、一九二九年金宮鉄道株式会社買収、同年鉄道部門以外を九州産業株式会社に譲渡
2　南条覚＝博済無尽株式会社、元飯塚警察署長
3　片倉ビル＝片倉ビル内（福岡市呉服町）共進亭食堂
4　済生会病院＝一九一一年明治天皇の済生勅語により創立された恩賜財団病院
5　安川敬一郎＝第一巻解説参照
6　丸太屋＝まるたやとも、呉服商（福岡市中島町）
7　公会堂＝福岡県公会堂（福岡市西中洲）

三月三十一日　月曜

午前七時栄家〔屋〕御滞在ノ本野〔久子〕[1]婦人ヲ訪問ス
急行電車[2]ニテ待受、午前八時五分発ノ閑院宮殿下御送奉ル
午前八時半若松築港会社[3]重役会ニ自働車ニ而出席、同二時飯塚本宅ニ帰ル

四月一日　火曜

氏神ニ参拝ス
西園支配人来リ、打合ス
義之介松本〔学〕[4]知事訪問致サセタリ
帰宅、交〔空白〕[5]〔友カ〕会ノ件ニテ酒井〔忠正カ〕[6]伯爵来福ノコト報告ス

四月二日　水曜

午前十時自働車ニ而出福ス
木村平右衛門君相見へ、九水ノ件打合ス
昼食ヲナシ帰ラル
津屋崎ニ行キ、町長相見へ、塩田整理之件ニ付援介方申入書類受取、事実調査返事ナスコトニ申向ケタリ

四月三日　木曜

松本知事官房ニ電話セシモ、昨日より他行ノ由ナリ
義之介・太介ト電話ス
書類整理ス
福岡中学校[7]後援会、電話ニテ欠席ノ断リシタ

大谷〔浅太郎カ〕氏[8]相見へ、山林ノ件懇談アリ、見込ナキ旨申向ケタリ

四月四日　金曜

九水営業所ニ出務

午後四時一方亭松本〔健次郎〕氏送別会[9]ニ列ス

四月五日　土曜

午前九時半九水営業所ニ出務

午前十時創立二十年祝賀会[10]ニ臨ミ、祝賀ノ挨拶、引続勤続表彰ノ挨拶ヲシテ賞授ス

午後一時崇福寺[11]ニテ追悼会[12]ニ参詣ス

1　本野久子＝元外務大臣故本野一郎妻、篤志看護婦人会副会長、愛国婦人会長
2　急行電車＝九州鉄道株式会社福岡・久留米線
3　若松築港株式会社＝一八八九年若松築港会社設立、九三年若松築港株式会社と改称、太吉取締役
4　松本学＝福岡県知事
5　交友会＝交友倶楽部、貴族院の立憲政友会系院内会派、一九一二年結成
6　酒井忠正＝貴族院議員、のち農林水産大臣
7　福岡中学校＝福岡県福岡中学（福岡市堅粕町）、一九一七年開校
8　大谷浅太郎＝麻生家浜の町別邸女中大谷ひさき父
9　松本健次郎欧米旅行送別会
10　九州水力電気株式会社創立二十年祝賀会
11　崇福寺＝臨済宗大徳寺派寺院（福岡市千代町）
12　九州水力電気株式会社関係物故者追悼会

四月六日　日曜

午前八時自働車ニ而湯町ニ行、山内範造氏・花村〔徳右衛門〕[1]・籾田〔喜三郎〕・狩野〔嘉市〕[2]ト家屋ノ境界及建築等ノ打合ヲナス
大丸館ニ而昼食ヲナス
大宰府ニ参詣、江崎茶やニテ湯町古家建設打合ス
午後四時帰リタリ
午後五時二十三分博多駅ニ小泉〔又次郎〕[3]大臣ヲ迎ヒ、午後六時新県庁[4]八階ニテ官民歓迎会ニ出席
午後八時九日新聞[5]ノ招待会常盤館[6]ニ出席、午後十一時帰リタリ

四月七日　月曜

九水営業所ニ出頭、今井君ト打合セ、久保田〔貞次〕[7]君追悼会ノ取纏メ方打合ス
小泉逓信大臣博多駅へ見送リタリ
佐藤寅〔虎〕雄[8]君相見へ、金三百円遣ス
大博座[9]ニ芝居見ニ行キ、京都より電話ニ付帰リ、木村氏ト打合ス

四月八日　火曜

黒木氏ニ電話シ、木村氏東京旅館ニ打電ス（別紙アリ）
伊藤・堀両氏相見へ、山口恒太郎株代増加ハ本人ニ申向ケ、直接書類送付ノコトニナリタ
箱〔筥〕崎宮司外一名相見へ、海軍紀念碑之件ニ付賛成記入ス
原田〔延雄カ〕[10]来リ、雑誌ノ件内談セシモ、重要之事柄ニ付専務・常務ト打合セルコトヲ申向ケタリ、香典ヲ呈ス（壱百円）
九洲日々〔報〕藤村〔源路カ〕[11]君相見ヘタルモ、帰県ノ上面会ノ打合ヲナス
棚橋氏ニ電話シ、電文ノ件話合ス

中光ニ行、営業三ケ年紀念ノ祝賀ニ昼食ス
木村氏ニ、重而二度目手紙着セシニ付発電ス（黒木君ヲ呼ヒ打合ス
木村氏より返電達ス
［欄外］大分佐藤寅雄君訪問アリ、金三百円貸
臼木［臼杵弥七］[12]君来リタリ、弐千五百円受取

四月九日　水曜

佐賀軽［経］[13]吉君相見へ、金三百円貸ス
東京へ打電、及京都棚橋君ニ電話ス

1 花村徳右衛門＝株式会社麻生商店庶務部
2 狩野嘉市＝株式会社麻生商店鉱務部
3 小泉又次郎＝逓信大臣、元神奈川県会議員、のち貴族院議員
4 新県庁＝福岡県庁西別館（福岡市天神町）、一九二九年竣工
5 九日新聞＝九州日報（福岡市）、一八八七年玄洋社機関紙「福陵新報」として創刊、一八九八年改題
6 常盤館＝料亭（福岡市水茶屋）
7 久保田貞次＝九州水力電気株式会社庶務課長兼秘書課長
8 佐藤虎雄＝大分県会議員、元大分県玖珠郡南山田村長、のち再度同村長
9 大博座＝大博劇場（福岡市上東町）の通称、一九二〇年落成の本格的劇場
10 原田延雄＝東京の「ゴロ」（東京市外荏原町）
11 藤村源路＝九州日報常務取締役、元福岡市会議員
12 臼杵弥七＝株式会社麻生商店会計部
13 佐賀経吉＝鉱業家、玄洋社

木村氏より発電ニ付、返電ス
村上氏相見へ、延電［延岡電気］ノ打合ヲナス
平尾山ノ界境［ママ］ヲ実見ス

四月十日　木曜

神崎動［勲］[1]君・渡辺禎次郎[2]君相見へ、宇嶋鋼業会社[3]使用ノ電力料ノ件ニ付懇談アリ、当局者ニ能ク申入ヲ注意ス
野田君相見へ、九州鉱業[4]ノ打合ス
堀氏相見へ、今夕上京ノ旨被申候ニ付、山口君株代増加及海東［要造］[5]君之件ニ付懇談ス
浜ノ町増建図及湯町［ママ］[6]家敷図面ハ平野［市三］ニ渡セリ
東京新聞［報］副社長管［菅］田和園君来リ、金壱百円、九水久保田秘書ニ電話、相渡ス

四月十三日　日曜

午前十一時十八分木村常務帰福ニ付出迎、滞在ノ用件聞取ノ為メ中光ニテ昼食ノ饗応シ、棚橋・村上ノ両氏も相見ヘタリ
午後三時自働車ニ而本宅ニ帰ル

四月十四日　月曜

渡辺皐築君相見へ、後藤寺久挙［急遽］[7]町長就任ノ件ニ付懇談アリ、承諾之事ニセラレル様申向ケタリ
野田君相見へ、九州工［鉱］業石田［亀二］氏関係ニツキ用談ヲ聞キ、帝炭[8]約定ニ付十二分ノ念証ヲ請求ナスコト必要ノ打合ヲナス
松田［源治カ］[9]幹事夫人負傷セラレタルニ付、見舞ノ電信ヲナス
区長就任ニツキテハ他日間違ナキ様注意ス

四月十五日　火曜

午前九時自働車ニ而花村徳右衛門・加納[狩野嘉市]ヲ連レ、湯町家敷ニ臨ミ、工事ノ指図ヲナシ、午後一時半花村一同浜ノ町ニ帰リ、浜側波除ケ工事ノ打合ヲナス

午後三時半より加布里[10]こ[此]の里と申料理家[屋]ニ六[空白]ノ画伯夫婦及木村[順太郎カ][11]等行キ、午後八時半帰ル

四月十六日　水曜

野田君より肥前坑区[12]ノ件電話アリ、出福打合セ度トノ事故出▨[福]見合セ候ニ付、午前出福ノ電話ス

才判所武井[正雄][13]検事より電話アリ、午後一時出頭セシニ、野依秀市ニ金員遣シタル事ニ付其ノ事実聞取アリ、有リ之侭申向ケタリ

1　神崎勲＝宇島鉄道株式会社専務取締役、元築上銀行取締役、元衆議院議員
2　渡辺禎次郎＝日本鋼業株式会社技師長
3　宇島鋼業会社＝日本鋼業株式会社、一九二四年設立（築上郡八屋町宇島）、元日本電気鉄板株式会社
4　九州鉱業株式会社＝一九二九年設立（飯塚町）、元帝国炭業所有の木屋瀬・起行小松鉱業所経営、株式会社麻生商店傍系会社
5　海東要造＝東邦電力株式会社専務取締役
6　湯町屋敷＝麻生家別荘不老庵（筑紫郡二日市町）
7　後藤寺＝地名、田川郡後藤寺町
8　帝炭＝帝国炭業株式会社、一九一九年設立、株式会社鈴木商店破綻により破産
9　松田源治＝拓務大臣
10　加布里＝地名、糸島郡加布里村
11　木村順太郎＝株式会社森崎屋（酒造業）代表取締役、株式会社麻生商店監査役
12　肥前坑区＝株式会社麻生商店所有坑区（長崎県北松浦郡鹿町村）カ
13　武井正雄＝福岡地方裁判所検事

午後二時九水営業〔所脱〕ニテ協義会ニ出席、午後六時帰ル

四月十七日　木曜

石井徳次〔久脱〕君相見へ、撰挙費補介之申入アリタルモ断リタリ、ノミナラズ補介金モ弁金ヲ乞度旨申向ケタリ

山内範造君相見へ、竹藪坪二十円迄買入頼ミタリ、巾二間（現在ノ境界之侭

登記料二百廿円渡ス

五十円有吉氏〔勝三郎カ〕[1]御祝義

野田君相見ノ〔ママ〕打合ス

臼杵〔弥七〕君相見ヘタリ

百円籾田ニ湯町ニテ渡ス

五月二日　金曜

午前十一時半博多駅着ニ而帰県ス、停車場ニハ久保田秘書相見ヘ居タリ

午後四時湯町ニ行キ、大丸館ニ而晩食ヲナス

山内範造氏モ相見へ、会食ス

五月三日　土曜

午前十一時半木村常務・黒木支配人東京より帰県ニ付、浜ノ町ニ立寄ヲ乞、筑後電気[2]ニ増資及証券会社創立手配ノ打合ヲナス

午後二時自働車ニ而飯塚ニ帰ル

午前九時堀氏相見へ、松嶋坑区[3]、及福丸[4]家屋及地所ノ件ニ付内談アリタ

五月四日　日曜

大連仙石惣〔貢〕〔満〕鉄惣裁訪問ニツキ電信ス

午後三時半自働車ニ而夏子〔麻生〕[5]一同出福ス

五月十三日　火曜

西園磯松君来リ、銀行ノ打合ヲナス、昼食シテ帰ル

渡辺皐築君来リ、電灯問題及調査会議員撰挙ノ打合ヲナス

林田晋[6]君来リ、養子連レ就職ノ懇談ス

書類整理ス

午後六時卅分自働車ニ而出福ス

五月十四日　水曜

谷田〔信太郎〕来リ、九軌ノ模様聞キタリ

午前九時より自働車ニ而湯町ニ行キ、大丸館ニ而昼事〔ママ〕ヲナシ、入湯シテ午後三時帰ル

1　有吉勝三郎＝筑紫銀行（筑紫郡二日市町）取締役

2　筑後電気株式会社＝一九二三年九州水力電気株式会社が九州電気酸素株式会社（浮羽郡田主丸町）を買収して改称、太吉社長

3　松島坑区＝松島坑山とも、松島炭山とも、堀鉱業株式会社東松島炭鉱（長崎県西彼杵郡松島村）

4　福丸＝地名、鞍手郡若宮村

5　麻生夏＝故加納久宜六女、太吉三男故麻生太郎（元株式会社麻生商店取締役）妻

6　林田晋＝株式会社麻生商店商務部長

五月十五日　木曜

午前九時九水重役会ニ出席、午後四時半帰ル

午前八時林田春次郎外二氏福永定治・村上千次郎相見へ、歯医学校ノ件ニ付内談アリタ

五月十六日　金曜

午前八時三十分自働車ニ而底井野藤田〔次吉〕[1]氏病気見舞ニ行キ、飯塚ニ帰ル

五月十八日　日曜

午後六時帰宅ス

五月十九日　月曜

午前十時三十分帰リタリ

午後一時、飯塚才判〔所脱〕北嶋〔林平〕判事ニ、野依君ニ遣シタル金員ノ件ニ付尋問アリ、答弁ス

午後五時黒瀬・加納〔狩野嘉市〕等出福ス

白水重雄[2]（小笹）[3]・加藤友喜（小笹植木商）両人相見へ、新設道路之件ニ付懇談アリタ

五月二十日　火曜

湯町ニ行キ、工事ヲ打合ス

堀〔三太郎〕・山内両氏相見へ、堀氏ハ取締役ニ転セラルコト[4]ニ付内談アリタ

野田氏相見へ、赤坂門[5]先キノ地所ノ件打合ス

午後四時半過キ相政〔お〕ニ行キ晩食ス、費用ハ負担ノ旨申付タリ、堀・山内両氏一同ナリ

西川虎次郎[6]君石川勝治[7]氏ヲ連、綜合病院ニ融通ノ相談アリタ

五月二十一日　水曜

村上君相見へ、延岡電気会社廿五日惣会、及大分・別府電灯問題ニ付、永井〔晋治〕君連レ調和方打合ス
今井常務モ相見へ、大淀川[8]及熊電〔熊本電気〕送電線之件ニ付打合ス
午後一時自働車ニ而帰宅ス
服〔腹〕部工〔ママ〕合何トナク悪敷、其ノ為メ食事等モ平常より減食ス

五月二十二日　木曜

在宿
朝来食事ヲ止メタリ
農園[9]ニ久方振行キタリ
屋敷内散歩シテ静養ス
幅物外品々黒瀬〔元吉〕より買入分百八円臼杵〔弥七〕より受取、此外義之介満洲行残金三十四円余受取

1　藤田次吉＝太吉親族、笹屋、酒造業（遠賀郡底井野村）
2　白水重雄＝福岡市会議員、樋井川産業組合理事
3　小笹＝地名、福岡市平尾・下長尾の一帯
4　堀三太郎、東邦電力株式会社監査役から取締役に転任
5　赤坂門＝地名、福岡市
6　西川虎次郎＝旧福岡藩主黒田家福岡別邸参与、陸軍中将
7　石川勝治＝医師、福岡総合病院（福岡市因幡町）院長
8　大淀川水力電気株式会社＝一九三二年開業（東京市）
9　農園＝株式会社麻生商店山内農場（飯塚町立岩）、廃鉱地試験農場

五月二十四日　土曜

午前八時弐十四分博多駅発ニテ延岡ニ向ケ乗車ス、別府より靍丸〔卓市〕・村上〔巧児〕両氏乗車アリタ

延岡電気前社長鈴木〔憲太郎〕[1]氏も同車ス

午後五時廿七分菊地旅館ニ着ス、菊地仙太郎

午後六時〔空白〕楼ニ旧重役招待ス

五月二十五日　日曜

延岡電気会社ニ行キ、職員一同ニ挨拶ヲナス

昼食ヲナス

午後一時惣会ヲ開催、直チニ閉会、慰労金、重役・職員トモ十五万円ヲ渡シ、前社長鈴木氏ニ渡ス

午後三時廿一分延岡駅〔発脱〕ニテ、午後七時半別府ニ着ス

直チニ亀ノ井[2]ニテ靍丸・村上両氏一同食事ヲナス

五月二十六日　月曜

別府別荘[3]ニテ静養ス

五月二十七日　火曜

午前九時半自働車ニ而村上氏一同日田廻リニテ帰福ス

直チニ営業所ニテ木村・村上・今井ノ諸氏ト打合ス、棚橋氏ニも打電ス

宮田〔兵三〕[4]氏相見へ、廿八日夜面会ノ約束アリタル旨聞キタリ

五月二十八日　水曜

吉浦・野田両氏相見へ、御堀際屋敷[5]買入ノ打合ヲナス

野田氏ニハ別府田ノ湯地所及野口地所売却ニツキ打合ス
午前十時半より九水重役会ニ出席
午後五時福村家ニテ、関係会員諸氏晩食ヲ呈ス
宮田兵三氏午後八時半相見へ、打合ス
［欄外］百五十円筑後電
　　三百五十円杖立[6]同
　〆五百円報洲〔酬〕金受取

五月二十九日　木曜

湯町工事場ニ行キ、午前十時半帰リタリ
村上氏相見へ、前夜宮田君之面会ノ模様ヲ聞キタリ、矢張面談セシ通ナリ

六月十四日　土曜

午前八時谷田来リ、中野昇君銀行株売却ノ報告ス、東洋製鉄買入ヲ進メタリ
午前八時半より九水営業所ニ行キ、重役会ニ列ス

1　鈴木憲太郎＝延岡電気株式会社取締役、のち九州送電株式会社監査役
2　亀の井＝亀の井ホテル食堂（別府市不老町）
3　別府別荘＝麻生家別荘山水園
4　宮田兵三＝九州電気軌道株式会社取締役
5　御堀際屋敷＝柳原塾舎（福岡市下警固、太吉孫教育施設）建設地
6　杖立川水力電気株式会社＝一九二三年設立（大分市）、太吉社長、のち九州水力電気株式会社に譲渡

東京ニ而千円仮受セシ分、営業所ニ而池田君〔常二〕[1]ニ相渡ス
金弐百円決算ニ関係セシ職員ニ慰労トシテ渡ス
東京行旅費・東京及延岡行、三百廿八円四十三銭受取
中光ニ而山口〔恒太郎〕・岩崎寿喜蔵ノ両氏ニ晩食ヲ饗応ス
岩崎氏ニ坑山買潰〔ママ〕ノ件未定ノ旨申向ケタリ

六月十五日　日曜

午前四時木村謙蔵〔三郎カ〕[2]家内死去ニ付、夏子一同四時ニ起キ、同四十分自働車ニ而帰ル
八時半宮崎市長〔川越壮介〕ノ電報ヲ打合ス
三〔二〕[3]谷氏滞在所若松・鯰田[4]・新入[5]聞キ合セ、丁度直方駅九時発後ニナリ、其侭ニス
午後六時木村家内火葬場ニ送リタリ

六月十六日　月曜

午前九時米山越ニテ二日市ニ行キ、十二時博多着ス
堀氏相見へ打合ス
山内範造君相見へ、地所収得税百十七円相渡ス
おまさニ行キ、山口・堀・伊藤ノ三氏ニ面会ス

六月十八日　水曜

午前▨〔九カ〕時半自働車ニ而狩野〔嘉市〕ト湯町ニ行ク
大丸館ニ而昼・晩両食事ヲナス
女中及湯掛ニ十円遣ス、晩ハヒール〔ママ〕二本ヲ要セリ、入湯両度

午後十時帰ル

［欄外］午前八時夏子ト自働車ニ而出福ス

六月十九日　木曜

野田君相見ヘ打合ス

渡辺皐築君ト産業《［九州］》[6]事務上ニ付打合ス

堀氏相見ヘ、松嶋炭坑[7]ノ打合ヲナス

大谷《［ひさき］》より、掛物等九十七円、湯町ニテ籾田渡百円、合計百九十七円受取

宮川《［一貫］》[8]君海外視察ニ付、餞別二百円山内範造氏ニ托ス

六月二十七日　金曜

午後二時湯町建築地ニ行キ、大丸館ニテ入湯シ、食事シテ帰ル

十五円召使ニ遣ス

1　池田常二＝九州水力電気株式会社経理課長、翌年副支配人
2　木村謙三郎＝木村順太郎（株式会社麻生商店監査役）息、株式会社麻生商店商務部
3　三谷一二＝三菱鉱業株式会社会長、飯塚鉱業株式会社長
4　鯰田＝地名、飯塚町、三菱鉱業株式会社筑豊礦業所鯰田炭坑所在地
5　新入＝地名、鞍手郡直方町、三菱鉱業株式会社筑豊礦業所新入炭坑所在地
6　九州産業株式会社＝一九二九年設立（田川郡後藤寺町）、九州産業鉄道株式会社の鉄道部門以外を譲り受け、太吉社長
7　松嶋炭坑＝堀礦業株式会社東松島炭鉱（長崎県西彼杵郡松島村）
8　宮川一貫＝衆議院議員、玄洋社、第二十六回列国同盟会議（ロンドン）・第十六回議院商事会議（ブリュッセル）出席

大分新聞[1]社長ニ大分会館新建落成式ノ祝賀電信ス
　六月二十八日　土曜
堀氏帰福アリ、東電株直〔値〕[2]増シ希望アリ、右ニ付重役辞任シテ申向ケタキ旨内話アリシモ、夫レバ〔ママ〕不得策ニ付、矢張引渡方穏当ニ申入ラル、様申向ケタリ
宮田兵三君小倉より電話アリ、相見ヘタリ、重役撰挙ノ進行方ニ付打合度旨申入アリ、村上・木村ノ両氏別府行ニ付、両氏打合セ返事ノ旨申向ケタリ
午後六時より一方亭ニ行キ晩食ス
柴山〔全慶〕[3]禅師・森慶蔵〔造〕[4]氏、及白木家〔屋〕[5]ニ出状ス
　六月二十九日　日曜
堀氏より、東望〔東邦〕株壱万株ニテ用捨ノ旨返電ノ旨電話アリ、直方ニ帰ラル
村上・木村両氏帰福アリタルモ、大分・別府電灯ノ件ニ付両所々長出福アリ、打合ニ付、本日中九軌ノ咄合出来ザル旨棚橋氏より電話アリタ
岩崎寿喜蔵氏相見へ、坑山買収ノ懇談アリシモ、〔石炭鉱業〕[6]聯合会ノ方針決定セザル旨申向ケタリ
　六月三十日　月曜
午前六時自働車ニ而操〔麻生ミサヲ〕[7]ト出福ス
棚橋・木村・村上・今井ノ四氏ト九軌之件打合ス、通知状発送前ニ重役会ニ突発セシ如ク意味ニテ打合ノ件協義ス
宮田氏ニ電話シ、小倉三時半ニ而出福之電話アリタ
堀氏相見へ、東望〔東邦〕株売却ニ付、堀氏上京ノ旨打電アリタ
知事一行福村家ニ招待ス

宮田氏相見へ、村上・木村ノ諸氏ト打合ノ結果、宮田氏より、松本〔忝蔵〕氏立場無止場合トナリタルニ付、金融上ト統制ノ為メ譲与ノ旨懇談シ、其上ニテ当方モ夫レヲ受次キ、▨▨之方ニ内談スルコトニ打合ス

七月一日　火曜

天満宮・宝満宮・住吉神社ニ参詣ス

湯町不老庵[8]ニ立寄タリ

野田勢次郎氏相見ヘタリ、産鉄及九洲工〔鉱〕業ノ件打合ス

堀君相見へ、田川坑区[9]及株買入ノ打合ヲナス

木村氏より金借リ入之件電話アリタ

七月七日　月曜

午前六時半自働車ニ而帰宅、臼杵君ノ不幸ニ仏参ス

午前九時嘉穂銀行重役会ニ出席

1 大分新聞＝一八八九年創刊（大分市碩田町）
2 東電＝東邦電力株式会社、堀三太郎取締役
3 柴山全慶＝臨済宗僧侶、エスペランティスト、のち南禅寺派管長
4 森慶造＝書画鑑定家
5 白木屋＝百貨店（東京市）、一九二八年株式会社白木屋に改称
6 石炭鉱業聯合会＝一九二一年石炭の需給調節を目的に設立された業界団体、太吉会長
7 麻生ミサヲ＝太吉長男太右衛門妻
8 不老庵＝麻生家別荘（筑紫郡二日市町）
9 田川坑区＝岩崎後藤寺炭鉱（田川郡後藤寺町ほか）、翌年五月太吉譲り受け

銀行〔嘉穂〕・貯蓄〔嘉穂〕・博済重役会ニ出席
午後三時迄ニ用件済、臼杵君ノ仏儀ニ参詣ス
金弐百円博済半期ノ報洲〔酬〕受取
午後六時より自働車ニ而出福ス

七月八日　火曜

午前九時営業所ニ行キ、宮田君来福面会之件ニ付打合ス
十時より重役会開催ス
十二時半浜ノ町ニ帰宅、宮田君待受
午後一時半宮田君相見へ、社長辞任ヲ半期延期ノ件申入アリ、無事ニ済メバ此上ナキモ、万一洩レタル時ハ取返シノ付カザルニ至〔ル〕リベシ、木村君も相見へ、一同打合ス
午後五時知事官舎ニ行キ、農士養成ノ件[1]ニ付懇談ヲ受ケ、中光ニ而食事ス、佐藤慶太郎[2]君も見居タリ
［欄外］弐百七円四十一銭上京旅費受取
三十円給仕ニ遣ス

七月九日　水曜

堀氏ト打合ス（電話）
野田勢次郎君ト打合（電話
村上功〔巧〕児君相見へ、宮田ノ意向打合ス
午前九時四十分帰ル
午後三時半底井野藤田〔次吉〕氏悔ニ行、火葬場ニ送リ、六時半自働車ニ而帰リタリ

七月十日　木曜

堀氏ト、買収ハ六ツケ敷、交換之方ニヨル時ハ田川ノ主任ト打合ノ件、電話ス、同意アリタ

野田君田川三井坑山林氏《〔新作〕》[3]ニ不毛坑区《〔フケ〕》[4]之件面会ニ行キ、帰飯ノ上模様ヲ聞キタリ、別ニ異見もナク、東京本店ノ意向ニ随フト云フ意味ナリ

午後六時自働車ニ而出福、直チニ湯町不老庵ニ行キ、家移リヲナス（大丸館ニ而入湯ス

午後十一時半帰宅ス

［欄外］七百八十五円六十銭諸口払出分、臼杵より受取

七月十一日　金曜

野田君ト電話、田川不毛坑区ノ打合ヲナス

相羽君《〔虎雄〕》[5]実地ノ模様ハ、両方より採掘出来得ル見込、又ハ単独ニも開坑可相成、大体ハ宜敷方ナリ

七月二十日　日曜

午前九時嘉穂銀行惣会ニ出席、引続貯蓄銀行・博済会社ノ惣会ヲ決了、午後十一《〔ママ〕》時半重役会ヲ開催、打合ヲナス

午後十二時半自働車ニ而出福、浜ノ町別荘ニ而宮田氏《〔兵三〕》相見へ、木村・村上ノ両氏一同臨時惣会ノ時定款改正ノ件等

1　佐藤慶太郎主唱の農士養成のための農士学校設立計画、翌年日本農士学校（埼玉県）・福岡農士学校（早良郡）開校、太吉多額の寄付
2　佐藤慶太郎＝株式会社佐藤商店代表取締役、三菱鉱業株式会社監査役、第一巻解説参照
3　林新作＝三井鉱山株式会社田川鉱業所長
4　フケ坑区＝石炭層深部の採掘困難な炭層
5　相羽虎雄＝株式会社麻生商店鉱務部長

打合ス、及内容東望〔東邦〕カ聞付ケタル事等打合ス
七月二十一日　月曜
堀氏福間[1]地所ノ件ニ付、二千坪ノ増加ノ処分ニ対シ宮田君ニ包金アル様伊藤傳〔傳右衛門〕さんニ早朝食事ヲセズ懇談セシモ、破段〔談〕ニナルトカ直段〔値〕ノナキモノヲ漸ク承諾サセシ抔と丸而心有返事ナキニツキ、帰リタリ
堀氏相見へ、右之趣申伝へ、同氏ハ尚伊藤ニ直接申入方ノ懇談ヲ一段引取リアリシモ、間モナク十五万円ニ而買人有之、如何ヤトノ申入ニ付、其ノ方ニ売却方進メタリ
七月二十二日　火曜
午前九時九水重役会ニ臨ミタリ
上京旅費弐百八円受取、百円ハ職員ノ運動費ニ久保田ニ遣ス
午後四時湯町ニ行、大丸館ニテ食事ナシ、百円茶代遣ス
岩崎寿喜蔵君相見へ、坑山買収ノ件懇談アリタルモ、目下如何トモ致方ナキ旨申向ケ、筑豊組合[2]ノ小坑主連ノ件ニ関シ、野田勢次郎君ト打合中ナリト申向ケタリ
大〔王〕丸代吉[3]君相見、耕地整理ノ件申入アリタルモ、義之介帰県迄返事断リタリ
七月二十三日　水曜
午前八時自働車ニ而帰リタリ
野田君ト東京ノ模様聞取、打合ス
筑豊組合ノ件ハ、常議員ヲ集メ委員ヲ撰ミ、夫より買収ニ取掛ラル様打合
渡辺君相見へ、産鉄ノ件聞取リタリ

七月二十四日　木曜

午前八時自働車出福

堀氏相見へ、福間[1]地所ノ件伊藤傳ニ返事ノ懇談アリ、同意、間モ〔ナク脱〕伊藤モ来リ、立チ場上困リル〔ママ〕旨申向ケアリタルモ、会社ニ入用ナキモノニツキ却而破約ノ方大面目ナリト申向ケ、一方堀君ノ立場ハ、会社ヤ友人ニ迷惑掛ケハナラヌ故取消アルハ至極ノ上出来ナリト旁申向ケ、分レタリ

堀氏ニ融通セシ弐万円ハ受取証ニテ受取タリ、手形ハ本家より直方本宅ニ送ル旨受取証ニ記入ス

福村屋〔家〕ニテ堀・山内食事ヲナス

七月二十五日　金曜

湯町別荘ニ加納〔狩野嘉市〕連レ行、整理ス

大丸館ヨリ食事持出ス、昼夜二度

金三十円牛湯祭リ[4]ニ青年ニ金三十円遣ス

七月二十六日　土曜

午前八時秋山自働車[5]ニ而帰リタリ

1　福間＝地名、宗像郡福間町
2　筑豊組合＝筑豊石炭礦業互助会、筑豊石炭鉱業組合から中小炭坑が離脱してこの年九月結成
3　王丸代吉＝福岡県会議員、福岡市会議員、玄洋社
4　牛湯祭り＝筑紫郡二日市町湯町の夏の土用の丑の日の祭り、この日温泉に入ると千日分の効き目があるとされた
5　秋山自動車＝秋山延蔵（福岡市海岸通）

七月二十七日　日曜

東京学生ト下川〔久市〕[1]判事相見へ、山内確三郎[2]君帰県ニ付面会ノ旨申入アリタ
山内氏帰県ニ付、学生及下川氏等松月ニテ喰事ヲ饗応ス
午前十一時出福ス
午後相政〔お〕ニ堀氏より招待ヲ受ケ出席ス
午後二日市不老庵ニ行、宮崎市長〔川越壮介〕来訪ノ電話アリ、午後十二時帰ル

七月二十八日　月曜

山内確三郎・下川判事及学生早朝相見へ、寄宿舎ノ打合ヲナシ、朝食ヲ呈ス
宮崎市長午前九時半水野旅館[3]ニテ休息、午前十時相見へ、市営問題[4]ニ付種々希望有之、今後大和田〔市郎〕[5]君ヲ以交渉ノ事ヲ打合ス
午前十一時半一方亭ニテ食事ヲ呈ス
増永〔元也〕氏ニ、電気広告問題ハ義之介上京中ニ付打合ノ件、電話ス
午後四時湯町不老庵ニ着ス
江崎滞在ト思ヒ不老庵ニ電話セリ、其ノ電話室ニ銀貨入置忘レノ聞キ合ノ為メ探定〔偵〕来リタリ

七月二十九日　火曜

不老庵ニ滞在、山内範造氏終日滞留、食事ヲセラレ午後八時発ニ而原田[6]ニ帰ラル
江崎君相見へ、前夜之事ハ何等別条ナク済ミタリ
飯塚藤森〔善平〕外数名浜ノ町ニ相見ヘタル電話アリタルニツキ、明日午後迄ニ本宅ニ帰宅面会ノ旨返話ス
二十円番人ニ渡ス

八円先日渡セリ

七月三十日　水曜

午前六時半米山越ニテ本宅ニ帰ル
五円三介［ママ］、五円お浜・おまさ、[7] 三十円お米・おきみ、十円女中
弐千五百円別口ニ預ケ入ナス
下川判事、実岡［半之助］[8]・藤森県会議員相見へ、東京寄宿舎[9]建設ノ懇談アリタ、後援会組織セラレ、其上ニ而返事ナスコトヲ打合、義之介ヲ以交渉スルコトニ打合ス

七月三十一日　木曜

午前八時半大田和［大多和徳］[10]及太介一同出福ス

1 下川久市＝東京地方裁判所判事
2 山内確三郎＝弁護士（東京市）、元東京控訴院長、元衆議院議員、嘉穂学舎創設者
3 水野旅館＝福岡市東中洲
4 宮崎市の電気事業市営計画
5 大和田市郎＝九州水力電気株式会社取締役、九州送電株式会社取締役、元日向水力電気株式会社社長
6 原田＝地名、筑紫郡筑紫村
7 おまさ＝旅館大丸館（筑紫郡二日市町）女中
8 実岡半之助＝宮野銀行（嘉穂郡宮野村）頭取、福岡県会議員、元嘉穂郡宮野村長
9 東京寄宿舎＝嘉穂学舎、嘉穂郡出身在京学生寄宿舎
10 大多和徳＝明治生命保険株式会社カ、坑木業者カ

午前八時野田〔勢次郎〕氏相見へ、つや子〔麻生〕[1]ノ件モ聞キ取タリ
太介・義太賀両学友某氏ト片倉階上ノ共進亭[2]ニテ晩食ヲ饗応ス、友人ノ鎎〔汽〕車賃三十円遣ス

八月一日　金曜

午後十二時義之介東京ヨリ帰リ、滞京中ノ事柄聞取タリ
午後一時三十分湯町不老庵ニ行ク

八月二日　土曜

不老庵ニ滞在

八月三日　日曜

不老庵ニテ休養ス
自働車庫ハ地主不当ノ申分ニ付見合ス

八月四日　月曜

午前九時半米山越ニテ本宅ニ帰ル
湯町池の水抜工事ニ付、籾田ニ打合セ、現在より高クスルコトヲ大丸館ニ電話ス
元吉石場[3]ノ受負石工来リ、今後ハ仕操費ヲ要スル旨申居レリ
湯町建設中大工ノ宿料半高、籾田ハ全部、負担ノコト打合ス

八月五日　火曜

午前六時半自働車ニ而飯塚本宅より浜ノ町ニ来リ、村上常務ト打合ヲナス
午前八時半営業所ニテ九軌会長問題打合ス
午前十時重役会開催、午後一時閉会

昼食後つや子一同津崎屋〔ママ〕[4]ニ行キ、つや子縁談ノ年内必要ト野田家ニモ希望アリ、早クスルコトニ打合ス
午後七時過キ晩食ヲナシ、湯町不老庵ニ行ク

八月六日　水曜

不老庵滞在

八月七日　木曜

湯町不老庵より自働車ニ而帰宅ス、献上品ノ件ニ付庶務利〔科〕長ニ電話ニ而指図ヲ乞タリ
午前十一時九水営業所ニ而大分県電灯問題打合ス
九軌株十万株買入打合ス
谷田来リ、九軌壱万株四十五円六十銭ニテ売物アリトノ事ナリシ

八月八日　金曜

原田延雄来リ、金壱百円遣ス
谷田来、九軌五千株四十六円五十銭ニ而売物アリ、買入方棚橋氏ニ電話ス

1　麻生ツヤ子＝太吉孫
2　共進亭＝西洋料理屋（福岡市呉服町片倉ビル）
3　元吉＝地名、嘉穂郡庄内村カ、同郡上穂波村カ
4　津屋崎＝地名、宗像郡津屋崎町、麻生家津屋崎別荘所在地

八月九日　土曜
午後二時久留米御滞在ノ秩父宮[雍仁][1]様奉伺ス
八月十日　日曜
午前十一時湯町不老庵ニ行ク
八月十一日　月曜
湯町不老庵滞在、同区長相見へ、道路手直シノ報告アリ、該費用ハ大丸館ニ頼ミ仕払セリ
午後二時過キ自働車ニ而米山越ニテ帰リタリ
夜分ニナリ暴風之為知来リ
八月十二日　火曜
本宅ニ事務整理ス
鬼丸平一[市]来リ、藤松[鬼丸]屋敷ノ件申入タリ
八月十三日　水曜
高山[2]不幸ニ付悔ミニ行キ、午後一時霊柩帰着ニ付再度仏参
木村常務ト大分電灯之件ニ付知事ノ裁断電話アリ
野田君相見へ、九洲[鉱]工業会社ノ付近坑区約三百万坪位買受ノ件ハ、同社ノ意向ヲ聞キ進行ノ事ニ打合ス、代価ノ希望何程アルカ聞キ合ノコト打合ス
午後四時自働車ニ而出福、加納[鎰子][3]様御出発ノ際ニテ一寸ノ[ママ]ツヤ[麻生][4]ノ件聞取タリ
女中手不足ニテ入湯見合セリ
義之介来リ、福岡耕地整理ノ件打合ス

八月十四日　木曜

平尾ニ行キ、道路ノ実地ヲ見テ、一同片倉食堂ニ而晩食ス

黒瀬及二日〔市脱カ〕行買物ス

八月十五日　金曜

村上功〔巧〕児氏相見へ、種々打合ヲナス

午前九時九水重役会ニ臨ミ、午後十二時半帰リタリ、運転手ニ金二十円遣ス

午後三時頃より木村・村上両氏待受アリシモ、宮田君ハ来訪者アリ、時刻延引ニ付福村ニテ逢ヒ、晩食ヲナシ、木村氏ハ上京アリタ

八月十六日　土曜

午前帰宅

高山告別式ニ仏参ス

八月十七日　日曜

午前九時自働車ニ而出福ス

二日市不老庵ニ行キ、百二十円大丸館払、十円風呂番、五円女中両人、米・ユキハ反物遣ス

1　秩父宮雍仁＝地方産業視察および大刀洗飛行第四連隊入隊のため七月三十一日より八月二十一日まで久留米市滞在
2　高山＝地名、飯塚町下三緒、太吉親族吉田家所在地
3　加納鎰子＝故加納久宜貴族院議員妻、野田勢次郎妻八重子・麻生夏母
4　太吉孫麻生ツヤ子縁談

午後五時三十五分二日市駅発ニ而一方亭ニテ鈴木〔憲太郎〕氏招宴ニ列ス

八月十八日　月曜

延岡鈴木元社長相見へ、宮崎市営電灯之件ニ付申入アリタ、村上・今井・靏丸ノ諸氏も見居タリ

午後三時相〔お〕政へ行、堀・山内両氏ト食事ス

八月十九日　火曜

笹尾〔小笹〕白水重雄・加藤〔友喜〕[1]某相見へ、道路計画ニ付補介ノ内談アリ、百円遣ス

堀氏相見、銀行ノ相談アリタ

八月二十日　水曜

青柳〔郁次郎〕代議士病死ニ付、蓑〔簀〕[2]子町住宅ニ悔ミニ行キ、引続午前十時二十分火葬場ニ仏参焼香シ、御家族ニも悔ミヲ申述タリ

午後二時四十分博多駅ニ遺□〔骨〕送リタリ

午後四時過キ平尾ニ行キ、門口ノ工事ヲ見而湯町ニ行キタリ

湯町不老庵ニ一泊ス

八月二十一日　木曜

午後四時帰リタリ

義之介来リ、太賀吉修学ノ件ニ付打合ス

午後六時四十五分博多駅御通過ニ付、秩父宮様御奉送申上ル

八月二十二日　金曜

村上君相見へ、九軌社長〔松方幸次郎〕[3]慰労金問題ニ付大田黒〔重五郎〕[4]氏より来状アリ、示サレタルニ付、右ニ関シテハ何等関係ナキ様注

意ス
午前九時半九水営業所ニ行キ、九軌引受株ノ成行打合ス、黒木君ニ調査ヲ乞タリ
木村君帰県ニ付、在京中ノ報告アリ、来ル二十九日重役会東京ニテ開催ヲ打合ス
幸袋伊藤〔傳右衛門〕[5]ニ電話セシモ、福岡ニ返〔ママ〕ノ跡ナリ
午後三時頃自働車ニ而帰リタリ
野田・義ノ介両人ト太賀吉修学之件ニ付午後十時迄打合ス

八月二十三日　土曜

中元ノ送リ物ヲナス
午後二時自働車ニ而義之介ト一同出福ス
太賀吉修学之件ニ付、午後十時迄義之介立会夏子一同協義ス
其ノ結果、川村〔河村幹雄〕[6]先生ニ懇願ノ為メ明日野田君ニ出福ヲ乞タリ
川村先生ニハ明日午前九時半より十時迄ニ訪問ノ件加納〔狩野嘉市〕ヲ差出ス

1　加藤友喜＝植木商（福岡市小笹）
2　簀子町＝地名、福岡市
3　松方幸次郎＝元九州電気軌道株式会社社長、この年六月社長退任
4　大田黒重五郎＝九州水力電気株式会社取締役、この年十月より九州電気軌道株式会社社長
5　幸袋＝地名、嘉穂郡幸袋町
6　河村幹雄＝九州帝国大学工学部教授

八月二十四日　日曜

午前九時野田・義之介両氏ト打合セ、午前十時川〔河〕村先生ニ野田氏一同訪問、太賀吉教育上ニ付従来ノ養成ノ不行届キヲ謝シ、将来方針ニ付十二分ノ御養成ヲ願ヒ、御了解ヲ得タリ

浜ノ町ニテ川村先生ノ御意向、又是迄ノ心得方不宜ニ付十分注意セシニ、幾分カ了解セシ如ク見ヘタリ

八月二十五日　月曜

太賀吉修業ノ私熟〔塾〕実地ニ臨ミ、万事工事ヲ差図ス、屋敷ノ風況余程宜敷、将来繁栄ノ心地スヲ感シタリ

夏子ニ太賀吉ノ心得方ニ付十二分ノ注意スル様懇々相頼ミタリ

午前十時半帰リタリ

棚橋君より電信ノ旨木村氏より聞キ取タリ

午前六時十分黒木君九軌調査書持参アリタ

八月二十六日　火曜

午前七時木村常務ニ株買入谷田ヲ注意方電話ス

〔麻生〕太七郎来リ、青柳氏葬式ノ報告ス

福岡ニ行キ、東京出発ニ変更ス

九月五日　金曜

午前十時五十分自働車ニ而出福ス

午前十一時半営業所ニ出頭

棚橋・木村・今井ノ三氏ト、九軌株ノ買入ニ付金融上ニ付打合セ、新株四十二円以内ニテ買入ルコトヲ打合ス、旧株ハ見合セリ

原田〔延雄カ〕来リ、九軌秘蜜及九軌役員ノ事ヲ聞キタルモ、一方ハ先方ノ秘蜜希望アリタル為メナリ、役員ハ先方ノ撰挙ナリ、未定ノ旨申向ケタリ

平田〔貫一〕[1]内務部長見送リタリ

福村ニテ東〔東邦〕望会社西山〔信一〕[2]氏ニ挨拶ノ為メ晩食ヲ催ス

九月六日　土曜

午前九時半自働車ニテ帰リタリ

野田勢次郎君相見へ、九軌買入ノ打合ヲナシ、下ノ関林商店より二千五百株四十一円五十銭ニテ買入ノ約束ス、九日迄ニ三井銀行福岡支店ニ為替ノ旨打合ス

右ニ付木村氏ニ打合セ、黒木君ニも同様電話ス

棚橋氏ニモ電話打合セシニ、金融各取引先キヨリ断リ来リ、買入見合コトニ打合ス

九月七日　日曜

高嶋〔市次郎〕[3]ノ仏前、木村〔謙三郎〕及麻生屋[4]・広畑[5]ニ参拝ス

高山ニ仏参ス

1　平田貫一＝福岡県内務部長転任、神宮皇学館長就任

2　西山信一＝東邦電力株式会社九州技術部、のち取締役

3　高島市次郎＝株式会社麻生商店吉隈鉱業所長

4　麻生屋＝太吉弟故麻生太七（株式会社麻生商店取締役・嘉穂銀行取締役）家

5　広畑＝太吉弟故麻生八郎（株式会社麻生商店山内及び上三緒鉱業所長）家

木村氏ト打合ス
太田清蔵氏[1]より電話アリ、明日午後浜ノ町ニテ面会ヲ返事ス

九月八日　月曜

午前自働車ニ而義之介・武田一同出福ス
福岡耕地整理之件ニ付、午後三時半より樋口〔昌弘〕[2]・大丸〔王丸代吉〕及県庁区画整理掛ノ諸氏相見へ、南部区画務〔整〕理ノ件午後七時半迄打合ス、晩食後引取アリタ

九月九日　火曜

県庁ニ出頭、知事官房ニ而農士学校[3]寄付金・地所代買入ノ六万円寄付スルコトニ承諾ス
福村家ニ而佐藤慶太郎氏より昼食ノ案内アリタ
白水〔重雄〕外一氏、平尾道路ノ件ニ付相見へタリ
西山〔信一〕氏連レ堀相見へ、会談ス
永野清[4]氏相見ヘタリ
村上氏相見へ、九軌之件宮田君ノ意向聞キタリ
午後四時白水・加藤〔友喜〕両氏相見へ、明日実地ニ臨之事ヲ約ス

九月十日　水曜

午前八時半知事官舎ニ松本知事訪問、筑豊炭田合同[5]ノ件ニ付懇談シ、又従来尽セシ事等詳細申述タリ
午前十一時九水営業所ニ行キ、木村常務帰県ニ付、九軌之模様報告アリタ
金融上ニ付棚橋氏へ向ケ三菱ノ返事等打合ス、義之介来リ、貝嶋家電力之件ニ付紹介方打合ス
平尾ニ行キ道路ノ視察ス、加藤・白水両氏立会アリタ

午後六時福村家ニ而堀氏ト会食ス
［欄外］六マ、十二ナリ

九月十一日　木曜

柳原［塾舎］[6]工事視察ス
午後二時三十分岡松［直］[7]火葬ニ付帰飯致仏参ス
午後六時典太［麻生］[8]・夏子一同帰ル

九月十二日　金曜

棚橋氏相見ヘ、大田黒氏辞任之件ニ付打合ス
午前十時湯町別荘[9]ニ行キ、宝満宮参詣、午後七時帰ル

1　太田清蔵＝第一徴兵保険会社長、昭和絹糸紡績会社会長、元衆議院議員、のち貴族院議員
2　樋口昌弘＝福岡市会議員、福岡市西南耕地整理組合副組合長、九州日報監査役
3　農士学校＝福岡農士学校（早良郡脇山村）、佐藤慶太郎（炭鉱主、三菱鉱業株式会社監査役）主唱、翌年開校
4　永野清＝元熊本県警察部長、翌年大分県知事
5　筑豊炭田合同＝松本学知事が提唱した筑豊全炭鉱および製鉄所合同案、太吉・松本健次郎・貝島太市は賛同したが、三井の反対で不成立
6　柳原塾舎＝柳原学修室とも（福岡市下警固）、太吉が孫太賀吉等のため建設した学修室、この年十一月竣工
7　岡松直＝株式会社麻生商店家事部、この日午前九時死去
8　麻生典太＝太吉孫、のち麻生鉱業株式会社専務取締役
9　湯町別荘＝麻生家別荘不老庵（筑紫郡二日市町）

九月十三日　土曜

午前七時半湯町より帰リ、下痢ニ罹リタリ
出発ノトキ湯場ニ五円遣ス
加納〔鎰子〕様御来邸ニ付挨拶ヲナス
午前八時半九水重役会ニ出席、四名ノ重役撰挙、及今井〔三郎〕常務ヲ専務ニ了解ヲ得タリ
午後一時半帰ル
午後九軌山田正雄〔隆カ〕[1]氏相見ヘタリ
貝嶋会社玉井〔磨輔〕[2]君相見ヘ、電力供給ノ件ニ付打合ス
午後九時自働車ニ而帰リタリ

九月十四日　日曜

仏事ヲ営ミタリ
午後一時福岡ニ而貝嶋玉井・木村・今井・真貝〔貫一〕[3]ノ四氏ト、電力供給ノ件ニ付懇談セリ

九月十五日　月曜

午前九時九水営業所ニ出頭、関係会社ノ重役会開催、初会ニ付其ノ挨拶ト、九軌ノ件秘蜜ニ付大体ノ報告ト将来ノ方針ニ付懇談ス
午後一時閉会、三角〔みかど〕[4]食堂ニ而昼食ヲ呈ス
　三十二円払ヒタリ
午後四時ヨリ加納様御滞留ヲ電話シ帰リタルニ、野田氏ノ関係断リアリ、打合セシモ熊本行ニ而出福セラル

九月十六日　火曜

西田〔熊吉〕先生ニ来邸ヲ乞、ツヤ子ノ病状及縁談ノ件内談、十二月末ナレハ指問ナシトノ事ナリ

山内範造氏より湯町突湯指問ナキ旨電話アリタ

花村久助[5]君相見へ、芳雄地元寄付金ノ件ニ付内談、及魚市場ノ件内談アリタ

九月十七日　水曜

午後一時半出福ス

加納様ニ、ツヤノ縁談ニ付医師ニ乞合セシニ、年末ナレバ何等指問ナキ旨証言アリタルニ付、其旨野田家ニ申入方相談シ、自働車ニ而御出アリ（夏子御供ス）

野田氏ト熊本行ノ用向及坑業組合小坑山寄合ノ件[6]打合ス

午後六時半福村家ニ而食事ス

九月十八日　木曜

加納様より野田氏ノ返事ヲ聞キタリ

貝嶋坑山玉井〔磨輔〕君相見へ、一銭五厘三ケ年辛抱シ、三ケ年目ニ下直〔値〕ノ何ニカ道ナキカトノ事ニテ、多分契約成立ス可

1　山田正隆＝九州電気軌道株式会社取締役
2　玉井磨輔＝貝島合名会社理事、貝島鉱業株式会社代表取締役、貝島木材防腐株式会社取締役
3　真貝貫一＝九州水力電気株式会社技師長、第三巻解説参照
4　みかど食堂＝みかどホテル内の食堂（福岡市西中洲）
5　花村久助＝醬油醸造業（飯塚町立岩）、元飯塚町会議員
6　筑豊石炭礦業互助会は九月十五日鞍手郡直方町で設立総会開催

シ見込ナリ
棚橋氏より電報達ス
赤司ニテ植木買入代金ハ浜ノ町より払ヒタリ
午後七時半湯町ニ行ク

九月十九日　金曜

午前八時不老庵ヨリ自働車ニ而浜ノ町ニ帰リ、今井常務より貝嶋坑山電力之件電話アリ、玉井氏相見へ、一銭五厘ニテ三ケ年辛抱サセレバ見込アル旨申向ケタリ
永井管二〔菅治〕君相見へ、逓信省入用土地ノ内談、電力統一ニツキ入用ノ外ハ代価次第ニテ御交渉可申旨返事ノコト、打合ス
村上氏より大田黒氏ノ来状ニ付電話アリ
宮田氏ノ書面ノコト話シナシタリ
夏子より種々申向ケタルモ、決〔ママ〕局家内円満ニ希望呉々申向ケ、納得セリ、ツヤ子ノ結婚ノ順備〔ママ〕注意スル様打合ス
午後二時半帰リタリ
［欄外］野田君坑業組合ノ報告アリタ

九月二十日　土曜

宮田・山田両氏より九軌之電報ノ旨、浜ノ町より本家ニ電話アリタ
村上氏より電話アリ、午前八時出福ス
誠〔成〕城[1]学校先生相見へ、みかとホテルニテ昼食ヲ出ス
星野〔礼助〕氏相見へ打合ス

九月三十日　火曜

午前九時十二分芳雄駅発ニ而若松築港会社重役会ニ出席
午後二時四十分若松駅発ニテ、黒田男[稔カ][2]爵ト午後四時二十四分博多駅着
鑛[汽]車中ニテ木村常務ト面会ス
堀氏相見へ、東望[東邦]会社より九水会社員二日夕福村家ニ招待ノ案内アリタ
政ニ行キ食事ヲナス

十月一日　水曜

午前十一時出庁、松本知事ニ面会、鉱山合同ハ、尤現状ノ場合ニハ、適度ノ施設ヲ製鉄所ヲ中真[心]トシテ炭坑積入ニ関スル鉄道及若松築港会社ト合同スル時ハ、丁度三池鉱山ノ同一ノ事ニナリ、大幸福ノ旨ヲ開陳ス
執印[宮夫][3]歯医師ニ治療ヲ乞タリ
伊藤傳右衛門君相見へ、種々身ノ上咄ヲ聞キ、九軌賞与之事ハ相当ナリト申居レリ
午後四時相[お]政ニ行キ、堀・山内相見へ食事ヲナス

十月二日　木曜

木村・村上両氏相見へ打合ス
岩崎寿喜蔵氏相見へ、鉱山ノ件、聯合会ノ決定不至旨申向ケタリ

1　成城学校＝成城中学校（東京市牛込区）、太吉孫太介在学
2　黒田稔＝加藤司書顕彰会長
3　執印宮夫＝歯科医師（福岡市中島町）

執印歯医師ニ治療ヲ乞タリ
貝嶋営業ノ電力ノ件ニ付宮田君相見へ、村上・木村両氏ノ打合セシモ決定至ラズ、棚橋・今井両氏ニ電話シ、一同打合ス
午後六時福村家ノ東望〔東邦〕ノ招待会ニ列ス

十月三日　金曜

今井常務相見へ、北九州水量調査問題ニツキ打合ス
笹屋藤田万〔伴〕次郎[1]君相見へ、酒造営業中止ノ内談アリ、継続ノ意向ヲ申向ケ度キモ、既ニ親族一同打合セ酒道具モ二日市大賀〔直次郎〕[2]氏ニ売却内約セシトノ事ニ付、指控ヘタリ
渡辺皐築君相見へ、産鉄ノ打合ヲナス
平尾其他所有地境界調査ヲナシム
午後一時県庁水量調査会ニ出席、四時過キ帰リタリ
執印歯医ニ治療ヲ乞タリ

十月四日　土曜

午前八時二十分博多駅発ニ乗車、宇部石炭組合[3]ニ向ケ、戸畑駅より安川清三郎[4]氏、下ノ関駅ニテ池上駒衛君ト宇部ニ行キ、藤〔空白〕〔藤本閑作カ〕[5]氏外数名ニ面会、調節問題ノ同意ヲ乞タリ、承諾ヲ得、昼食ノ料理ヲ頂キ、午後三時四十分発ニテ帰リタリ
山口〔修一〕[6]博士ニ博多駅より小倉駅迄同車ス、九軌火力ノ件ニ付有益ノ咄ヲ聞キタリ
門司駅より二日市駅ニ向ケ、午後八時十四分着、直チニ不老庵ニ行ク

十月五日　日曜

午前湯町ニ滞在
午後一時米山越ニテ木村考〔孝〕太郎君[7]ノ葬義〔ママ〕ニ列ス
式場ニテ村上常務ニ面会ス
午後四時半自働車ニテ出福ス

十月六日　月曜

午前八時大和田〔市郎〕取締役相見へ、市営問題ニ付一時出金ノ懇談アリタルモ、余程力多ク故、暫ラク延期ノ旨申向ケタリ
村上氏相見へ、九軌之打合ヲナス
柳原〔学舎〕工事ヲ見テ赤十字社ノ赤交会ニ出席
松本知事ト〔筑豊炭田〕合同問題ニ付打合ス
午後一時九水重役協義会ニ出席、午後四時散会

1　藤田伴次郎＝笹屋、太吉親族、酒造業（遠賀郡底井野村）
2　大賀直次郎＝酒造業（筑紫郡二日市町）、元二日市町助役、元御笠銀行監査役
3　宇部石炭組合＝宇部鉱業組合、一八九七年設立（山口県）
4　安川清三郎＝明治鉱業株式会社長
5　藤本閑作＝宇部鉱業組合幹事、東見初炭鉱（山口県宇部市）頭取
6　山口修一＝九州帝国大学工学部教授
7　木村孝太郎＝木村順太郎（株式会社麻生商店監査役）長男、株式会社森崎屋（酒造）

午後五時不老庵ニ自働車ニテ行ク

十月七日　火曜

午前五時二日市駅発ニ乗車ノ筈ナリシモ、午後博多駅六時発ニ乗車、大坂金森[1]及村上常務ニ発電ス

十一月四日　火曜

堀氏見舞ニ立寄アリタ

徳乗院[2]法要ヲナス

渡辺皐築君相見へ、調査委員ノ件聞キ取タリ

門司野田勢次郎君より電話ニ而、松本健次郎氏出福面会致度トノ事故、午後一時自働車ニ而出福ス

山内範造君相見へ、不老庵突湯願ノ件ニ付内談アリタ

松本健次郎氏相見ヘタルニ付、互助会[3]ノ件ハ精々短気セラレザル様、又合同問題ニ付懇談ス

二十四、五日頃北海道より東京ニ引返シノ予定ニ付、確定シタラ電報ヲ約ス

十一月五日　水曜

午前七時大丸館ニ入湯シ、八時半自働車ニ而帰リ、九時半九水営業所協義会ニ列ス

九軌突発事件[4]秘蜜ニ報告ス

十二時十五分松本知事在庁ノ電話池嶋〔敏英〕[5]属ヨリ通話アリ、直チニ出頭セシモ帰庁遅クナリ、折柄西洋人及川波〔河波荒次郎〕代議士・大丸〔王丸代吉〕等ノ諸氏相見ヘタルニ付、六日午前九時官舎ニ而面会ヲ約シ、退庁ス

三角〔みかど〕食堂ニ而昼食ヲナス

執印歯医師ニ治療ヲ乞タリ

植木買入タリ（十八円余）

［欄外］三百八十三円四十一銭上京旅費受取

十一月六日　木曜

午前八時福岡時々新聞［時事新報］長野某［民次郎］[6]来訪、電気事業ニ付談話ス、金弐百円遣ス
元知事斉藤［守圀］氏ノ紹介ニテ吉岡某来訪セシモ、先約ノ為メ面会断リタリ
午前十時出庁、松本知事ニ面会、九軌之一件報告ス
石炭合同ニ関シテハ、十八、九日頃上京スル予定ニ付、其ノ心組ニ致呉レル様申向ケアリタ
工事ハ加納［狩野］ニ申付、午後五時不老庵ニ行ク

十一月七日　金曜

不老庵ニ花村徳右衛門ヲ呼ヒ、同所ノ枯木ノ補植ニ久留米より植木買入ニ遣ス

十一月八日　土曜

滞在
執印歯医師ニ治療ヲ乞タリ
片倉リ［ビ］ルテングニテ昼食ヲナス

1　金森＝旅館（大阪市西区江戸堀）、太吉定宿
2　徳乗院＝太吉三男故麻生太郎（元株式会社麻生商店取締役）
3　互助会＝筑豊石炭礦業互助会、この年九月創立総会開催（於直方町）、会長金丸勘吉
4　九軌突発事件＝九州電気軌道株式会社専務取締役松本忞蔵の背任事件
5　池島敏英＝福岡県知事官房属
6　長野民次郎＝福岡時事新報社（福岡市春吉土橋）主幹

棚橋氏より九軌之件来状アリ、直チニ木村専務ヲリルテング〔片倉ビル〕ニ呼ビ、打合セ、電信ヲ発ス、別ニアリ

午後五時不老庵ニ着ク

十一月九日　日曜

滞在

十一月十日　月曜

不老庵ニテ平野〔市三〕来リ、補殖〔植〕ヲナス

大丸館女中はま来リ、病気療養ニ付質入セシ衣類流レルニ付金五十円融通相談ナシ、相渡ス

宰府有吉〔林太郎〕君見台開キニツキ、金三十円為替江崎君ニ依頼ス

武田ヲ呼ヒ、井戸掘願ノ件警察署ニ差図方申入タルニ付、井戸掘ニハ願ニ不及、湧湯ノ場合ニ湯突願進達方申向ケアリ、返〔ママ〕リタリ

午後五時頃より風邪ノ気味アリ、米山越ニテ帰リタリ

辰子〔麻生〕[1]神戸女学校入校ニ付希望アリタルモ、現在之処ニテ辛抱スル様申謝〔諭〕シタリ

十一月十一日　火曜

風邪ニテ臥付療養ス

市制之件ニ付飯塚町有志相見候モ、風邪ニテ面会断リタリ

野田勢次郎君相見へ、満洲行ノ見送及電信等聞キ取タリ

土居坑区[2]ハ断リタリ

八塚〔秀二郎〕[3]氏株五百株貸与ノ件ハ、商店〔麻生〕ニテ適当ノモノナキニテ、別口ノ分貸与スルコトニセリ（書類ハ八塚氏ノ分ハ野田君ニ、別口株ノ分ハ義之介ニ渡ス

十一月十二日　水曜

風邪ニテ臥付療養ス

義之介帰県ス（八塚氏株ノ件打合ス）

［欄外］壱千円別口ノ分受取

六百六十五円十五銭諸口立替分受取

懐中三百十五円

千七百円現在

十一月十三日　木曜

渡辺皐築君相見へ、十七銀行及安田銀行ニ取付ノ恐レアリ、三井より借リ入預ケ入置クコト安全ナリト打合ス

辰子入学ノ件、夏子ノ意向ニヨリ実行スル様義之介出福ナサシム

九軌突発事件ノ跡始末ノ筆記ス

十一月二十日　木曜

午前十時半営業所ニテ木村・今井・黒木・池田ノ諸氏ト、弐千五百万円社債肩替リ、九軌株ヲ九水ニ所有シ、保善〔全〕会社[4]ニハ入用ノ時貸与スルコトニ打合ス

1　麻生辰子＝太吉孫

2　土居坑区＝桝谷平三郎所有鉱区（嘉穂郡桂川村）

3　八塚秀二郎＝九州水力電気株式会社監査役、九州保全株式会社取締役

4　保全会社＝九州保全株式会社（東京市）、この年八月株式および公債取得処分を目的に設立された九州水力電気の傍系会社、太吉社長

病院ニ行キ、辰子ヲ見舞、帰途片倉食堂ニテ一方亭連ト食事ヲナス
渡辺皐築君森崎屋[1]ノ件ニ付相見へ打合ス、明年四月迄継続ノ事ニセリ
野田勢次郎君相見へ打合ス
［欄外］百八十二円八銭旅費受取

十一月二十一日　金曜

木村順太郎氏相見へ、営業上ノ未払ノ却而支配人ノ所有ノ如ク口気アリタ
義之介来リ、昭和電気〔灯〕会社[2]ノ許可ノ旨聞キタリ
木村平右衛門氏相見へ、会社組織ニ付懇談ス

十一月二十二日　土曜

大森嘉右衛門君[3]相見へ、金融ノ内談アリタルモ、炭況困難ニ付断リタリ
井上〔準之助〕[4]夫人日田ニ御出ニテ、本日午後別府行ノ由ニ付、挨拶ノ為メ別府行ノ筈ナリシモ、風邪ニテ太七郎代理ニ遣ス
整理ス

十一月二十三日　日曜

柳原〔学舎〕家屋実地ニ行キ、残工事ノ差図ヲナス
午前十時半自働車ニ而不老庵ニ行キタリ
山内〔範造〕・江崎両氏相見へ、晩食ス

十一月二十四日　月曜

朝昼食事ヲナシ、午後四時帰宅ス
県庁井上〔秀太郎〕[5]主事より電話ニテ、廿五日知事上京ニ付面会ノ件電話アリ、中光ニテ会合ノ打合ヲナス

十一月二十五日　火曜

村上功《〔巧〕》児君相見へ、九軌重役貝嶋《〔太市〕》・安川《〔第五郎〕》[6]（電気ノ安川氏希望アリ）・野田《〔勢次郎〕》三君ニ若シ推挙スル場合ニ承諾ノ交渉スルヨウトノ事ニテ打合ス

内本《〔浩亮〕》[7]君相見へ、杖立ノ決算打合ヲナス

午前九時ヨリ九水営業所重役会、及関係会社ノ惣会ニ出席ス

午後五時中洲支那料理ニテ一同ト晩食ス、午後八時半帰ル

［欄外］杖立《〔水電〕》三百五十円
筑後《〔電気〕》百五十円
〆賞与受取、六月より十一月迄ノ分

十一月二十六日　水曜

午前八時自働車ニ而帰宅ス

1　森崎屋＝株式会社森崎屋商店（酒造業）、代表取締役木村順太郎（株式会社麻生商店監査役）
2　昭和電灯株式会社＝この年十二月嘉穂電灯株式会社を改称して九州水力電気の傍系会社となる、太吉社長
3　大森嘉右衛門＝昭和義塾（福岡市）創設者、製薬業
4　井上準之助＝大蔵大臣、元日本銀行総裁
5　井上秀太郎＝福岡県官房主事兼統計課長
6　安川第五郎＝株式会社安川電機製作所常務取締役
7　内本浩亮＝杖立川水力電気株式会社取締役、九州水力電気株式会社取締役、第三巻解説参照

野見山米吉君銀行ノ件ニ付相見へ、打合ス

武田〔星輝〕ヲ呼ヒ、太宰府地所小作ヲ引上ケ栗林ニナスコトヲ談、実地ニ出張セシム

貝嶋氏ニ電話セシモ上京セラレタリ、義之介能ク了知セリ

［欄外］二百廿六円買物代受取

三百五円懐中現在

十一月二十七日　木曜

県会議員諸氏及町村長相見へ、警察署改築ニ付寄付ノ了解致呉候様トノ前広〔廉〕ノ内談アリタ、能ク分リマシタト返事ナシタリ

木村専務より宮崎市電気経営ニ付談合ノ末、会社ノ返事ハ現金ナレバ預金利子又ハ公債利子ヲ希望スル旨返事ヲナシタリ

黒木君より電話アリ、九軌三名名換之件ナリ

十一月二十八日　金曜

麻生惣兵衛[1]君相見へ、重役ノ件内談アリ、辞任より暫ラク其侭トノ方可然旨申向ケタリ

狩野〔嘉市〕帰リ、工事ノ順序打合セ、備忘録ニ記載セシム

午前十一時半より自働車ニ而出福ス

柏木商次[2]氏ニ門前ニテ面会ス

十一月二十九日　土曜

宮田九軌専務相見へ、名換ノ件ニ付延期ノ懇談アリタ

此ノ宮田君談話中突発事件ニ付研究ノ件アリ、木村・棚橋両君来臨ヲ乞、打合セ、木村君今夕出発上坂打合ス

太宰府ニ行キ、地所ヲ見分シ、栗林〔ママ〕ノ計算ニ付平野ニ申談ス
午後三時十分同所出発、一方亭ニ行キ、中根〔寿〕[3]氏ト晩食ス
岩本栄[4]君相見へ、金壱百円遣ス

十一月三十日　日曜

的野顕三君相見へ、明治天皇御愛品之件ニ付懇談アリ、断リタリ
渡辺皐築君より電話アリ、産鉄配当据付、元岩崎氏持ノ地所ノ処ニ田地六反分買収ノ打合、及重役撰挙欠員ノ侭ニスルコトニ打合ス
大坂木村専務より電話ニテ、尚弁護士ニ研究ヲ乞、其上東京より通信ス可キニ付、上京ノ打合ヲナス、棚橋氏ニ其旨電話ス
西山〔信一〕東望〔東邦〕代表相見へ、電灯直〔値〕下ケ県会ニ建議之件ニ付懇談アリ、永井君ニ注意シ、本人も相見へ、手抜ナキ様打合ス
大田〔多〕和婦人杭木ノ件ニ付懇談アリタ
野田勢次郎君相見へ、昭和電灯[5]ノ件打合ス

1　麻生惣兵衛＝酒屋、酒造業（飯塚町栢森）、嘉穂銀行取締役、元飯塚町会議員
2　柏木商治＝麻生縫（故麻生八郎妻）弟、麻生花（麻生太七郎妻）兄
3　中根寿＝元貝島鉱業株式会社取締役
4　岩本栄＝満蒙協会理事、雑誌『新極東』主幹
5　昭和電灯株式会社＝この年四月創立（飯塚市）、一九〇八年設立の嘉穂電灯株式会社を引継ぐ、太吉社長

［欄外］山中昇君相見へ、［空白］ノ養成ニ付談話アリタ

十二月一日　月曜

山中昇君相見へ、種々事業上ニ付談話アリタ

病院ニ見舞タリ

箱［宮］崎・住吉・姪ノ浜宕愛［ママ］神社ニ参詣ス

松本知事ト中光ニテ面会、東京ノ状況及九軌問題ニ付打合ス

十二月二日　火曜

藤田伴次郎君相見へタリ

柴田徳次郎[1]君相見へ、金融ノ相談アリタルモ、断リタリ

宮田専務相見へ打合ス

井上［秀太郎］主事相見へ、伊藤公ノ朝鮮寺院建築ニ関スル件ニ付懇談アリタ、毛利［里］保太郎[2]君了知ノ事モ注意ス

今井・永井両氏相見へ、直［値］下ケ建議ニ関スル件ハ一割二分ノ下ケル事ガ相当カ、已前よりノ関係調査ノ件打合ス

山崎達之介［輔］[3]氏挨拶ニ見へタリ

十二月十日　水曜

午後十二時半病院ニ行キ、太賀吉・辰子ヲ見舞タリ

木村重吉[4]氏ヲ見舞タリ

黒木・木村両氏相見へ、東望［東邦］合同ニ付調査ヲ打合ス

九軌土地会社ノ調査ヲ打合ス

十二月十一日　木曜

午前八時半営業所ニ出頭、決算ノ打合セ及東望ノ件意向打合ス

十二時帰リタリ

九軌山田〔正隆〕氏ト実地踏査日延打合ス

十二日夜海東〔要造〕氏より招待アリタリ

不老庵ニ而一泊ス、大丸館ニテ食事ヲナシ、婦人連集リタリ

十二月十二日　金曜

午後八時半自働車ニ而米山越ニテ飯塚本宅ニ帰リ〔ママ〕

野田・渡辺君相見へ、打合セタリ

午後四時海東氏ノ▨〔招カ〕待ニ付出福、一方亭ノ宴会ニ臨ミタリ、九水一同ナリ、代表シテ挨拶ヲナス

［欄外］六百四十九円
　二百七十一円八十銭
　百廿五円
　〆千四十五円八十銭

1　柴田徳次郎＝国士舘創設者、のち国士舘大学長
2　毛里保太郎＝門司新報社長、元衆議院議員
3　山崎達之輔＝衆議院議員
4　木村重吉＝木村順太郎（株式会社麻生商店監査役）息、九州水力電気株式会社、翌年九州電気軌道株式会社主計係

十二月十三日　土曜

午前久野〔五十志〕[1]君相見へ、米国行之件報告アリタ

午前九時半営業所ニ行、協義会ニ臨ミ協義ヲナス

午後関係会社ノ打合ヲナス

午後五時過キ帰リ、夫より支度シテ午後六時五分博多駅発ニ而上坂ス

下ノ関ニテ宮田・村上・関口〔高次〕[2]・海東・久野等ノ諸氏一同、午後十一時頃〔ママ〕モ談話ス

十二月十四日　日曜

午前七時三十分大坂駅着、直チニ金森ニ行キタリ

入湯及食事シテ、午前九時三分大坂駅発ニ乗車シテ、神戸駅ニ九時四十分ニ着、直チニ常盤花壇[3]ノ迎之自働車ニ而

九軌之重役会ニ臨ミタリ

山田〔正隆〕君米国出張ノ件、及次会ヨリ配当減ノ予告等、皆重役了解アリタ

原案決議セリ

午後二時食事ヲナシ、夫よりトーアホテル[4]ニ立寄打合、午後四時三分三ノ宮発ニ而大坂ニ引返シ、金森ニ一泊ス

十二月十五日　月曜

午前九時四十六分大坂駅発ニ乗車、金森主婦見送リタリ

乗客ハ一等ハ西洋人ト二人丈ナリ、至極安気ニテ凌キタリ

午後九時四十分下ノ関駅着、直チニ門司ニ渡リ、午後十時半迎之自働車ニ而門司より赤間ヲ経テ浜ノ町ニ帰リタリ、

午前一時二十分帰着ス

十二月十六日　火曜

山口（秋月ノ人）君、西山保君親子相連レ、ラジオ新聞発行ニ付融通之申込アリタルモ、断リタリ（橋口町二十九番地、法学士）

木村平右衛門氏相見へ、九軌之件報告シ、九水ノ事務打合ス、殊ニ山田正隆君身上ニ付内談ス

十二月十七日　水曜

石垣村[5]長矢田保・朝日村[6]長加藤弥司〔称〕ノ両氏相見へ、大学療養所[7]設置ニ関シ、地元負担金之内寄付懇請ノ為メ相見ヘタリ

永野清君相見へ、職員ニ採用方懇請アリタ

臼杵〔弥七〕本家より呼ヒタリ、当季九水株主惣会説明書清書ナサシム

星野弁護士ニツキ社債報告ニ付当否ノ異見ヲ聞キタリ

十二月十八日　木曜

九水営業所ニ今井常務不在ニ付、黒木君も同様ニ付、池田〔常二〕君ニ重役室ノ電話ニ呼ヒ、惣会報告ノ件尚確カメタリ

1　久野五十志＝杖立川水力電気株式会社取締役、のち九州送電株式会社取締役
2　関口高次＝九州電気軌道株式会社監査役、神戸汽船株式会社取締役
3　常盤花壇＝料亭（神戸市相生町）
4　トーアホテル＝トアホテルとも、東亜ホテルとも（神戸市北野町）
5　石垣村＝大分県速見郡
6　朝日村＝大分県速見郡
7　大学療養所＝九州帝国大学温泉治療学研究所、翌年設置

病院ニ行キ、赤松〔治郎〕[1]氏見舞タリ
赤岩〔八郎〕[2]先生ニ面会、挨拶ヲナス
東望〔東邦〕西山〔信一〕君相見ヘ、電気協会[3]ニモ同様直〔値〕下ケ不当ノ調査ヲナサシムルコトヲ懇談アリタ
平尾別荘[4]ニ行キ、取片付ヲナシ、品物ハ不老庵ト上ノ別荘[5]ニ分配ス
［欄外］湯町井戸十八尺
　八十一尺五寸下リノ旨狩野より報告
　黒瀬〔元吉〕目〔録〕六六枚、金六十九円臼杵送ル

　十二月十九日　金曜

法律商工新聞小方博正来リ、金五円遣ス
山内範造君相見ヘ、跡方もナキ希望ヲ以運動セシ如キ申触セシ者アリトノ事ニ而注意アリ、驚クノ外ナク旨申答ヘタリ
二日〔市脱〕不老庵ニ行、昼食ヲナス
一泊
［欄外］壱百円所員渡ス
　四十五円七十八銭ストフ〔ストーブ〕二台代払、二日市営業所長渡ス、百円渡シ過金受取

　十二月二十日　土曜

午前八時半下痢ヲ催シ、食事ヲ見合帰リタリ
片倉ヒリ〔ママ〕ジングニテ髪指〔ママ〕[6]ヲナス
帰リ梅木三本買入タリ

十二月二十五日　木曜

午前十一時三分博多駅着ニ而帰着ス
駅より木村氏ト自働車ニ而帰ル
義之介父子参リタリ
黒瀬相見へ買物ス

十二月二十六日　金曜

九水営業所ニ行キ、営業上ニ付打合ス
午後五時頃病院ニ寄リ、帰リタリ
書類午後十時半迄整理ス（臼杵ヲ呼ヒタリ）
金四拾円給仕・小使、久保田君渡ス
金三十円電信社ニ渡ス
同三十円原田延雄ニ渡ス

1　赤松治郎＝元貝島商業株式会社取締役、元貝島石灰工業株式会社取締役、元貝島木材防腐株式会社取締役
2　赤岩八郎＝九州帝国大学医学部教授
3　電気協会＝社団法人電気協会九州支部、一九一五年九州電気協会設立、一九二一年日本電気協会（東京）・中央電気協会（大阪）と合同して電気協会発足、太吉評議員
4　平尾別荘＝小笹庵とも、麻生家別荘（福岡市平尾）
5　上ノ別荘＝麻生義之介家小笹別荘カ（福岡市平尾）
6　髪指＝髪摘カ

同弐百円日高栄三郎[1]ニ遣ス
［欄外］百六十八円四十八銭上京旅費受取

十二月二十七日　土曜

野田・義之介両氏相見へ、解職ノ打合ヲナス
午前十一時産鉄《[九州]》・産業《[九州]》重役会開催
午後一時ヨリ惣会開催ス
午後二時自働車ニテ出福ス

十二月二十八日　日曜

堀三太郎君相見へ懇談ス
臼木《[臼杵弥七]》君呼ヒ書類整理ス
野田君相見へ打合ス
午後四時湯町ニ行キ、山内範造氏ニ面会、湧湯使用願ノ件打合
狩野ニ為持、清書シテ進達方申付ル

十二月二十九日　月曜

午前大丸館ニテ入湯ス
大丸館仕払ヲナス、三百五十六円八十銭仕払高、外ニ、八十円茶代、弐十円帳場、四十三円二十銭女中、八十円女中、五円三介《[ママ]》
椿井啓太郎[2]君来リ援介ノ懇談セシモ、何れ其内他ノ方面モ聞キ合返事スルコトニ答へ、帰リタリ
宮崎川越市長・木村専務一同相見へ、一時出金方ハ重而打合スコトニ申合ス

棚橋氏ノ一件ハ、平取締ハ是迄ノ通トシ、副社長迸〔ママ〕任ノ件来春十五日頃木村専務上京ノ事ニ打合ス

［欄外］黒瀬買物

六十円
十五円
六十円
弐十円
十円
二十円
〆百八十五円六枚

十二月三十日　火曜

病院ニ立寄見舞中、丁度赤岩博士診察ニナリ、挨拶ヲナス
自働車ニ而帰宅ス
書類整理ス
黒瀬品物持参ス

十二月三十一日　水曜

書類整理ス

1　日高栄三郎＝鰤漁のための日高式大謀網の発明者、元貴族院議員
2　椿井啓太郎＝大日本国粋会福岡県本部（福岡市渡辺通）長、戸畑社会館（戸畑市金原町）主

野見山米吉君相見へ、銀行経営ノ件ニ付懇談ス
黒瀬品物持参、買入ス
徳光[1]・中嶋[2]・大浦[3]ニ送リタリ

補遺

昭和五年七月二十日
　金壱千二百八円八十銭　嘉穂銀行五年一月より六月迄賞与金
　同三百七十円八十九銭　博済会社前断
〆　受取

金銭出納録

昭和五年一月十九日嘉穂銀行惣会ニ出席ス
　金壱千弐百八円八十銭　昭和四年七月一日より十二月迄嘉穂銀行賞与金
同三百九円十一銭　同博済賞与金
同弐百円　同博済社長報洲[酬]
同壱千九百七十一円八十八銭　博済臨時賞与
〆三千六百八十九円七十九銭

三千円　　　　　　　　一月廿三日臼杵ニ預ケ入申付ル

昭和五年八月二十三日
金五千円　　　　　義之介より受取
内
金千五百七十円　　徳光
同五百六十円　　　立岩[4]
同五百八十円　　　中嶋
同六百五十円　　　大浦
同九十円　　　　　浜ノ町
金壱千円　　　　　野田
〆四千四百五十円
残而五百五十円　　残

1　徳光＝麻生家分家、太吉女婿麻生義之介家
2　中島＝麻生家分家、太吉女婿麻生五郎家
3　大浦＝麻生家分家、太吉長男麻生太右衛門家
4　立岩＝麻生家分家、太吉四男麻生太七郎家

昭和五年十二月二十七日

金五千円　　義之介前夜持込

内

千五百七十円　　徳光

五百六十円　　立岩

五百八十円　　中嶋

六百五十円　　大浦

九十円　　浜ノ町

壱千円　　野田

〆四千四百五十円

残而五百五十円　　残り

十二月二十八日　　不老庵ニ行キ仕払ス

百円　　家番渡

外ニ五十円　　家費

三百五十六円八十銭　　大丸館払、別ニ目六アリ

二十円　　大丸館帳場

八十円　　茶代

四十三円二拾銭　　召使中

八十五円　大丸館受持女中、湯場三介

十円　九水運転手

十円　九水給仕

三十円　電気日報渡

三十円　原田延雄渡

弐百円　日高栄三郎渡

一九三〇（昭和五）年　筆記

注：博文館日記の表紙に紙を貼りつけ、太吉の筆で「筆記」と記されている。
この日記帳は他の書きこみから麻生家浜の町別邸に置かれていたものと思われる。

一月二日　木曜

降雨ニ付参詣見合、自働車ニ而帰宅ス

一月三日　金曜

午後三時半過博多駅ニ着、君代・たき代ハ薬院ニ年始ニ行キタリ

一月四日　土曜

棚橋氏相見へ、九水ノ方針ニ付内意ヲ打合セ、来ル六日所長会ニ懇談之旨意打合ス

宮地嶽神社・香椎宮参詣ス

宗像神社ハ香椎宮より遥拝ス

一方亭ニヨリ晩食ス

一月五日　日曜

午前八時半飯塚ニ帰ル

一月六日　月曜

午前伊藤・堀両氏相見へ、山口君九軌ノ株引受ニ付懇談アリ、考慮シテ挨拶スルコトニセリ

午前十一時九水営業所ニ出頭、重役会後各営業所々長ニ別記ノ挨拶ヲナス

午後五時一方亭ニテ九水社員新年宴会ヲ催ス、午後十一時帰ル

来ル十一日浜ノ町ニテ打合ナスコトニ打合ス

一月七日　火曜

荻野宮崎市営業所々長相見へ、同営業上ニ付聞キ取タリ

一月八日　水曜
午後二時橋本ニ行キ、天勝ニ食事ヲナササシム
野田・義之介両人来リ、石田氏より申入ノ株引受ハ、重大関係ニ付充分ノ調査ヲナシ挨拶スルコトニ打合ス
一月九日　木曜
新聞連ヘハ風邪ニテ欠席ス
風邪ニテ療養ス
一月十日　金曜
西田博士ノ診察ヲ乞、療養スルコトニセリ
黒木氏ニ立寄ヲ乞、調査全体ノコトヲ聞取タリ
風邪ニ而引籠リ療養ス
一月十一日　土曜
午前十時、棚橋・村上・今井・渡辺・大藪・木村・黒木ノ諸氏相見ヘ、九軌株引受ニ付打合セ、一割二分ヲ配当トシテ、一割ハ参考トスルコトニ打合
前記ノ旨意ニヨリ黒木君成案出来タルトキハ、別ニ筋書ヲ村上君ニ受持清書スルコトニ打合ス
昼食ヲナシ散会ス
午後五時中光ニ行キ、九水連ヲ客人ニ、老人ノ連中ヲ招キタリ、壱人ニ付五十円ツヽ、中光ニ五十円、三十円女中遣ス
堀氏相見ヘ、石田氏より申込ノ件ハ関係上重要ニ付充分ノ調査ヲナシ挨拶ナスコト
山口氏九軌ノ株ハ、新三千・旧壱千株時価ニ而援助的ノ意味ニテ九水ニ引受ケルコトヲ返事ス

一月十二日　日曜

西園支配人ニ電話シ、行員臨時賞与之件野見山ノ思付ニツキ打合ス

山内範造君へ電話、不在ニ付風邪見舞ノ挨拶ヲナス

一月十九日　日曜

午後三時自働車ニ而着ス

堀氏出福、政ニ而待合アリシモ、少シク発熱ノ気味アリ、明日面会ノ電話ス

増永氏栄屋旅館ニ一泊セラル、鴨弐羽贈与ヲ受ケタリ

金四十円銀行ニテ小使・給仕ニ渡ス、西園支配人ニ渡セリ

嘉穂銀行惣会ニ出席ス

一月二十日　月曜

午後十二時過キ政ニ行キ堀氏と会合ス

五十円茶代、三十円女中、二十円男、三十円召使ニ遣ス

一月二十一日　火曜

午前九時より営業所ニ行キ、重役協義会ヲ開設ス

中津より電灯問題ニ付商工会員相見ヘタリ

永井支配人より中津ノ交渉問題報告アリ、初而聞取タリ

中津三氏ニ面会、永井支配人より書面遣シアル事承知セリ

午後五時福村家ニ而県庁一行新年ノ宴会ヲ催ス

［挿紙］渡辺住宅植木、鮎田山より移植スルコト
不足分ハ久留米より買入ルコト

一九三一（昭和六）年

一月一日　木曜

天照皇大神宮、明治天皇・昭憲皇大后《［ママ］》・天皇陛下・皇后陛下・皇大后《［ママ］》陛下遥拝

諸方神社仏閣ヲ拝ス

氏神[1]ニ太賀吉《［麻生］》[2]同供参拝シ、墓所参拝、野田氏《［勢次郎］》[3]ニ年始ニ行ク

午前八時自働車ニ而出福、浜ノ町[4]玄関ニ而靍丸《［卓市］》[5]支配人年始ニ見ヘタリ

午前十時九水営業所[6]ニ行キ、新年ノ挨拶シ祝盃ヲナス

一月二日　金曜

天満宮《［太宰府］》・宝満宮・住吉宮[7]ニ参詣ス、義之介《［麻生］》[8]父子及五郎《［麻生］》[9]一同

愛宕神社・箱崎八幡《［宮］》宮・香椎宮・宮地《［嶽脱］》神社・宗像神社[10]ニ参詣ス

義之介父子・五郎一同午後四時半自働車ニ而帰宅ス

一月三日　土曜

午前十時半店[11]開キ、祝盃ヲ挙ク

午後二時自働車ニ而出福、病院ニヨリ見舞ス

一月四日　日曜

福村家[12]ニ昼食ヲナス、堀氏《［三太郎］》[13]ヲ招待、○料理[14]ヲナシ、岩崎氏《［寿喜蔵］》[15]も出席アリタ

八時ヨリ不老庵[16]ニ行キ、大丸館[17]ニ入湯ス

百円天勝[18]、百円お豊[19]、心付渡ス

一月五日　月曜

午前九時半山内範造[20]氏相見ヘタリ

同十時大丸館養子某[挨脱]拶ニ見ヘタリ
三介ニ五円、十円女中、十円女中、歳暮共ニ遣ス

1 氏神＝負立八幡宮（飯塚町栢森）
2 麻生太賀吉＝太吉孫、のち株式会社麻生商店社長
3 野田勢次郎＝株式会社麻生商店常務取締役、九州鉱業株式会社専務取締役、昭和電灯株式会社取締役
4 浜ノ町＝麻生家浜の町別邸（福岡市浜町）
5 鶴丸卓市＝九州水力電気株式会社支配人、神都電気興業株式会社取締役
6 九水営業所＝九州水力電気株式会社福岡営業所（福岡市庄）、太吉社長
7 太宰府天満宮＝筑紫郡太宰府町　宝満宮＝同　住吉宮＝住吉神社（福岡市住吉）
8 麻生義之介＝太吉女婿、株式会社麻生商店取締役、九州産業鉄道株式会社取締役、九州鉱業株式会社監査役
9 麻生五郎＝太吉女婿、株式会社麻生商店
10 愛宕神社＝早良郡姪浜町　筥崎八幡宮＝糟屋郡箱崎町　香椎宮＝糟屋郡香椎村　宮地嶽神社＝宗像郡津屋崎町　宗像神社＝宗像郡田島村
11 株式会社麻生商店＝一九一八年設立（飯塚町立岩）、太吉社長
12 福村家＝料亭（福岡市東中洲）
13 堀三太郎＝第一巻解説参照
14 ○料理＝スッポン料理
15 岩崎寿喜蔵＝岩崎炭坑主、元遠賀郡長津村会議員
16 不老庵＝麻生家別荘（筑紫郡二日市町湯町）
17 大丸館＝旅館（筑紫郡二日市町湯町）
18 天勝＝松旭斎天勝、本名中井かつ、女性奇術師
19 お豊＝おとよ、料亭福村家（福岡市東中洲）女中
20 山内範造＝筑紫銀行（筑紫郡二日市町）頭取、元衆議院議員

十二時自働車ニ而帰宅ス
花村久助[1]氏伊支頃[伊岐須]野見山[仙陸][2]氏二男九水入社ノ相談ニ見ヘタリ
ツヤ子[麻生][3]分与ノ品物調査ス
午後五時半松月楼[4]ニ而郡内ノ有志者招待シ新年ノ盃ヲ献ス
[欄外] 元□[桝カ]屋ノ老婦ヲ見舞、金員遣ス

一月六日　火曜

午前渡辺皐築[5]君相見へ、銀行ノ内味[ママ]ノ咄ヲ聞キタリ
野田氏相見へ、祝会[6]ノ打合ヲナス
午前十時嘉穂銀行[7]重役会ニ出席
博済[8]・貯蓄[9]ノ三件打合ス
[欄外] 金弐百円昭和五年七月より十二月迄博済ノ報洲[酬]金受取、外ニ貯蓄日当二日分受取

一月七日　水曜

午前七時半自働車ニ而出福ス
午前九時半営業所[九水]ニ出頭、重役会ニ列ス
石崎[敏行]代議士相見へ、炭田合同[10]ニ付異見聞キタシトノ事故、松本知事[学][11]ニ三池炭田ノ経営ノ有利ナル事ヲ以炭田合同有利ナル旨申向ケ、野田氏ト御打合、若シ幸時宜モアレバ上京ノ旨申向ケタリ
後藤文夫[12]氏御夫婦一同浜ノ町ニ御出アリ、昼食ヲ差上ケ一同本家ニ御供ス
神都会社[13]ノ件ニ付本宅ニ桜井[督三カ][14]・斉藤両氏相見へ、決議録及委任状ニ調印ス

一月八日　木曜
孫ツヤ子嫁入ニ付支度セリ、親族一同集リ見送リ之食事ヲ大広間ニテナス
一月十日　土曜
後藤御夫婦御滞在

1 花村久助＝醤油醸造業（飯塚町立岩）、元飯塚町会議員
2 野見山仙陸＝故人、酒造業（嘉穂郡二瀬村伊岐須）、元嘉穂郡伊岐須村長
3 麻生ツヤ子＝太吉孫
4 松月楼＝松月とも、料亭（飯塚町新川町）
5 渡辺皐築＝九州産業鉄道株式会社専務取締役、九州産業株式会社取締役、嘉穂銀行嘱託
6 野田勢次郎養子健三郎（九州帝国大学工学部助教授）と太吉孫ツヤ子結婚式
7 嘉穂銀行＝一八九六年設立（飯塚町）、太吉頭取
8 博済＝博済無尽株式会社（飯塚町）、太吉社長、一九一三年博済貯金株式会社として設立（嘉穂郡大隈町）、一九一四年本社を移転して改称
9 貯蓄＝嘉穂貯蓄銀行、一九二〇年設立（飯塚町）、太吉頭取
10 炭田合同＝松本学知事が提唱した筑豊全炭鉱および製鉄所合同案、太吉・松本健次郎・貝島太市は賛同したが、三井の反対で不成立
11 松本学＝福岡県知事
12 後藤文夫＝野田八重子（勢次郎妻）義弟、麻生夏義兄、貴族院議員、元台湾総督府総務長官、翌年農林大臣
13 神都電気興業株式会社＝一九三〇年九州水力電気株式会社宮崎営業所区域を譲り受け設立（宮崎市）、九州水力電気の傍系会社、太吉社長、前身は一九〇六年設立の日向水力電気株式会社
14 桜井督三＝九州水力電気株式会社企画調査課長

一月十一日　日曜

後藤文雄〔夫〕御夫婦降雪ノ為メ滞在、角〔片〕倉八階ノ共進亭食堂[1]ニ昼食ノ案内シ、電話ノ間違ニテ定食ヲ指上ク

午後五時四十五分博多駅発ニ而帰京アリタ、加納〔鎰子〕[2]老婦ヲ初、後藤御二方共一同ナリ、停車場ニ見送リタリ

岩崎〔寿喜蔵〕氏より招待ニ付福村家ニ午後六時出席、堀氏ハ先キニ着博アリタ

午後九時過キ帰リタリ

一月十二日　月曜

午前八時半木村〔平右衛門〕[3]専務相見へ、電灯直〔値〕下ケ問題ニ付電気協会出福[4]ニ付十三日□〔惣カ〕会ノトキ懇談方打合セ、其他会社ノ打合ヲナス

増永〔元也〕[5]氏相見へ、堀氏ト再度相見へ、九送[6]ノ井上〔博通〕[7]ノ件ニ付申入、絶体本人より希望スル事ハ不宜旨申向、松永〔安左衛門〕[8]君ニ

堀氏より内談ヲ乞事ニ打合ス

池田〔常二〕[9]君全快ニ付挨拶ニ見へタリ

吉浦〔勝熊〕[10]君ニ当分加勢方相談シ、承諾アリタ

広嶋付近ニ而鑛〔汽〕車脱線ニ付大ニ騒動セシモ無事ナリシ

一月十五日　木曜

午前十時九水営業所ニ行キ、重役会ニ列ス

十一時半福村家ニ而堀・山内ノ両氏ト電灯直〔値〕下ケノ不順序ニ付異見ヲ打合セ、食事ヲナス

一時半営業所〔九水〕ニテ関係会社ノ惣会及重役会開催ス

午後四時半一方亭[11]ニ行キ職員招待会、新年ノ盃ヲ呈ス

午後十一時帰ル

一月十六日　金曜

午前十一時営業〔所脱〕ニ行キタルニ、大田黒〔重五郎〕[12]氏福村家ニ村上〔巧児〕[13]・宮田〔兵三〕[14]及技師長〔広瀬良知〕同道相見ヘ居リニ付、同家ニ行キ昼食ヲナス

松本知事・木村〔平右衛門〕・今井〔三郎〕[15]ノ三氏も見ヘタリ

九水ニ大田黒氏一行ト会合、地下線区域及電線ノ有様ヲ打合ス、午後三時廿六分ニテ出発アリタ

1　共進亭食堂＝西洋料理屋（福岡市呉服町片倉ビル）
2　加納鎰子＝故加納久宜貴族院議員妻、野田勢次郎妻八重子・麻生夏母
3　木村平右衛門＝九州水力電気株式会社専務取締役、神都電気興業株式会社取締役、第三巻解説参照
4　電気協会＝社団法人電気協会九州支部、一九一五年九州電気協会設立、一九二一年日本電気協会（東京）・中央電気協会（大阪）と合同して電気協会発足、太吉評議員
5　増永元也＝九州送電株式会社嘱託、元鉄道省電気局長、のち衆議院議員
6　九送＝九州送電株式会社、宮崎県五ヶ瀬川水力開発のため九州水力電気株式会社・東邦電力株式会社・住友家・電気化学工業株式会社の四社によって一九二五年設立、太吉相談役
7　井上博通＝九州送電株式会社支配人、元九州電気軌道株式会社支配人、のち同社総務部次長
8　松永安左衛門＝九州送電株式会社監査役、東邦電力株式会社社長、第三巻解説参照
9　池田常二＝九州水力電気株式会社経理課長
10　吉浦勝熊＝元株式会社麻生商店庶務部、一九二八年三月辞職
11　一方亭＝料亭（福岡市東公園）
12　大田黒重五郎＝九州電気軌道株式会社社長、九州水力電気株式会社取締役
13　村上巧児＝九州電気軌道株式会社専務取締役、九州水力電気株式会社取締役、第二巻解説参照
14　宮田兵三＝九州電気軌道株式会社専務取締役
15　今井三郎＝九州水力電気株式会社常務取締役、神都電気興業株式会社取締役、第三巻解説参照

午後五時半久野〔五十志〕[1]氏送別会ニ出席、金弐百円送別ニ贈呈ス
十七日夜、新重役祝賀会ト久野氏ノ送別会費補介費ニ百円遣ス

一月十七日　土曜

〔福岡〕県庁温泉主任ニ電話シ、不穏之意味ニテ電話セラルニ付直チニ出庁、衛生課ニ而主任ニ面会セシニ、且〔勝〕手ニセシ如キ意味重而中向ケアリ、是レハ全ク誤悔〔解〕ニ付適法ニヨリ御処分アルハ遺感〔ママ〕ナキモ且手ニセシ抔と感情的ヲ以処理アルハ迷惑スルニ付、能ク調査方申入タリ
天神宮境内ニテ植木販売店ニ立寄、小梅ヲ買入タリ

一月十八日　日曜

山内氏ニ電話、湯町[2]湧湯願承諾書ノ件ニ付午後湯町ニ而面会ヲ約ス
午前十時病院ニ行キ、辰子〔麻生〕[3]ヲ見舞、赤松〔治郎〕[4]氏ヲ見舞、苦〔労脱カ〕咄ヲナシ、約一時半滞在ス
一方亭ニ而食堂ニ行キ昼食ヲナス、五円払ヒタリ
老婦・お玉・お梅[5]等来リ、新年ノ祝義百円遣ス
お玉途中迄送リ来リタリ
二日市不老庵ニ一泊、山内氏相見へ、事情尚署長ニ打合方懇談ス

一月十九日　月曜

午前十時半湯町より米山越[6]ニテ自働車ニ而帰宅ス
帳簿類整理ス

一月二十日　火曜

二日市ニ飯塚より行キ一泊ス

一月二十一日　水曜

伊藤傳右衛門[7]宅ニ幸作所〔幸袋工作所〕[8]重役会ニ出席ス

一野田勢次郎君相見ヘ打合ス

午後七時一方亭ニ行キ食事ス

一月二十二日　木曜

福日[9]中野節郎君相見ヘ懇談ス

小笹[10]白水〔重雄〕[11]君相見ヘ、金壱百五十円停留所設備トシテ寄付ス

午後五時中光[12]ニ晩食ニ行ク

1　久野五十志＝杖立川水力電気株式会社取締役、のち九州送電株式会社取締役
2　湯町＝地名、筑紫郡二日市町、麻生家別荘不老庵所在地
3　麻生辰子＝太吉孫
4　赤松治郎＝元貝島商業株式会社取締役、元貝島石灰工業株式会社取締役、元貝島木材防腐株式会社取締役
5　お玉・お梅＝料亭一方亭（福岡市東公園）女中
6　米山越＝筑紫郡山家村と嘉穂郡上穂波村の間の太宰府と筑豊を結ぶ峠
7　伊藤傳右衛門＝第一巻解説参照、自宅は嘉穂郡幸袋町
8　幸袋工作所＝株式会社幸袋工作所（嘉穂郡幸袋町）、太吉取締役、一八九六年合資会社として設立
9　福日＝福岡日日新聞（福岡市）、一八七七年筑紫新聞創刊、めさまし新聞、筑紫新報を経て一八八〇年福岡日日新聞と改題
10　小笹＝地名、福岡市平尾・下長尾一帯、麻生家別荘小笹庵所在地
11　白水重雄＝福岡市会議員、樋井川産業組合理事
12　中光＝料理屋（福岡市中島町）

一月二十三日　金曜

宮崎神都会社披露宴[1]開催来月五日ノ旨永井〔菅治〕[2]君より報告ニ付、木村専務ニ電報ノ件今井氏ト打合ス

臼木〔臼杵弥七〕[3]呼寄、浜ノ町家費ト本家トノ手順打合ス、規定書ヲ成案ス

大分佐藤寅〔虎〕[4]雄君相見へ、山林買入ノ分百町歩手付流トナル旨内話アリタ

久恒貞雄[5]君相見へ、互譲〔助〕[6]会ノ件ニ付異見ヲ聞カレタルモ、考慮ノ上返事スルニ申向ケタリ

長谷川〔菊太郎〕[7]所長送別会ニ付二十五日福村家ニ招待ス、検事正ニも御陪席ノ旨監督書記ニ依頼ス

県〔福岡〕庁ニ行キ三部長臨席ヲ官房ニ依頼ス

一月二十四日　土曜

宗像神社宮司幡掛正木氏相見へ、鳥居神納方打合ス、土木管区長打合ノ上通知アル筈ナリ

一月二十五日　日曜

嘉穂銀行・貯蓄〔嘉穂〕・博済〔無尽〕物会ニ臨ミタリ

関門鉄橋[8]ノ件ニ付河村〔永久〕[9]君相見へ、原案打合、村上〔巧児〕氏ニ再考ヲ乞フ事ニセリ

昼食シテ午後二時二十分自働車ニ而福岡ニ来ル

［欄外］五百九十五円六十八銭嘉穂銀行

　四百円八十九銭博済当〔賞〕与

〆　受取

一月二十六日　月曜

午後三時中花〔華〕[10]園ニ支那料理ニ山内範造・猪俣〔治六カ〕[11]ノ諸氏ト食事ニ行ク、百円おそよ[12]渡、仕払ノ為メナリ

午後六時半福村家ニ堀氏より招待アリ

午後八時半大[空白][閣カ]　カフヱニ行ク
十五円ノ費用分女中ニ遣ス
午後十一時帰リタリ

一月二十七日　火曜

県[福岡]庁衛生課ニ出頭、高木[乙熊]課長ニ面会、二日市湧湯使用願ニツキ懇談セシニ、昨年電話ニ而湧湯ニテモ使用セザル事ト申向ケタリトノ事ニ付、間違セシモ斯クナリタル以上ハ電話ノ間違争フモノニ無之ニ付、使用取消ノ旨申向ケタリ
湯町ニ行、山内範造氏も相見ヘタルニ付、使用願取下ケ方ニ付打合ス

1　神都電気興業株式会社設立（前年十二月三十一日）披露宴
2　永井萱治＝神都電気興業株式会社専務取締役、九州水力電気株式会社監査役、第三巻解説参照
3　臼杵弥七＝株式会社麻生商店会計部
4　佐藤虎雄＝大分県会議員、元大分県玖珠郡南山田村長、のち同村長
5　久恒貞雄＝久恒鉱業株式会社長、元衆議院議員
6　互助会＝筑豊石炭礦業互助会、筑豊石炭鉱業組合から中小炭坑が離脱して前年九月結成
7　長谷川菊太郎＝福岡地方裁判所長、元飯塚区裁判所判事
8　関門鉄橋＝関門連絡鉄道株式会社設立計画（建設費三千万円、小倉市）、太吉主導
9　河村永久＝九州電気軌道株式会社秘書課長、元杖立川水力電気株式会社
10　中華園＝支那料理店（福岡市東中洲）
11　猪俣治六＝福岡地方裁判所検事正
12　おそよ＝支那料理店中華園女中カ

大丸館老婦人百五十円持参、受取タリ
不老庵ニ一泊ス
〔欄外〕午前九時有隣生命保険支部長及助役相見へ、嘉穂代理店ノ件懇談アリ、渡辺〔皐築〕氏ニ電話ス

一月二十八日　水曜

二日市不老庵ニ而平岡夫婦及老婦人一同相見へ、不平ヲセザル事ト忍堪ノ大切ト程度ノ実行等ニ付親シク申向ケタリ
自働車ニ而帰リタリ
大田黒・村上・山田〔正隆〕[1]ノ三氏相見へ、関門鉄橋ノ件ニ付打合ス、昼食後四時四十分ニ而出発アリタ
堀氏ニモ電話シ出福ノ事ニナリタ
東京佐藤計造ト申者長岐繁[2]君代理トシテ来リタル旨、星野〔礼助〕[3]氏相見へ為知アリタ

一月二十九日　木曜

山田氏（九軌）[4]新聞ノ諸君招待及発表ニツキ打合ス
堀氏相見へ、鉄橋出願ノ打合ヲナス
木村氏相見へ、九軌問題ヲ初棚橋〔琢之助〕[5]氏ノ件打合ス（宮田〔兵三〕氏ノ件ヲモ打合ス
伊藤傳〔傳右衛門〕サン見へ、株買入ノ内談アリタ
中野節郎[6]君相見ヘタリ

一月三十日　金曜

午前八時十分博多駅ニ而大田黒氏待受、直チニ知事官舎ニ訪問ス、別紙関門鉄橋記事ニ明記ス
片倉ノ共進亭食堂ニ而新聞紙連ニ昼食ヲナシタリ

午後四時一方亭ニ行キ食事ヲナス

一月三十一日　土曜

野田勢次郎君相見ヘ打合ス

義之介来リ、東京ノ模様聞キタリ

靏丸〔卓市〕君相見ヘ、和田〔豊秋〕[7]秘書ノ跡事務取扱指問ニツキ九送ヨリ雇用セリ

長谷川〔菊太郎〕所長送別会ニ出席

二月一日　日曜

箱〔筥〕崎八幡宮・香椎宮・宮地嶽神社ニ参拝ス

津や崎[8]ニ立寄、植付モノ、打合ヲナス

午後五時福村家ニ而堀氏ト食事ヲナス

1　山田正隆＝九州電気軌道株式会社取締役

2　長岐繁＝元株式会社麻生商店商務部長、一九一七年退職

3　星野礼助＝弁護士（福岡市）

4　九軌＝九州電気軌道株式会社（小倉市）、一九〇八年電気事業と電鉄事業経営を目的として設立、九州水力電気株式会社と激しい市場獲得競争を行ったが、一九三〇年九州水力電気の傘下に入る、太吉取締役

5　棚橋琢之助＝九州水力電気株式会社副社長、この年退任して九州保全株式会社代表取締役、第三巻解説参照

6　中野節郎＝福岡日日新聞経済部長

7　和田豊秋＝九州水力電気株式会社秘書課長

8　津屋崎＝地名、宗像郡津屋崎町、麻生家別荘所在地

二月二日　月曜

増永元也・堀三太郎両氏相見へ、関門鉄橋ノ件ニ付打合ス

堀氏より福村家ニ招待アリ、出席、昼食ヲ饗応アリタ

午後五時常盤家〔館〕[1]ニ福岡市々長〔久世庸夫〕・商業会役〔議〕所及銀行家新年宴会ニ出席、挨拶ヲナス、午後八時不老庵ニ行ク（他の自働車雇入アリ、其侭乗車ス）

二月三日　火曜

今井五介[2]氏より極東商事会社[3]酒井武雄氏紹介アリ、木村氏ニ紹介ス、石井武志[4]ノ弟

午前九時自働車ニ而帰リ（田中〔正夫〕[5]迎ニ来リ）、午前十一時九水営業所ニ出務、午後二時博多駅発ニ乗車ス、別府山水園[6]ニ行キ一泊ス（おいし〔野畠いし〕・おたま〔緒方玉枝〕[7]同行ス）

小倉駅より大田黒氏同車ス

別府ニ午後六時過着、職工出迎アリタ

二月四日　水曜

高田〔保〕[8]大分商工会々長相見へ、同会ニ寄付金ノ件打合、二万円ト三万円（市発起ノ方）五万円ヲ以解了〔ママ〕アル様内談ス

午後十二時大田黒・内本〔浩亮〕[9]両氏昼食ヲ山水園ニテ饗応ス

午後一時別府駅発ニテ宮崎市ニ向ケ出発、木村・棚橋両氏一同ナリ、棚橋氏ハ福岡より直通デアリタ

午後七時四十分宮崎市神田橋旅館ニ泊リタリ

大和田〔市郎〕[10]氏より泉亭ニ招待アリタ

二月五日　木曜

午前県庁〔宮崎〕・市役所訪問ス

神都電気会社ニ於而職員ニ挨拶ヲナシタリ
大和田氏邸ヲ一同打揃訪問ス
青嶋[11]広瀬旅館出店ニ立寄昼食事ヲナス、木村・山本〔弥右衛門〕[12]・大和田氏一同、茶代二十円、女中十円遣ス、勘定ハ社費デナク立替ヲ頼置キタリ
午後六時泉亭披露宴会ニ列シ挨拶ヲナシ、〔有吉実〕知事答辞アリタ
午後九時旅館ニ帰リタリ

二月六日　金曜

神都会社重役会ヲ開設ス

1　常盤館＝料亭（福岡市水茶屋）
2　今井五介＝片倉製糸紡績株式会社副社長、中央電気株式会社長、貴族院議員
3　極東商事株式会社＝電球製作販売（東京府豊多摩郡下落合）
4　石井武志＝極東商事株式会社九州出張所
5　田中正夫＝麻生家自動車運転手
6　山水園＝麻生家別荘（別府市）
7　野畠いし・緒方玉枝＝麻生家女中
8　高田保＝醸造業、大分商工会議所会頭、元大分市長、翌年再び大分市長
9　内本浩亮＝杖立川水力電気株式会社常務取締役、九州水力電気株式会社取締役、第三巻解説参照
10　大和田市郎＝九州水力電気株式会社取締役、九州送電株式会社取締役、元日向水力電気株式会社長
11　青島＝地名、宮崎市青島
12　山本弥右衛門＝神都電気興業株式会社監査役

神宮〔宮崎〕ニ参詣、金弐百円寄付ス
物産〔空白〕所ニ行キ物産ヲ見テ、鮎・ウニノ塩カラヲ買入ナス
食堂ニテ永井〔菅治〕・香月〔盈司〕[1]両氏より昼食之饗応アリタ
午後十二時五十二分宮崎駅発ニ而別府ニ向ヒタリ
大分日々新聞河野芦舟君中途より乗車アリタ
午後七時三十分別府駅ニ着、直チニ山水園ニ行キ一泊ス

二月七日　土曜

午前九時自働車ニ而日出[2]電化工業[3]視察ニ棚橋・木村両氏一行行キタリ
日出工場ヲ視察シ、午前十一時廿二分日出駅発ニ乗車ス
成清〔信愛〕[4]及町長駅ニ相見ヘ、見送リアリタ
成清氏より酒二本・蜜柑一籠贈呈アリタ
野依〔秀市〕[5]君同車ニテ食事ヲナス
午後四時二十分博多駅ニ着、直チニ九水営業所ニ行キ、九軌突発事件[6]ノ調査書ヲ貰ヒ、尚考慮スルコトニシテ明日
浜町別荘ニ集会ヲ約ス
［欄外］大分日々新聞理事河野芦舟訪問セリ、金三十円遣ス

二月八日　日曜

橋〔棚〕橋・木村・今井〔三郎〕三氏相見ヘ、午前黒木〔佐久馬〕[7]君及須賀〔菅吉男〕[8]君ト調成セシ順序書ヲ調査研究ス、一決ス
午後五時中光ニ行キ食事ヲナス
今井五介氏紹介ニテ極東商事株式会社九洲出張所石井武志・酒井武雄両氏相見ヘ、木村氏ニ電話ス（電珠〔球〕売込ノ件）

二月九日　月曜

午前九時半村上専務相見へ、松本松蔵氏[9]ノ件、住友内報ノ件、順序等打合ス
黒木・棚橋・木村・須賀〔菅吉男〕ノ諸君来集アリ、前項ノ打合ヲ初メ電灯直〔値〕下ケ問題ニ付九水ト打合ス
昼食ヲナシ重而打合セ、午後六時博多駅発ニテ上坂ス、大坂毎日新聞温勢辰雄及中野節郎両氏駅ニ待受ケアリタ
小倉駅ニテ村上功〔巧〕児氏駅ニ相見へ、九軌ノ負債金ト預金ト差引シ、過上金ハ新キ発電所費金ニ仕払ノコト、書面ヲ以為知アリタ
大雪降リトナリ寒気強キニモ不拘、シ〔ス〕チム寝台ニ不通ニテ大困難セリ
下ノ関駅ニテ小倉〔正恒〕[10]氏より十日正十時面会ノ返電来リタ
［欄外］アスゴゼン一一ジウカガヒマス◯アソウタキチ、オオサカ　オクラマサツネ

1　香月盈司＝神都電気興業株式会社常務取締役、元筑後電気株式会社長
2　日出＝地名、大分県速見郡日出町
3　電化工業＝九州電気工業株式会社（大分県速見郡川崎村）、一九二六年元大分電気工業株式会社を改称、太吉社長
4　成清信愛＝朝陽銀行（大分県日出町）頭取、元馬上金山経営、元衆議院議員
5　野依秀市＝世界之実業社長、日本真宗宣伝協会長、のち衆議院議員
6　九軌突発事件＝九州電気軌道株式会社元社長松本杢蔵の背任事件
7　黒木佐久馬＝九州水力電気株式会社監査役、延岡電気株式会社監査役、九州保全株式会社監査役、第三巻解説参照
8　菅吉男＝九州水力電気株式会社調査課、のち九州配電株式会社副社長
9　松本杢蔵＝九州電気軌道株式会社元社長、九軌突発事件の主役
10　小倉正恒＝住友合資会社総理事、九州送電株式会社監査役、住友炭礦株式会社取締役

二月十日　火曜

午前八時四十分過キ大坂駅ニ着、電報不着ノ為メ迎ノ自働車ナク、タクシニ乗リ旅館ニ行掛セシテ町ノ名不明ニテ閉口セリ、漸交番所ニテ聞キ合セ、九時過キ金森[1]ニ着ス

金森ニ住友ヨリ電話アリ、正十時ニ本店ニ訪問スル様通知アリ居リタリ、秘書ニ電話ニテ返電セザリシヲ詫シ［ママ］十時相伺フ旨電話ス

午前十時十分前住友本会［ママ］ニ小倉氏訪問、直チニ面会アリ、親シク突発事件［九軌］ノ成行ヲ報告ト及書面ニ提出シ、能ク了解セラレ、八代［則彦］[2]・佐藤［重鎰カ］[3]ノ両氏ニハ小倉氏より御通報被下候旨申向ケアリ、直接御咄シセザル事ニナリタ

神戸常盤花壇[4]連来リ、中座[5]ノ芝居ニ行キ、行掛ハリ半[6]料理ニ而食事ヲナス、五円女中ニ遣ス

木村・棚橋氏ニ電報ニ報知ス

［欄外］ヨクゴリヨウカイアリタ、ゴアンシンアレ、コノコトムラカミ・イマイ・クロギ三シニオツタヱコウ、アソウ

キムラ宛

十一時半

［欄外］ヨクゴリヨウカイアリタ、ゴアンシンアレ、アソウ

タナハシ宛

同

二月十一日　水曜

禁酒日ニ付注意セシ折柄、太賀吉よりモ電信来リ、終日注意ス

伊勢屋ニ而晩食ヲナス

宮崎永井〔菅治〕君より電信アリ、木村氏ニ電話及永井君ニ返電ス
午後十時大坂駅発ニ而帰途ニツク
寝室ノ戸ノ締リ緩ク、タオルニテ引留メ、大ニ閉口セリ
　百六十六円六十七銭
　五十円茶代女中
　三十三円三十三銭戻リ金間違ニテ遣ス
　〆二百五十円渡ス
［欄外］デンミタ、デンブンノゴトクセツバクセシコトニ○キキマセヌデシタ○アスヒルフクオカニカヱリウチアワセ、カクトウスル○デンワサクヒヨリフツウ○タツマデニアケバ○キムラシヨリウチアワセサスル、アソウ
　永井専務
　十一時十分発ス

1　金森＝旅館（大阪市西区江戸堀）、太吉定宿
2　八代則彦＝住友銀行会長、大阪手形交換所委員長、住友信託株式会社取締役
3　佐藤重鎰＝住友信託株式会社常務取締役
4　常盤花壇＝料亭（神戸市相生町）
5　中座＝劇場（大阪市南区道頓堀）
6　ハリ半＝はり半、料亭（大阪市南区）

二月十二日　木曜

午前十一時大坂より帰福ス

電話ヲ以木村専務ニ大坂住友ノ模様ヲ報シ、午後一時より米国荒井〔新井米男〕[1]君来福ニ付棚橋氏一同浜ノ町ニ訪問ノ事話シアリタ

午後一時棚橋・荒井相〔両〕君相見へ、午後五時ニ至ル間金融上及株券外人所有ノ件ニ付談話ス、午後二時半黒木〔佐久馬〕君ヲ呼ヒ、荒井君所有ノ営業方針ノ筆記ヲ写取ヲ乞タリ

午後五時半一方亭ニ三井銀行本間〔録郎〕[2]氏ノ招待宴会ニ列シ、午後九時帰ル

二月十三日　金曜

山内範造君ニ電話シ、門司市ノ模様聞合セシモ、手寄ナキ事ト明瞭ス

村上氏ニ電話シ、大坂ノ模様報告ス、明十四日出福之旨返話アリタ

野田氏ニ電話、門司市ノ模様聞キ合セリ、手寄ナキコト分リタリ

福村家若主婦及おとよ来リ、午後六時同家ニ食事ニ行ク

二月十四日　土曜

午前永井・大和田両氏相見へ、宮崎神宮道路費寄付ノ件内談アリ、営業所ニテ打合ノ旨申向ケタリ

午前九時半営業所ニ行キ、重役会及関係会社ノ重役会ヲ済マシ、政友会支部ニ山内範造氏同車、浜ノ町ニテ義之介一同食事ヲナス

二月十五日　日曜

春吉[3]野田謙〔健〕三郎[4]夫婦初入ニ付、近親ヲ招キ小宴ヲ催ス

野見山米吉[5]君相見へ、〔嘉穂〕銀行ノ件打合ス

二月十六日　月曜

一元支配人西園〔磯松〕[6]君相見へ種々打合、静養ヲ進〔勧〕メタリ

一書類整理ス

二月十七日　火曜

不老庵ニ米山越ニ而来リ、大丸館ニ入浴ス

江崎君相見ヘタリ

金弐千円、別口より引出受取持参ス

［欄外］二〇〇〇〇〔ママ〕円別口より受取タリ、残金壱万五千円余アル

［欄外］二百円

二月十八日　水曜

不老庵ニテ昼食ヲナス

山内範造・大丸館家内ノ弟相見へ、温泉利用ノ件ニ付種々申入アリタルモ断リタリ

午後五時大丸館女中及雪子両人一同福岡ニ帰アリタリ、およね入院ノ由、見舞ニ行キタリ

1　新井米男＝ハリス・ホーブス商会（ニューヨーク）

2　本間録郎＝三井銀行福岡支店長

3　春吉＝地名、福岡市

4　野田健三郎＝野田勢次郎養子、太吉孫ツヤ子夫

5　野見山米吉＝太吉妹婿、株式会社麻生商店取締役、嘉穂銀行監査役

6　西園磯松＝嘉穂銀行取締役、一九三〇年四月支配人辞任

〔欄外〕百二十円未払分
三十円遣金
五十円見舞
〆　二百円
〔欄外〕五十円　二十八日遣ス

二月十九日　木曜

森山健次郎（福岡県道路主事）相見へ、小石原道路開盤〔墾〕ニ付九水より寄付ノ申込ノ件

朝倉郡小石原村々長川崎友太郎及同村井上清致ノ両氏相見へ、道路補助之申入アリ、庶務科長久保田〔貞次〕[1]君へ電話シ面会ナサシム

中野節郎君相見へ種々談話ス

村上氏より電話ニテ、門司・折尾・八幡ノ模様各自ニ希望アリ、会社ニ取リテ有利ノ方ニ傾キタル模様為知アリタ

二月二十日　金曜

徳永勲美[2]君相見へ、品物買入ニ付内談アリタ、都合能ク断リ、九水ノ援介方相頼ミタリ

書類整理

辰子〔麻生〕病院ニ見舞ニ行キ、赤岩〔八郎〕[3]先生ニ面会候処、順調ニ運ビ最早近日中ニ全治ノ事申向ケアリタ

二月二十一日　土曜

午前七時自働車ニ而湯町ニ行キ、不老庵ニテ狩野〔嘉市〕[4]来リ、風呂場ノ新設打合ス

午前十時原鶴[5]ノ温泉ニ行キ、二日市ヨリ約三十五分ニテ着セリ、温泉熱度充分ナラザルモ湯町より余程衛生上ニハ好地況ニ見ヘタリ

片倉食堂[6]ニテ昼食ヲナス
井上〔準之助〕氏[7]より打電ニ付棚橋氏ニ伝電ス
渡辺皐築君東京より帰県ニ付、滞京中ノ模様電話ニテ聞キ取タリ

二月二十二日　日曜

棚橋氏より返電アリタ
村上専務より、門司付近ハ好都合ニ進行ノ由、別府市長〔平山茂八郎〕相見ヘ同市営ノ件ニ付面会ノ為メ午後四時頃出福ノ旨電話アリタ
木村専務帰社、東京ノ模様聞取タリ、又神都会社臨時惣会打合ス
井上氏ニ返電ス

二月二十三日　月曜

中野正剛[8]君相見ヘ、援助之懇談アリタ

1 久保田貞次＝九州水力電気株式会社庶務課長兼秘書課長
2 徳永勲美＝実業家、福岡市会議員、この年九月福岡県会議員
3 赤岩八郎＝九州帝国大学医学部教授
4 狩野嘉市＝株式会社麻生商店家事部、元鉱務部
5 原鶴＝地名、朝倉郡久喜宮村
6 片倉食堂＝西洋料理、共進亭（片倉ビル、福岡市呉服町内）
7 井上準之助＝大蔵大臣、元日本銀行総裁
8 中野正剛＝衆議院議員

木村専務再度相見へ、別府市長より申入之件及其他打合ス
伊藤傳右衛門サン相見へ、[幸袋]工作所之件申入アリタ
朝来絶食ヲナシ、午後二時一椀ヲ食シ、晩食ヲナス

二月二十四日　火曜

午前九時中野正剛君相見へ、合理的ノ件ニ付懇談ス
山内範造氏相見へ中花[華]園ニテ昼食ス、堀氏モ相見ヘタリ
午後福村家ニ立寄、石田[亀一][1]氏モ相見へ、午後六時解散ス
午後六時半ヨリ湯町ニ行ク
頭痛ニテ閉口セリ

［欄外］九ホ
七
〆十六
六
残而十

二月二十五日　水曜

不老庵より午前十二時自働車ニテ帰リ、片倉食堂ニ而食事ヲナス
野田勢次郎君相見へ、大分坑区[2]ヲ譲渡ニツキ調査ト、土居坑区[3]買入ニ付利害調査ヲ打合ス

二月二十六日　木曜

村上功[巧]児君相見へ、九軌及九水会社ノ件打合ス

永井管〔菅〕治君相見へ、知事ニ出状及市営問題ニ付聞取、又神都会社ノ責任ハナキモ市ノ希望ハ九水ニ取次キ相成候様注意ス

木村専務相見へ打合ヲナス、昼食シテ帰ラル

二月二十七日　金曜

大丸〔王丸代吉〕[4]・樋口〔昌弘〕[5]両君相見へ、公園設備ニ付種々懇談アリタ

福岡時事永野某〔長野民次郎〕[6]福岡発展ノ件ニ付懇談ス、民政新聞買入代三百円補助ス

午後都市委員会[7]欠席電話シ、自働車ニテ帰リタ

操〔麻生ミサヲ〕[8]・米〔麻生ヨネ〕[9]両人来、晩食ス

1　石田亀一＝元帝国炭業株式会社専務取締役
2　大分坑区＝中野昇等所有大分炭坑（嘉穂郡大分村）カ
3　土居坑区＝桝谷平三郎所有石炭鉱区（嘉穂郡桂川村）
4　王丸代吉＝福岡市会議員、福岡県会議員、玄洋社
5　樋口昌弘＝福岡市会議員、福岡市西南耕地整理組合副組合長、九州日報監査役
6　長野民次郎＝福岡時事新報社（福岡市春吉土橋）主幹
7　都市委員会＝都市計画福岡地方委員会（福岡県庁内）、太吉委員
8　麻生ミサヲ＝太吉長男太右衛門妻
9　麻生ヨネ＝太吉四女、麻生義之介（株式会社麻生商店取締役）妻

二月二十八日　土曜

野田〔勢次郎〕・相羽〔虎雄〕[1]両人相見へ、上山田[2]ハ十五万円以内ニ而売却シ、土居ハ十万円以内ニテ買収ノ打合ヲナス
吉浦〔勝熊〕君相見へ、履暦〔歴〕ノ調査ニ着手セラル
書画ノ整理ヲ臼杵〔弥七〕ニ命ス
午後四時自働車ニ而出福、福村家ニテ福岡日々新聞社招待会ニ列ス
　石田氏ノ宴会ニも出席ナシタリ
幸袋工作所林禎太郎[3]君挨拶ニ見ヘタリ

三月一日　日曜

遠賀岩崎〔寿喜蔵〕君相見へ、田川坑区[4]買収ノ申入アリタ（大鯛一尾土産ニ持参アリ）
中野節郎君相見へ、九軌直〔値〕下問題ニ付異見ヲ聞キタルニ付、村上専務ニ通知ノコト相頼ミタリ
十二時福村家ニ行、堀・石田氏等食事ナス
午後五時太田清蔵[5]君招待宴ニ出席、午後九時帰ル

三月二日　月曜

午前九時自働車ニ而帰リタリ
岩崎氏より申入坑区調査明日ナラデハ相運ザルニ付、鯰田・有井・有安[6]等ノ山林ノ模様ヲ視察ス（善五郎〔橋本〕[7]召連）
帰リ山内農園[8]ニ立寄、中嶌一行[9]、孫等三人同車して帰リタリ
上尾惣七[10]死去ニ付悔ミニ行キタリ
［欄外］二百四十円、目六口残リ
　五百円別封

七百九十円懐中

〆

三月三日　火曜

花村勇君[11]ヲ呼ヒ、山林根切及杭木ノ件申談、其他気付之廉注意ス

鬼丸平一〔市〕来リ、鬼丸〔藤松〕宅地買収ノ相談セリ

午後四時上尾惣七告別式ニ参拝ス

午後五時より徳乗院[12]法事ヲナス

三月四日　水曜

徳乗院十三回季〔忌〕法要ヲ営ム

1　相羽虎雄＝株式会社麻生商店鉱務部長
2　上山田＝元株式会社麻生商店大朝炭坑カ（嘉穂郡山田町）
3　林禎太郎＝株式会社幸袋工作所専務取締役就任
4　田川坑区＝岩崎後藤寺炭鉱（田川郡後藤寺町ほか）、この年五月太吉買収
5　太田清蔵＝第一徴兵保険株式会社長、元衆議院議員、のち貴族院議員
6　鯰田＝地名、飯塚町　有井＝地名、嘉穂郡庄内村　有安＝地名、嘉穂郡庄内村
7　橋本善五郎＝麻生家雑用
8　山内農園＝株式会社麻生商店山内農場、廃鉱地試験農場（飯塚町立岩）
9　中島＝太吉娘婿麻生五郎家
10　上尾惣七＝昭和電灯株式会社会計係、元株式会社麻生商店倉庫係
11　花村勇＝株式会社麻生商店
12　徳乗院＝太吉三男故麻生太郎、元株式会社麻生商店取締役

墓所ニ参詣シテ散会ス
宮崎〔県脱〕知事ノ件、村上〔巧児〕君滞京中ニ付一ノ宮〔房治郎〕[1]君ニ依頼之件、義之介ニ托ス

三月五日　木曜

相羽君ニ電話、遠賀坑区[2]踏査ハ見合セリ
花村久介〔助〕君挨拶ニ見ヘタリ
原田延雄[3]昨夜深更浜ノ町ニ電話セシ由ニ付、直チニ用事アラバ本宅ニ参ルベシ、夜半ニ□□電話スル等不都合デハナキカ、返話スル様篠田〔珍木〕[4]君ニ電話ス
鬼丸平一〔市〕来リ、鬼丸藤松屋敷買受ノ相談ヲナシタルニ付、四千七百円迄商店ニテ付直〔値〕セシニ付、弐百円ヲ増加、四千九百円トシ、外ニ百円祝義ノ旨申答タリ
野見山米吉氏電話、二日市電話三百円ニテ買入ノ旨電話ス

三月六日　金曜

下ノ山土取跡及鯰田山林ヲ見テ、下ノ山東側ノ小道より大浦[5]ヲ経而帰リタリ
花村徳右衛門[6]君ヲ呼ヒ、栢森区[7]内山林境界ノ件ニツキ聞キ合セ、廉書セリ
午後四時自働車ニ而出福、福村家ニ立寄石田氏ト食事ヲナス、午後十時帰リタリ

三月七日　土曜

午前九時九水協議会ニ出席
原田延雄来リタルニ付、先夜来電話ノ件ニ付不宜旨ヲ申向ケタリ
昼食ヲナシタリ
病院ニ行キ辰子ヲ見舞タリ

一方亭ニ立寄食事ヲナス、石田氏も相見へ即払セリ

三月八日　日曜

梅野栄[8]来リ面会ス

棚橋副社長相見へ、第二冨士電気[力][9]ノ件ハ第一[10]ト合同カ東京電気[11]ニ合同ノ件申向ケタリ

福村家ニ午後一時過キ行キ、山内範造氏相見へ、原靍温泉ノ件申入アリ、田中妻女ノ件内談ス

岩崎氏ニ面会、九日午前十一時ニ相見ヘル事ニ打合ス

三月九日　月曜

村上氏ニ小倉ニ電話セシニ、別府行トノ事ニテ、四百廿八番電話致、宮崎神宮道路費寄付ノ件承諾シ、此ノ進行方

1　一宮房治郎＝衆議院議員、元大阪朝日新聞記者
2　遠賀坑区＝九州鉱業株式会社木屋瀬鉱業所（遠賀郡香月村・鞍手郡小屋瀬町）、一九二九年帝国炭業株式会社より譲り受け
3　原田延雄＝東京の「ゴロ」（東京市外荏原町）
4　篠田珍木＝株式会社麻生商店家事部浜の町別邸、元嘉穂銀行書記
5　大浦＝地名、飯塚町栢森、麻生太右衛門家所在地
6　花村徳右衛門＝株式会社麻生商店庶務部
7　栢森区＝地名、飯塚町、麻生本家所在地
8　梅野栄＝博多実業新聞（福岡市千代町）社主
9　第二冨士電力株式会社＝一九二八年設立（東京市）、会長森村市左衛門、取締役棚橋琢之助
10　第一＝冨士電力株式会社、一九二七年設立（東京市）、会長森村市左衛門
11　東京電気株式会社＝一八九六年設立（川崎市）、一九二〇年大正電球株式会社（小倉市）を併合

ニ付鈴木〔憲太郎〕[1]氏意向打合ノ為メ永井君上京ノ旨打合ス
高倉寛[2]君相見へ、浮羽郡電灯直〔値〕下ケ□□〔関係カ〕町村長ニテ計画セシ由ニ付、断、然シ而時宜ヲ待タレル様申向ケタリ
〔欄外〕金壱千円補助ス
大坂朝日新聞社員相見ヘタリ、百五十円麻生商店より出金ノコトヲ打合、本店ニ行ク、今後も態々相見ヘザル様打合方申向ケタリ
岩崎寿喜蔵君相見ヘタリ、義之介ト打合セノ事ニ打合ス
山田正降〔隆〕君相見へ、廿七日出発ヲ勧告ス
三井〔銀行〕本間〔録郎〕支店長相見へ、就職ノ懇談アリタ
住吉・箱〔筥〕崎宮司相見へ、宝満宮負債道付ノタ〔メ脱〕山林買収相談アリタルモ断リタリ

三月十日　火曜

午前九時四十分二日市ニ行ク

三月十一日　水曜

午前十一時不老庵ヨリ浜ノ町ニ帰リ、大丸館女中玉屋[3]前迄同車ス
午後二時村上及木村両氏相見へ打合ス
午後五時半住友電線製造会社[4]より福村家ニ招待ニ付出席、別記ノ挨拶ヲナス
午後八時大博座[5]ノ芝居見物ニ行ク

三月十二日　木曜

午前八時四十分松嶋家〔屋〕旅館[6]ニ住友電線製造所秋山〔武三郎〕[7]所長及小畑〔大畑源一郎カ〕[8]支配人ニ前夜ノ御礼ニ名刺ヲ玄関ニテ差出シ挨拶ス
永野清[9]君相見へ、金壱千円遣ス

山田正降〔隆〕氏相見へ、一件ノ申含メヲナス
午後一時ヨリ大博座ニ中光ノ桟敷ニ芝居見物ニ行キ、午後五時半退場ス
浜ノ町ニテ棚橋・木村・永井管次〔菅治〕ノ三氏ノ神都電気寄付ノ件、東京ノ模様等打合セ、夫々順序ヲ命シ、永井君宮崎ニ帰ラル
午後八時半自働車ニ而飯塚ニ帰ル
［欄外］村上氏相見へ、知事ノ意向報告アリ、折柄木村氏も相見へ、整理方ニ付打合ス

三月十三日　金曜

午前野田勢次郎君相見へ種々打合ス、岩崎氏坑区之件モ義之介ト会合之旨咄置キタリ
花村徳右衛門君相見へ、〔麻生〕太七郎[10]隣地田地一坪十円ニ而買入、外ニ五十円祝義遣スコトニ咄ヲナシタリ
〔鬼丸〕藤松屋敷及山林等実地視察ス

1　鈴木憲太郎＝神都電気興業株式会社取締役、延岡電気株式会社取締役、のち九州送電株式会社監査役
2　高倉寛＝翌年衆議院議員
3　玉屋＝百貨店（福岡市東中洲）
4　株式会社住友電線製造所＝一九一一年設立（大阪市）
5　大博座＝大博劇場（福岡市上東町）の通称、一九二〇年落成の本格的劇場
6　松島屋旅館＝福岡市中島町
7　秋山武三郎＝株式会社住友電線製造所常務取締役
8　大畑源一郎＝株式会社住友電線製造所取締役
9　永野清＝元熊本県警察部長、この年十二月大分県知事
10　麻生太七郎＝太吉四男、株式会社麻生商店、のち監査役

紀念碑前ノ植木移植ノ指図ス
金壱千円長野〔永野清〕氏渡分受取
［欄外］二百二十八円黒瀬〔元吉〕[1]目六枚〔マヽ〕渡ス、金員ハ不受取ナリ

三月十四日　土曜

午前七時半自働車ニ而出福
衣物取換ヘ九水重役会ニ出席
午後四時閉会、政友会支部ニ立寄、山内範造氏ト同道不老庵ニ行キ、喰事ヲナス
原靍及秋吉[2]電話、田中家内ノ談話等聞キ取タリ、八時十六分ニ帰ラル

三月十五日　日曜

朝食事ヲナシ浜ノ町ニ電話、衣類送布〔付〕方申通セシニ、篠田〔珍木〕及小使持参セリ
昼ハ鯛茶漬ト臓腑ノ煮付ナリ
湯場ノ竹内ニ約十回トシテ十円遣ス、お米退院ノ上調査スルコトニセリ
三十円家番ノ女中ニ渡ス

三月十六日　月曜

付近山林杭木ニ▨〔切カ〕取ノ調査不充分ニ付、武田〔星輝〕[3]ヲ呼ヒ寄再調査ヲ命ス
花村徳右衛門君ヲ呼ビ、植木買入方ニ付依頼ス
飯塚浦公園之実地ニ臨ミ、夫より製鉄所境界ヲ見タリ
有井山・鯰田山・地蔵山等ヲ視察ス
笠松峠・有井・有安・立岩之区境之場所植木アリ、籾田〔喜三郎〕[4]連レ実地ニツキ指図ス

三月十七日　火曜

雨天

野田君相見へ、[石炭]調節問題ニ付打合セ、又[飯塚町]市制問題ニ付鉱山税ノ調査方打合ス

林田普[晋][5]君来リ、商業上ニ付打合ス、八幡市中佐古森住[佳カ]四郎君集金取扱指定ニツキ申込アリタ

野田・上田[穏敬][6]両人相見へ、市制之件ニ付懇談セリ

花村徳右衛門君ニ山内山林切採之打合ヲナス

実岡[半之助][7]・藤森[善平][8]両氏相見へ、県会議員候補之件内談アリ、此回ハ篠崎[団之助][9]君ヲ押サレ野見山[幡次郎][10]ハ将来御引立ヲ乞度旨懇々申向ケタリ

篠崎ノ費用ハ正当ノモノハ弁金ノ事ヲモ申向ケタリ

[欄外]　八十七円黒瀬買物ニ口受取

1　黒瀬元吉＝古物商集古堂（福岡市上新川端町）
2　秋吉＝秋吉貨物自動車カ
3　武田星輝＝株式会社麻生商店庶務部
4　籾田喜三郎＝麻生家庭師兼雑務
5　林田晋＝株式会社麻生商店商務部長
6　上田穏敬＝株式会社麻生商店庶務部長
7　実岡半之助＝宮野銀行（嘉穂郡宮野村）頭取、福岡県会議員、元嘉穂郡宮野村長
8　藤森善平＝福岡県会議員、元飯塚町長、元飯塚警察署長
9　篠崎団之助＝嘉穂郡穂波村長、元福岡県会議員
10　野見山幡次郎＝太吉甥、嘉穂郡稲築村長、元株式会社麻生商店

弐百二十八円買物代払替分受取
弐千円別口預ケ分受取

三月十八日　水曜

午前山内山林及山内坑[1]ボタ[2]捨場ニ臨ミ帰リタリ
午前九時自働車ニ而出福
黒木氏ト延岡電灯〔気〕[3]会社ノ件ニ付村上氏より電話アリ、鈴木〔憲太郎〕氏ノ了解ヲ得ル方得策ナラントノ事ナリ
歯医師ニツキ診察ヲ乞タリ
森部〔隆輔カ〕[4]氏相見へ、学生九水ニ就職ノ申出アリタ

三月十九日　木曜

平野〔市三〕[5]来リ、植木ヲナス
執印〔宮夫〕[6]歯医ニツキ治療ヲ乞タリ
平尾[7]ニ行、植木ノ打合ヲナス
午後七時半より自働車ニ而帰リタリ
東京〔植木実〕[8]出張所員ニ義之介ニ面会ノ打電ス

三月二十日　金曜

花村徳右衛門・花村勇ノ両君ト山内山林採取ニ付打合ス
昼食後重而山林ニ行キ、鯰田坑より有井・栗尾[9]等ノ山林ニ臨ミ帰リタリ
吉川〔庄兵衛〕[10]・野田両氏相見へ、鯰田発電所[11]供給石炭ノ件打合ス
野田氏ニハ岩崎〔寿喜蔵〕氏ノ坑区ノ打合ヲナス

市制ノ件ニ付庄内[12]合併問題研究ノ件、熊本出張ノ渡辺〔皐築〕君ニ打合ス

三月二十一日　土曜

仙石貢[13]氏病気見舞電□〔信カ〕ヲナス
義之介ニ二十二日午後着京ノ電信ヲナス
大田黒氏ニ興銀ノ件ニ付深謝ノ電報ス
仙靏院[14]正〔祥〕月命日ニ付読軽〔経〕ヲ乞、墓参ス

1 山内坑＝株式会社麻生商店山内鉱業所（飯塚町立岩）
2 ボタ＝石炭に混在している不純物、常磐・北海道地方ではズリ
3 延岡電気株式会社＝一九一〇年延岡電気所（宮崎県東臼杵郡延岡町）設立、一九二四年延岡電気株式会社が創立され電気所を譲り受けて一九三〇年四月九州水力電気株式会社の傘下に入る、太吉社長就任
4 森部隆輔＝福岡県会議員
5 平野市三＝麻生家庭師兼雑務
6 執印宮夫＝歯科医師（福岡市中島町）
7 平尾＝地名、福岡市、麻生家別荘小笹庵・麻生義之介家小笹別荘所在地
8 植木実＝株式会社麻生商店東京出張員
9 栗尾＝地名、飯塚町鯰田
10 吉川庄兵衛＝株式会社麻生商店山内鉱業所長
11 鯰田発電所＝九州水力電気株式会社火力発電所（飯塚町）、一九二三年完成
12 庄内＝地名、嘉穂郡庄内村
13 仙石貢＝南満州鉄道株式会社総裁、この年六月辞任、元鉄道大臣、元九州鉄道株式会社長
14 仙鶴院＝太吉次男故麻生鶴十郎、米国留学中に客死

屋敷内柿ノ木・楠木・栗木等移植ス、善五郎《[橋本]》ニ申付ル

三月三十一日　火曜

午前九時自働車ニ而若松築港会社[1]重役会ニ出席
木村久寿弥太氏[2]出席ニ付、石炭聯合会[3]行詰リタルニ付、今後ノ方針ニ付御思案ヲ願度、本日中ニ上京ノ旨相談ス、
松本《[健次郎]》[4]・貝嶋《[太市]》[5]両氏モ同席アリタ
午後二時半吉田《[良春]》[6]・中沢《[勇雄]》[7]両氏一同折尾より赤間[8]ヲ経而、自働車ニ而浜ノ町ニ帰ル
晩食後午後六時不老庵ニ行ク
山内範造君相見へ、午後十時過キ迄二日市湧湯及原鶴温泉ノ件談合アリタ

四月一日　水曜

不老庵より午前十時太辛《[宰]》府宝満宮ニ参詣ス、女中きみ[9]ニ金二十円渡ス
十一時半江崎[10]・安川[11]両茶やニ立寄、米山越ニテ飯塚本宅ニ帰ル
午後二時より地蔵山山内坑木採切《[マヽ]》ノ場所、有井・鯰田山林植木掘ノ場所ニ臨ミ、約四里徒歩シ、六時半帰リタリ
久留貞次郎[12]加嶋屋[13]ニ泊リ、洋行ニ付面会ノ申入アリタルモ、明日福岡ニテ面会ノ旨ヲ約シタリ

四月二日　木曜

午前義之介東京より帰リタルニ付、模様ヲ聞キ取リタリ
久留貞次郎君洋行ニ付相見ヘタルモ、出福急ナルヲ以福岡ニ而面会ノコトヲ申向ケ、午前八時半自働車ニ而出福ス
村上・木村両氏相見へ、九軌重役ニ発表已前ニ東京大銀行ニ打明ケ、大坂ハ其ノ模様ニヨリ発表前ニ手形ノ口仕払スル方得策ナラン、右ニ付急ニ上京必要アリ、承諾ス
久留貞次郎君相見へ、三池より本店移任ニ付辞職、代議士希望ノ意志アリタルモ、不宜ニ付精々思ヒ止リニナリ、

転任ニ随ヒ努力方懇々申向ケタリ、昼食ヲ共ニナシ帰ラル
岩崎寿喜蔵氏相見ヘ、坑区買受ノ懇談アリタ
実岡〔半之助〕・藤森〔善平〕相見ヘ、篠崎君辞退ニ付野見山〔幡次郎〕候補ニ意味アリタルモ父〔米吉〕ニ内談ノ旨申向ケタリ
篠崎援助之通正式ノ費用ハ援介ノ旨申添ヘタリ
樋口〔昌弘〕君耕地整理ノ件ニ付相見タルニ付、公園地ヲ耕地整理ニ組入ル、無条理ニ付、須崎[14]ト現在貯水近傍ノ地ト公園ノ名称ニテ交換スルコト県庁ニ出頭懇願スル旨精々申向ケタリ

1 若松築港株式会社＝一八八九年若松築港会社設立、九三年若松築港株式会社と改称、太吉取締役
2 木村久寿弥太＝若松築港株式会社取締役、三菱鉱業株式会社取締役、日本郵船株式会社取締役
3 石炭鉱業聯合会＝送炭調節を主目的として一九二一年十月結成、太吉会長
4 松本健次郎＝若松築港株式会社会長、石炭鉱業聯合会副会長、明治鉱業株式会社相談役、第二巻解説参照
5 貝島太市＝若松築港株式会社取締役、石炭鉱業聯合会理事、貝島商業株式会社長、第二巻解説参照
6 吉田良春＝若松築港株式会社取締役、元住友若松炭業所長
7 中沢勇雄＝若松築港株式会社取締役
8 赤間＝地名、宗像郡赤間町
9 きみ＝旅館大丸館（筑紫郡二日市町湯町）女中
10 江崎茶屋＝江崎いし経営おいし茶屋（太宰府天満宮境内）
11 安川茶屋＝安川延経営おのぶ茶屋（太宰府天満宮境内）
12 久留貞次郎＝三井鉱山株式会社三池鉱業所
13 加島屋＝旅館（飯塚町本町）
14 須崎＝地名、福岡市

四月三日　金曜

義之介前夜より宿泊セシニ付、岩崎寿喜蔵氏ト面会ノ模様聞取タリ
清水壮佐[左][1]久氏親族久保清四郎君九水就職ニ付相見へ、木村専務ニ紹介ス
十二時ニ片倉ビリ、グ[ビルヂング]ニテ昼食ヲ久保清四郎・星野礼介[助]・義太賀[麻生][2]四人ト一同饗応ス

四月四日　土曜

午前十一時十二分博多駅発ニ而長崎三菱造船所鳥海[3]進水式ニ出席、三時三十二分長崎駅ニ着ス
伏見宮殿御乗車ニテ、着駅後暫ク待合セ、迎之自働車ニ乗リ上野家[4]ニ着ス
鑛[汽]車中堀氏ハ、博多駅より海軍大臣[安保清種]等御乗車アリ、昼食ヲシテ途中佐賀県坑区ヲ鑛車より見物ナス
橋本辰次[二][5]郎氏上野家玄関ニ見ヘラレ、堀氏同道帰ラル
冨貴楼[6]ニ三菱より案内アリ、六時半より出席、午後九時帰ル

四月五日　日曜

午前六時より起キ風呂ニ入リ、七時四十分自働車ニ而渡場ニ行、小蒸鑛船ニテ鳥海進水式ノ式場ニ臨ミ、宮様御成リ、実ニ美事ナル進水式ヲ終リ、食堂ニテ立食ノ饗応アリ、又紀念品ト[ママ]相頂キ上野家ニ引上ケ、同家ニテ昼食ヲナシ、堀・義之介両君ト一同待合セ、二時長崎駅ニ而帰途ニツク
門司管理局長モ同車ス
鳥栖より下車シ、義之介ハ田代駅[7]より乗替、長原線[8]ニテ帰ル、不老庵ニ一泊ス
新風呂ニ入リタリ

四月六日　月曜

山内範造君相見へ、原鶴地所壱万円ニテ売却ノ旨申入アリ、承諾ス、家引払、桑畑片付迄ハ壱千五百円預ル旨申添

タリ
浜ノ町より村上氏相見候旨電話アリ、直チニ帰リ、村上・永井相見ヘ昼食ヲナシ帰ラル
永井君ハ神都電気ノ市営問題等打合ス
村上君ハ九軌負債書付持参上京ノ才〔ママ〕促アリタ
午後一時より重役会ニテ九軌之突発一件説明ス
村上氏より小倉付近ノ石炭坑区ノ件、石炭持参調査方申入アリタ
鯰田高橋伝次郎ト申ス受負人実地承知セシ由ニ付、相羽君ニ電話シ調査方頼ミタリ
花村徳右衛門ニ電話、抗木切ノ注意ス
［欄外］九ト七ツ
十六
六ツ

1 清水壮左久＝札幌控訴院検事長、太吉三男故麻生太郎元家庭教師、元福岡地方裁判所判事
2 麻生義太賀＝太吉孫
3 鳥海＝海軍重巡洋艦
4 上野家＝旅館（長崎市万才町）
5 橋本辰二郎＝東邦電力株式会社取締役、貴族院議員
6 冨貴楼＝料亭（長崎市下西山町）
7 田代駅＝鹿児島本線（佐賀県三養基郡田代村）
8 長原線＝筑豊本線長尾駅（嘉穂郡上穂波村）・原田駅（筑紫郡筑紫村）間

残而十

四月七日　火曜

村上・棚橋・木村ノ三氏相見へ、九軌興銀ノ借リ入ヲナシ、一旦各銀行より借リ入ノ手形ヲ仕払、其上ニテ事実ヲ発表セシ、興銀ノ借替ヲナスコトニ打合ス

三井〔銀行〕門司支店長大館義一氏相見へ、借リ入及預金現在之侭据置キヲ懇談アリ、此際興銀より一時借リ入ナスモ跡ニテ御融通ヲ願度、地元ノ事故全部手形ヲ仕払シテ其後ニ興銀ノ払替ヲ希望スル旨縷々申含メ、了解アリタリ

山内範造君相見へ、縁談ノ返事アリタリ

午後三時県庁ニテ松本〔学〕知事ニ面会、松本〔烝蔵〕氏突発事件発表、炭坑合理的ノ件[1]ニ付十五日頃上京ノ旨内話ス、耕地整理ノ方針ニ付意向ヲ聞キタリ

政友会支部ニ而縁談ニ付本人ノ意向ヲ聞キタリ

牧北〔牧田環〕[2]氏三池坑山ニ聞キ合セ、十日頃相見へル予定ノ電話アリ

義之介明日耕地整理問題ニ付呼ヒタリ

木村氏ト明日会談ヲ約ス

四月八日　水曜

木村専務ノ人撰ノ打合ヲナス

義之介出福ニ付耕地整理之件ニ付県庁ニ出頭ス

山内氏より電話ニ付、千円手付ノ承諾ス

相羽君坑区ノ模様報告アリ、小倉元坑山[3]調査ヲ命ス

午後四時半政[4]ニ行キ、堀氏相見へ居リ候モ伊藤傳右衛門相見へ、一同食事ヲナシ、午後八時帰ル、五十円茶代、

二十五円女中、十円男、十五円其他、百円遣シ十円ノ食費仕払ヒタリ
耕地整理ニ付樋口〔昌弘〕及県官一同協義委員長承諾ス（義之介立会）
［欄外］鯰田発電所高橋伝次郎

四月九日　木曜

木村・村上両氏相見へ、三井銀行より一銭一厘ニテ此際百万円借リ入、九軌ノ住友及利子払ヲナスコトニ打合ス
興銀借リ入急ク事ニ精々打合ス
山内範造君相見へ、原鶴地所壱万円ニテ買受ケルコトニシテ千円手形渡ス
縁談ノ件本人約メタルニ、了解ヲ不得事アル
一時、福村家ニテ堀・山内・石田ト食事ヲナス、午後八時帰ル

四月十日　金曜

午前七時半浜ノ町より自働車ニ而帰ル
野田氏相見へ、決算ノ内容ヲ聞キタリ
相羽君相見へ、小倉炭坑ノ含有炭▨〔模カ〕様ヲ聞キタリ
義之介岩崎氏之処より帰リ、面談之模様聞キタリ

1　松本学福岡県知事提唱の筑豊全炭鉱および製鉄所合同案、太吉・松本健次郎・貝島太市は賛同したが、三井の反対で不成立
2　牧田環＝三井鉱山株式会社常務取締役、電気化学工業株式会社取締役、のち三井合名会社理事
3　小倉元坑山＝小田良平所有勝山炭坑カ（小倉市足立、旧小倉炭坑）
4　政＝お政とも、元中洲券番芸妓矢野ソデ（マサ）経営待合（福岡市東中洲）

山内山林ニ行キ視察ス（二度行キタリ）、飯塚浦ニも臨ミタリ
義之介・太介〔麻生〕[1]其他等食事ヲナス

四月十一日　土曜

諸整理ヲナシタリ
午後五時三十五分ニテ上坂ス
直方駅より堀氏ト同車ス、下ノ関駅より堀氏上等室ノ下ノ分譲与セラレタリ
下ノ関駅ニテ橋本辰次郎〔二〕・木下〔信〕長崎県知事・本山〔文平〕熊本県知事・片桐〔貞央〕子爵・木村・村上・宮田〔兵三〕ノ諸氏ト午後十時過キ
迄食堂ニテ雑談ス

四月十二日　日曜

午前七時卅五分大坂駅着
前夜諸氏ト分カレ大坂駅ニ下車ス
［欄外］十六円食堂ニ仕払タリ
多田〔鉄男〕[2]及金森迎ニ来リ、自働車ニ乗リ、聖徳大子〔ママ〕御墓所ノ故久邇元帥宮殿下御遺髪塔御法要ノ場所ニ多田鉄男連レ
自働車ニテ午前十時過キ着、直チニ式上ニ礼拝ス
午後一時御髪塔前ニ参拝ス
［欄外］大坂府南河内郡磯長村、聖徳大子〔ママ〕御廟所叡福寺ニ行ク
会場ニテ食事ヲナシ、種々土産ノ紀念品ヲ頂キ、午後四時金森ニ着
休息シテ午後十時十二分大坂駅発ニテ帰途ニツク、木村・宮田氏ト同車ス
金森ニ六十五円、七十九円六十銭、百四十四円十銭

四月十三日　月曜

朝食ヲナス、木村・宮田一同ナリ

松本健次郎氏奥様及三男〔空白、馨〕ニ面会ス

午前十時折尾駅より下車シ、自働車ニ而帰リタリ

地蔵山・山内山ニ行キ、武田〔星輝〕・花村〔徳右衛門〕等ニ逢ヒ、杭木切取リ方ニ付打合ス

四月十四日　火曜

午前八時自働車ニ而出福、途中故障ニテ直チニ九水会社営業所ニ而重役会ニ列ス

午後ハ関係会社之重役会ニ列ス

江藤〔甚三郎〕・上ノ山〔上野山重太夫〕3両監査役来福ニ付、関係会社ノ重役一同・営業所科長等午後六時より中華園ニ招待ス

　六十六円食費一切

　十五円女中三人

〆

〔欄外〕二百十九円十四銭三月二十一日上京・三十日帰福旅費

　百十六円二十銭二月九日上坂・十二日帰福旅費

　三百三十五円三十四銭入

1　麻生太介＝太吉孫

2　多田鉄男＝株式会社麻生商店大阪出張所長兼神戸出張所長

3　江藤甚三郎・上野山重太夫＝九州水力電気株式会社監査役

三百四十円懐中

四月十五日　水曜

岩崎寿喜蔵氏相見へ、坑山買収ノ懇談アリタ、昼食ヲ呈シ帰ラル
片倉食堂ニ而食事ヲナス
福村家ニ岩崎・石田両氏茶会ヲナス

四月十六日　木曜

午前七時五十分自働車ニ而本宅ニ帰ル

四月十七日　金曜

午前十一時自働車ニ而出福
午後六時、貴族院議員堀田[正恒]子爵[伯]御一行午後五時五十分博多駅着ニ付、駅ニ相迎ヒタリ
午後六時ヨリ一方亭ニテ晩食ヲ呈ス

四月十八日　土曜

午後一時自働車ニ而戸畑安川[敬一郎]男爵[1]家ノ御披露宴会[2]ニ列シ挨拶ヲナス様申込アリ、別記ノ意味ノ挨拶ス
午後六時半過キ木屋瀬[3]ヲ経而午後八時半帰飯ス

四月十九日　日曜

午前八時五十分芳雄駅発ニ而三池鉱山ニ牧北[牧田環]重役面会ノ為メ乗車ス、午前十一時三十分着、迎之自働車ニ而倶楽部ニ行キ、牧北氏ニ逢ヒ、[石炭鉱業]聯合会ノ申合行詰リタルニ付、立場上此侭ニナシ置ク訳ケニ至ラズ、顧問ニ相談ノ為メ上京ノ事懇談セシニ、順序トシテ可然トノ事ナリシ
日本銀行惣裁[土方久徴]博多より三池ノ視察ノ打合ヲナシ、昼食ヲ外人ト一同相頂キ、午後一時二十四分発ニ而四時芳雄駅ニ

テ帰ヱル
麻生屋[4]法要ノ募〔墓〕参ス
野田氏方ニ行キ打合セ、出福ス

四月二十日　月曜

午前十一時博多駅発ニ而八幡駅ニ向ヒ、日本銀行惣裁迎ノ為メニ鶴丸〔卓市〕君ト同車ス、十七銀行[5]支配人〔児島健爾〕も同供セリ
八幡駅ニ惣裁ニ面会、三池視察ノ件懇々打合セ候モ、付添之向相拒ミタリ
大宰府ニ参詣ニ付帰リタリ
午後六時銀行家ノ招待会ニ臨ム
午後七時半過常盤館ニテ二次会ニ九水主人トシテ招待ス、銀行員一同陪席アリタ

四月二十一日　火曜

午前十一時二十五分博多駅発ニ而土方日銀惣裁一行長崎行ノ見送リナシタリ
三井銀行長崎支店より電話ニ而三池[6]立寄ノ件申込アリ、一旦承諾アリシモ牧〔牧田環〕北氏出発ニ付見合ノ旨本間〔録郎〕氏ニ通話ス

1　安川敬一郎＝第一巻解説参照
2　安川清三郎明治鉱業株式会社長息安川寛（のち明治鉱業取締役）結婚披露宴会
3　木屋瀬＝地名、鞍手郡木屋瀬町
4　麻生屋＝太吉弟故麻生太七（元株式会社麻生商店取締役・元嘉穂銀行取締役等）家
5　十七銀行＝一八七七年第十七国立銀行（福岡）として設立、一八九七年私立銀行に転換して十七銀行と改称
6　三池＝地名、三池郡三池町、三井鉱山株式会社三池鉱業所所在地

十一時三十分自働車ニ而本宅ニ帰リ、江藤・渡辺〔綱三郎〕[1]・黒木・上野〔山脱カ〕ノ諸氏会社視察ニ付、本家ニ而昼食ヲ饗応ス

四月二十二日　水曜

午前十一時山中立木[2]氏葬儀ニ出福ス

午後五時福村家ニ行キ、石田・堀両氏ト食事ナス

四月二十三日　木曜

松本健次郎氏相見ヘ、〔筑豊炭田〕合同ノ件打合ス

午後二時半県庁ニテ松本知事ニ面会、合同ノ打合ヲナス

午後四時十分二日市ニ行ク

山内範造君相見ヘ会食ス

四月二十四日　金曜

滞在（湯町）

四月二十五日　土曜

午前滞在、米山越ニテ帰リタリ

四月二十六日　日曜

午前十一時飯塚浦山其他在宅シテ差図ス

四月二十七日　月曜

午前七時四十分自働車ニ而九水営業所重役会ニ出席

片倉食堂ニテ大藪〔守治〕[3]・渡辺〔綱三郎〕ノ両氏ト昼食ス、銀行連其他多数知人ニ出逢タリ

木村専務相見ヘ、棚橋氏退任ノ内談アリシモ、九軌之落着迄延期ノ旨申添ヘタリ

四月二十八日　火曜

在宿

午後五時福村家ニ而石田氏ト食事ス

日出菱形〔重之〕[4]君相見へ、払込及新設機器（壱万二三千円）代金聞キ合、井戸別ニ掘ル等打合ス

其他種々使用人ニ付打合、払込ハ借リ入利子ニヨリ決行スル等十二分ノ注意ス

四月二十九日　水曜

拝賀ス

村上氏ニ電話ス、重役会可成遅クスルコト及松印[5]より引取ルベキ品物早ク手数ナスコト

山内範造氏より電話ニ付、十一時湯町ニテ面会ヲ約ス

相羽君ニ電話シ、土居・岩崎[6]両坑区ノ件ニ付注意ス、及小倉坑区[7]ノ聞キ合ヲナス

午前九時半自働車ニ而二日市ニ行ク、すし持参ス、山内氏相見へ食事ス、午後大辛〔宰〕府ニ参詣、江崎〔いし〕方ニテ大和屋[8]よ

1 渡辺綱三郎＝九州水力電気株式会社監査役、博多電気軌道株式会社取締役、昭和電灯株式会社監査役
2 山中立木＝旧福岡藩主黒田家元家令、元福岡市長
3 大藪守治＝九州水力電気株式会社取締役、元筑後水力電気株式会社社長
4 菱形重之＝九州電気工業株式会社常務取締役
5 松印＝松本枩蔵元九州電気軌道株式会社社長カ
6 岩崎坑区＝田川坑区とも、岩崎後藤寺炭鉱（田川郡後藤寺町ほか）、この年五月太吉譲り受け、九州鉱業株式会社起行小松鉱業所として経営
7 小倉坑区＝小田良平所有勝山炭坑カ（小倉市足立、旧小倉炭坑）
8 大和屋＝旅館（筑紫郡太宰府町大町）

り弁当ヲ取リ食事ス

四月三十日　木曜

湯町ニ泊リ

午前十時自働車ニ而米山越ニテ帰ル

五月一日　金曜

在宿

産業聯合会[1]ニ関シ二日午後一時福岡商業会議所ニテ集会ヲ約ス

書類整理ス

産業聯合会ノ件ニ付野田君相見へ、従来ノ手続キ聞キタリ

渡辺〔皐槃〕君相見ヘタルニ付、運送店[2]増資ノ件ニ付打合ス

五月二日　土曜

氏神ニ参詣ス

午前九時半自働車ニ而出福

五月十一日　月曜

午前十一時東京より帰リタリ

執印歯医ニツキ治療ヲ乞タリ

棚橋氏上京ニ付電話ニ而打合ス

五月十二日　火曜

午前八時博多停車場ニ松本〔学〕知事ヲ見送リ（八幡行ニテ乗車アリ）、大田黒外二氏挨拶ノ為メ別府より出福ノ旨挨拶

ス
大田黒・村上相見へ、一同松本知事官舎ヲ訪問ス
大田黒・木村・村上・黒木ノ諸氏相見へ、昼食ヲ呈ス
午後二時半貝嶋峠〔延吉〕[3]君相見へ、先年伊藤〔傳右衛門〕関係坑区片付タル挨拶ニ見ヘタリ
買入品ヲ持チ午後四時半本宅ニ帰ル
広畑[4]縫〔麻生〕[5]子来リ（花〔麻生〕[6]子同道）、嘉一郎〔麻生賀一郎〕[7]妻縁之懇談ス

五月十三日　水曜

午前野田・渡辺及義之介相見へ、整理ニツキ打合ス
足利紫山[8]禅師御出ニ付寄付金弐千円寺納ス、御一泊アリタ
関〔成章〕[9]判事（飯塚才判所長）相見ヘタリ

1　産業聯合会＝西部産業団体聯合会、労働問題を対象とする経営者団体、この年設立、太吉委員長
2　運送店＝株式会社芳雄運送店、一九二九年設立（飯塚町立岩）、株式会社麻生商店系列会社、のち新飯塚商事運送株式会社
3　峠延吉＝貝島鉱業株式会社取締役
4　広畑＝地名、飯塚町、太吉弟故麻生八郎家所在地
5　麻生縫＝太吉弟故麻生八郎妻
6　麻生花＝太吉弟故麻生太七息太三郎（株式会社芳雄運送店監査役）妻
7　麻生賀一郎＝故麻生八郎長男、のち作家大井広介
8　足利紫山＝臨済宗方広寺派管長、元万寿寺（大分市）住職、のち臨済宗管長
9　関成章＝飯塚区裁判所監督判事

午後弐時四十分自働車ニテ出福、山内範造氏相見へ、原靍地所ノ件打合ス、地主橋本氏モ同供アリタ
午後四時山内氏同供二日市ニ行ク

五月十四日　木曜

午前九時不老庵より帰リタリ
九水重役会ニ臨ミタリ
傍系会社ノ重役会ヲ終リ前知事官民送別会ニ臨ミ〔ママ〕
中洲中華亭〔園〕ニ於而九水一同晩食会ヲ催セリ、井上武・黒沢〔覚治〕[1]両監査役〔取締カ〕就任ニ付祝意ヲ兼而催シ、九水営業所員モ陪列〔ママ〕ノ案内ス
費金百九円余仕払、大閣〔閤〕[2]ニヨリ三十円ヲ仕払フ

五月十五日　金曜

午前筑後電気[3]支配人奥村〔茂敏〕君相見へ、勤務方ニ付懇談ス
井上武（延岡監査役〔ママ〕・靍丸支配人・八並山林嘱托・木村専務相見へ、殖林〔ママ〕ノ件ニ付種々打合ス
大坂須藤功・河本渡両君来リ、金弐百円遣ス
午後五時一方亭ニ前知事〔筑豊石炭〕坑業組合[4]員一同送別会ニ付出席
午後八時半中光ニテ送別会ヲ催セリ

五月十六日　土曜

午前八時大庭〔大場鑑次郎〕[5]内務部長転任ニ付送別ノ挨拶ニ天神官舎ニ訪問ス
午前十時三十八分博多駅発ニテ前知事松本氏出発ニ付見送リタリ
見送リ、博多駅より野田・義之介一同自働車ニテ帰リタリ

五月十七日　日曜

氏神棟上式之件ニ付麻生尚敏[6]・瓜生熊吉[7]ト打合ス

午前十一時自働車ニ而出福

五月十八日　月曜

村上・黒木両氏相見へ

村上氏ハ九軌重要ノ件内談アリ、異見之通実行方同意ス

黒木・村上両氏ト銀行家発表ノ事情書打合ス

清水壮左久氏相見へ、久方振ニ而福村家ニ星野・黒木両氏一同招待ス、太賀吉一同出席ス

五月十九日　火曜

午前七時十五分清水氏出発ニ付博多駅ニ見送リタリ

福村家ニ立寄、若主婦一同片倉ニテ食事ヲナス

1　井上武・黒沢覚治＝延岡電気株式会社取締役就任
2　太閤＝カフェー（福岡市東中洲）
3　筑後電気株式会社＝一九二三年九州水力電気株式会社が九州電気酸素株式会社を買収して改称、太吉社長
4　筑豊石炭鉱業組合＝一八八五年設立、太吉常議員、元会長
5　大場鑑次郎＝福岡県内務部長から台湾総督府文教局長に転任、のち愛媛県知事
6　麻生尚敏＝酒屋、酒造業（飯塚町栢森）、元福岡県会議員、元飯塚町会議員
7　瓜生熊吉＝飯塚町栢森区長

中光[1]・おゑん[2]両婦挨拶ニ見ヘタリ
午後四時過キ二日市ニ向ケ行ク

五月二十日　水曜

前夜より軽症之持病之気味アリ、食事ヲ見合ス
午前八時三十八分、山家駅[3]ニ狩野〔嘉市〕着ノ打合セシニ付、自働車ニ而原靍ニ向ケ出発ス
原靍買入地所ノ実見セシニ、界境〔ママ〕ニ注意ノ点ヲ発見ス

五月二十一日　木曜

二日市より自働車ニ而山内氏ト、共進亭ニテ堀・石田・山内ノ三氏ト食事ヲナス
午後一時半より福村家ニ而懇談ス

五月二十二日　金曜

午前九時半過より自働車ニ而帰ル
野田・義之介・相羽ノ三氏立会、岩崎氏より申入之田川坑区三十二万円ニテ買入、十五万円相渡、其外ハ一ケ年目ニ仕払事ニ内決ス
日役ノ者共働キ方不宜ニ付中止之事ヲ申付ル
後藤寺岩崎氏坑区
　含有炭壱千万屯（三井調査千二百万屯）、五銭トシ五十万円ノ希望アリシモ、最後ニ八百万屯トシ、四銭トシテ三十二万円トナリタルニ付、地所・建物類一切添ヒ候時ハ買受ノ事ニ内定ス

五月二十三日　土曜

軽症ノ病気ニ而静養ス

午後一時木村専務東京より帰福ニ付出福ス
木村氏相見へ、東京ニテ製鉄所売込電力ノ件及岩尾〔昭太郎〕[4]・〔空白〕ノ両氏筑後電灯〔気〕ニ重役撰挙打合ス
病気ニ付上京見合度旨打合ス

五月二十四日　日曜

村上氏ニ電報シ返事ヲ待チタリ
堀・石田両氏よりおちか[5]より電話アリシモ、病気ノ為メ遠慮ス
村上氏より返事アリ、木村氏ト電話ニテ打合、午後四時より本宅ニ帰ル

五月二十五日　月曜

野見山〔米吉〕監査役・西園〔磯松〕元支配人・青木〔青柳茂〕[6]支配人相見へ、後藤寺加治〔三嗣〕[7]氏払分買入方及□且〔綿勝〕[8]・青柳近太郎[9]ノ件打合ス

1 中光＝三枝トク、料理屋中光経営、元水茶屋券番芸妓
2 おゑん＝元馬賊芸者桑原エン、元貸座敷於苑（福岡市西門橋）経営
3 山家駅＝筑豊本線筑前山家駅（筑紫郡山家村）
4 岩尾昭太郎＝薬種商（大分県日田町）、日田商工会議所会長、大分県会議員
5 おちか＝料理屋（福岡市西中洲）
6 青柳茂＝嘉穂銀行支配人
7 加治三嗣＝加治三益元田川銀行頭取息
8 綿勝＝寺坂勝右エ門、飯塚町会議員、元旅館綿勝（飯塚町向町）経営
9 青柳近太郎＝九州自動車株式会社取締役、元青柳自動車商会経営、のち嘉穂郡穂波村会議員

五月二十六日　火曜

時枝［満雄］[1]祠掌相見へ、上棟式及社昇格ノ件ニ付注意ス

野田君相見へ、岩崎氏坑区買入約定書案ヲ見シタリ

永井管二［菅治］君相見へ、宮崎市営問題ニ［ママ］種々打合ス、昼食シテ帰ラル

瓜生長右衛門[2]来リ、宇部坑区買入ノ相談ス

義之介上京ス

五月二十七日　水曜

後藤寺岩崎氏より譲受坑区坑業ニ付地所買入方土地掛ニ請求セシモ埒明不申、相羽君ニ再三電話ニ而注意ス

木村氏ニ、病気ニ付二十八日重役会及宮崎神都会社惣会欠席ニ付代理出席ヲ相頼タリ

耕地整理ノ件ニ付花村久介［助］氏及県ノ受持ノ人相見ヘタルニ付、打合ノ結果二十八日藤森・林田[3]両氏ト会合ノ打合ヲナス

五月二十八日　木曜

区長［瓜生熊吉］来リ、天心教[4]建設ノ件ニ付懇談セシモ、本店ニ申付返事ノ旨相答タリ

耕地整理ノ件ニ付藤森・林田及県属等数名相見ヘ協義ヲナシ、喜代吉地所ハ明瞭トナリタルモ其他ハ尚再調査ノ件打合ス

昼食後尚打続キ協義シ、仮令数日ニ□［後カ］ルモ目下ノ指引勘定デハ結果片付兼ル見込アリ、十分調査ノ打合ヲナシ散会ス

飯塚浦及山内ニ行ク

五月二十九日　金曜

村上氏ニ電話シ、来月十一日重役会ニ決定ノ通話アリタ

昭和電気［灯］会社[5]賞与金百六十六円六十七銭［花村］久兵衛[6]氏持参アリ、受取

［欄外］金千百円

同七百五十五円

〆千八百五十五円現在ス

五月三十日　土曜

在宿

午前十時村上専務相見へ、六日夜出発上京、銀行家ニ報告ノ打合ヲナス

谷田信太郎[7]君相見へ、種々商談ヲ聞キタリ

飯塚浦ノ公園候補地ノ下刈ノ模様ヲ視察注意ス

1　時枝満雄＝負立八幡宮（飯塚町栢森）宮司
2　瓜生長右衛門＝飯塚町会議員、元麻生商店理事兼鉱務長、元福岡県会議員
3　林田＝飯塚町役場土地係
4　天心教＝神道系宗教（大阪府南河内郡古市町）、教祖井口スエ
5　昭和電灯株式会社＝元嘉穂電灯株式会社、一九三〇年九州水力電気株式会社の傘下に入り改称、太吉社長
6　花村久兵衛＝昭和電灯株式会社事務嘱託、飯塚町会議員、元嘉穂電灯株式会社技師長
7　谷田信太郎＝株式仲買商（福岡市）

五月三十一日　日曜

氏神改築工事竣工ニ付報告祭挙行ニ付、午前十時より参詣、来集者ニ挨拶ヲナシ午後一時後帰リタリ
花村徳右衛門氏ノ不幸ノ悔ミニ行ク

六月一日　月曜

野田君ニ、飯塚浦公園道路落成ニ付借地申込者ニ安直〔値〕ノ地料ニテ貸与スルコトノ意味電話ス
午前十一時自働車ニ而出福ス
執印歯医師ニツキ入歯療治ス
［欄外］三百五十円延岡〔電気〕賞与金受取

六月二日　火曜

山崎達之助〔輔〕[1]君相見へ、北九洲事業上ニ付統一ノ必要アリ、政治と両輪ノ如ク安定スルニハ大ニ努力ノ必要ノ旨一時間余懇談ス
伊藤傳右衛門君ニ面会、九軌ノ始末ヲ相咄シ、只驚ク旨申、松本〔杢蔵〕カ多少財産ヲ潜シ居ルベシ、自分ハ監査役ノ適任ニナキ事ヲ縷々申向ケタルモ其侭トナリ居ル抔ト丸而小供ノ如キ調子ニテ、驚クノ外ナカリキ
堀氏ト一同福村ニテ昼食ス
午後六時より福村ニ山崎氏外招待ス
藤〔勝栄〕[2]幹事長・山内・堀・宮川〔一貫〕[3]、岩崎・久恒〔貞雄〕ノ両氏ハ欠席

六月三日　水曜

午前十時帰リタリ
渡辺〔皐築〕君相見へ、産業〔九州〕[4]一割二分配当ノ件打合、一割ナラデハ従業員及販売先キノ関係モアリ、野見山〔米吉〕氏ニ電話シ一

割ノ事ニ打合ス
銀行関係ノ青柳〔近太郎〕及綿旦〔勝〕ノ事ハ先方カ断リタルトキハ更ニ穏当ノ方法ノ協定注意ス
耕地整理出張官吏不在ニ付、花村久助・渡辺皐築・臼杵〔弥七〕等ノ諸氏会合、指引勘定ノ現金受引ノ少クナル様注意ス
［欄外］金弐千円上京費、別口受取

六月四日　木曜

武田星輝相見へ、耕地整理ノ成行ニ付聞取、将来ノ地所交付等ノ件注意ス
原鶴地所境界立会之件申付ル
午前八時四十五分自働車ニ而出福ス
木村専務相見へ、日田岩尾〔昭太郎〕・森ノ〔平太カ〕[5]両氏ノ件ハ其侭ニ成行ヲ待ツ事ニ打合ス
九洲座[6]ニ山内・黒木氏等案内シテ見物ニ行キタ

六月五日　金曜

棚橋氏相見ヘタルニ付、減配ノ口気アリタルモ、容易ナラザル問題ニ付極力現状維持ニ実行方注意ス

1　山崎達之輔＝衆議院議員
2　藤勝栄＝立憲政友会福岡県支部幹事長、福岡県会議員
3　宮川一貫＝衆議院議員
4　九州産業株式会社＝一九二九年設立（田川郡後藤寺町）、九州産業鉄道株式会社の鉄道部門以外を譲り受け、太吉社長
5　森平太＝日田共立銀行（大分県日田町）監査役、元日田銀行取締役
6　九州座＝九州劇場の通称、一九一二年開場（福岡市東中洲）、一九二三年焼失、同年再建

杖立[1]・九洲送電合同ノ件注意ス
木村専務相見へ、制〔製〕鉄所売込電気ノ件ニ付上京ヲ注意ス
岩崎寿喜蔵氏挨拶ニ見ヘタリ
義之介帰県ニ付東京ノ模様聞取リタリ
片倉ニ而昼食ヲナス
石田氏より招待ニ付福村家ニ行ク
麻生益郎〔良〕[2]及橋爪〔安彦〕[3]ノ両氏相見ヘタリ

六月六日　土曜

谷田来リ、九軌売物出タリトノ為知アリタ
午前十時自働車ニ而帰リ、帰リ飯塚浦山ニ立寄タリ

六月十三日　土曜

午前十一時五十分東京より帰リタリ
午後二時後藤寺岩崎炭坑ニ野田・相羽両氏一同視察ス
渡辺皐築君相見へ、中野昇君[4]〔九州〕産業重役辞任ニ付挨拶ノ件申向ケアリタ

六月十四日　日曜

午前七時半自働車ニ而出福
九水重役会ニ出席

六月十六日　火曜

野見山君相見、銀行決算ノ模様聞取タリ

和才《〔誠司〕》[5]氏ノ件聞取タリ、転勤ニ打合ス
飯塚市制之件ニ付有志者相見へ、将来ノ異見ヲ質問アリタルニ付、実ハ市制之必要ハ認メザルモ飯塚側ノ希望ニ反対スルハ将来不和ヲ生スル故、此際涙ヲ呑デ賛成ノ意味ヲ申向ク、夫故局力《〔ママ〕》市費ノ増加セザル様元笠松[6]側ニ於テ申合アル様注意ス、市長ハ現在之町長ヲ撰挙スルハ穏当故、将来市制上ニ付市民ノ希望ヲ入レラル、条件ニ付市長ニ撰挙アル様十二分ノ注意ス
耕地整理ニツキ赤松《〔健蔵〕》[7]出張員一同午後八時迄調査ス
〔欄外〕午前七時半福岡より帰リタリ

六月十七日　水曜

義之介来リ、飯塚警察署新築寄付金壱万円承諾之旨返事ノ事申向ケタリ
地蔵園ニ行キ、瓜生《〔政五郎〕》[8]仮道切払ノ事申付タリ

1　杖立＝杖立川水力電気株式会社、一九二三年設立（大分市）、九州水力電気株式会社の傍系会社、太吉社長、翌一九三二年九州水力電気に併合
2　麻生益良＝酒造業（大分県玖珠郡東飯田村）、翌年九州水力電気株式会社監査役
3　橋爪安彦＝玖珠実業銀行（大分県玖珠郡東飯田村）取締役
4　中野昇＝株式会社中野商店代表取締役、九州産業鉄道株式会社監査役・九州産業株式会社監査役・嘉穂銀行取締役この月辞任
5　和才誠司＝九州産業鉄道株式会社人事部
6　笠松＝飯塚町、旧嘉穂郡笠松村、一九〇九年旧飯塚町と合併、麻生家所在地
7　赤松健蔵＝福岡県耕地課耕地整理書記（直方耕地整理出張所）
8　瓜生政五郎＝麻生家職工

組田〔鞆之助〕[1]買物代金弐百七十円受取
午後十二時半自働車ニ而、東公園一方亭ニテ〔ママ〕二時ニ達シ、安川〔敬一郎〕男ト会食ス
　六月十八日　木曜
午前八時自働車ニ而帰リタリ
　六月二十五日　木曜
午前八時半木村専務相見へ、九軌株買入ニ付打合ス
自働車ニ而帰リタリ
耕地整理出張官及武田等立会調査整ヒタリ、評議員会等打合散会ス
［欄外］九水会社壱万四千八百二十三円賞与ノ内、壱千五百円本社ニ預ケ、壱万千九百二十八円三十三銭受取
　　壱万二千円別口ニ預ケ入レル
　三百六十四円十六銭両度上京費、九水より受取
　六月二十六日　金曜
在宿
義之介来リ、九水・九軌維持ノ為メ買入ニツキ先方ノ計略ニ掛ラヌ様注意ス
嘉穂銀行所持ノ東望〔東邦〕[2]株売却方ニツキ注意ス
九軌会社重役ノ件ニ付鮎川義介[3]より打電アリ、返電ス
［欄外］百三十一円組田買物代受取
　同九十七円受取
百廿四円七十銭金森払、買物代

三百十円九十九銭受取

外ニ三十円平野〔市三カ〕渡之分トテ受取

六月二十七日　土曜

午前七時自働車ニ而小倉九軌惣会ニ臨ミ、閉会後重役会ヲ終リ、野田君ハ小倉駅より黒木君ハ同車シテ福岡ニ帰リタリ

佐藤〔正俊〕[4]警察部長ニテ九軌惣会ノ報告シ、又検事局ニ対シ此際財界ノ不穏ニナラザル様打合方異見ヲ聞キ、直接より佐藤君より申入方打合ス

六月二十八日　日曜

宮川貫一〔一貫〕代議士相見へ、鈴木氏関係懇談アリタルモ相断リタリ

福村家ニ行キ食事ヲナス

午後十時二日市不老庵ニ行ク

六月二十九日　月曜

二日市滞在

1　組田鞆之助＝書画骨董商（東京市）

2　東邦＝東邦電力株式会社（東京市）、一九二二年九州電灯鉄道株式会社（福岡市）と関西電気株式会社（名古屋市）が合併して発足

3　鮎川義介＝戸畑鋳物株式会社長、東洋製鉄株式会社取締役、日本産業株式会社取締役

4　佐藤正俊＝福岡県警察部長

六月三十日　火曜

米山越ニテ帰リタリ

七月一日　水曜

村上氏より電話ニ而大田黒[九軌]社長十二時十一分着ニテ来訪之電話アリ、待受ケルコトニ打合ス

芳雄駅前耕地整理委員会開催、夫々評決ス

大田黒・村上両氏相見へ、惣会相済ミタル詳細東京ニ帰リ御報告ヲ頼ミ、又重役ハ暫ラク撰挙ヲ見合セルニ打合ス

午後四時芳雄駅発ニ而帰ラレタルニ付、芳雄駅ニ見送リタリ

七月二日　木曜

午前八時より朝鮮林君[省三][1]相見へ、安民[眠]嶋山林経営ニ付方針ヲ縮少シ嶋売ノ事ニ拠リ惣而予算ヲナシ実行スルコトニセリ（別ニ予算書アリ

喜久田[又一郎]九水営業[所脱]副支配人相見へタリ

午後七時より自働車ニ而出福ス

米子[麻生]ニ金弐千[百カ]円遣銭遣ス

七月三日　金曜

堀及木村専務両君相見へ、井上九軌[博通]支配人ノ身上ニ付、就職ニツキ条件ヲ付スルハ不宜、極力努力ヲナシ信用ニ得ル事ニ務メラレル様申向ケ、左スレハ自然重要[用]スルコトニナル旨打合ス

佐藤警察部長ヲ訪問ス

宮崎大和田[市郎]氏へ夏帯送ル

七月四日　土曜

梅野〔栄〕来リタリ

午前九時半より九水重役会ニ臨ム

午後三時閉会、帰リ、山内氏ニ逢ヒタリ

堀氏ニ電話ス

七月五日　日曜

山内氏一同湯町ニ行キ食事、一泊ス

湯町ニ滞在

加布里この里[2]ニ行キ昼事ヲナス、長崎検事連の遊来等ノ事ニテ、午後一時過キ帰リタリ

博多ニテ中花〔華〕園ニテ支那料理ニテ食事ヲナス

湯町ニ行ク

七月六日　月曜

午前七時半湯町より帰リタリ

山口銀行守屋氏〔寿三郎〕[3]相見へ、外科医開業ニ付融通ノ件内談アリタ

佐藤前警察部長午前十時三十八分博多駅ニ見送リタリ

1　林省三＝株式会社麻生商店安眠島林業所（朝鮮忠清南道瑞山郡）総務部長支配人

2　此の里＝料理屋（糸島郡加布里村）

3　守屋寿三郎＝山口銀行福岡支店長

博多駅ニテ栗本〔武二カ〕弁護士より永冨〔貞平カ〕[1]氏入院中ノ件内談アリタ
午後三時半飯塚ニ帰リタリ

七月七日　火曜

嘉穂銀行重役会ニ臨ミ、議事ヲ済マシ午後三時過キ帰宅、自働車ニ而出福ス
福村家ニ行キ、堀・石田ノ両氏ト食事ヲナス
瓜生長右衛門ヲ呼ヒ、井上博文〔通〕身上ニ付打合ス
瓜生長右衛門出福、井上君ハ矢張九軌之就職希望アリ、其ノ事ニ決定ヲ同意ス
〔欄外〕　金弐百円博済〔無尽〕半期報洲〔酬〕受取
　同七円〔嘉穂〕貯蓄日当受取

七月八日　水曜

棚橋・木村両氏相見へ、三井銀行より借リ入金ノ件及九軌社債債権者トシテ東京ニ於テ三菱銀行ノ意向聞キ合ノ打合ヲナス
九軌村上氏慰労金少額ニ付、杖立会社之方尚打合ノ件等協義ス
福日中野節郎君相見へ、記事ノ間違ノ件説明ス

七月九日　木曜

渡辺鼻築君より、堀氏困難ニ付松嶋坑区[2]資本金融通ノ件、久恒ト同様内談アリタ
午後一時飯塚ニ帰リ相羽君ト打合セ、十日朝再会ヲ約ス
地蔵山ニ行キ工事ヲ視察ス

七月十日　金曜

相羽君ヲ呼ヒ、堀氏松嶋坑区実地調査ヲ頼ミタリ、現在坑内ノ四尺層ト五尺層ノ関係ト今回断層先キノヤケ[3]ニ実測スル時ハ惣而明瞭トナル旨申含メ置キタリ

芳雄駅十時七分発ニテ九軌重役会ニ出席、折尾ヨリ電車ニ乗、本社前ニテ下車ス、野田氏ト同供ス、大吉[4]ニ招待受ケシモ断リタリ、四時三十六分小倉駅ニ乗車、帰リタリ

直方駅より堀・石田両氏ト折尾迄同車ス

七月十一日　土曜

瓜生長右衛門井上博通就職ニツキ挨拶ニ見ヘタリ、誠意ヲ以十二分勤務方及村上専務ニツキ最終ノ努力セラル、様申向ケタリ

山内氏ニ電話、湯町東倉壱坪三十五円ニテ買受ノ相談ス

産業団[5]委員会ニ付渡辺［福雄］[6]（福岡）君上坂ニツキ発電ス

七月十二日　日曜

芳雄駅前耕地整理惣会ヲ午後一時ヨリ開催、午後三時閉会ス

1　永富貞平＝長崎地方裁判所長、元福岡地方裁判所部長、次男が直後に死去、十日葬儀
2　松島坑区＝松島坑山とも、松島炭山とも、堀鉱業株式会社東松島炭鉱（長崎県西彼杵郡松島村）
3　ヤケ＝石炭の露頭
4　大吉＝大吉楼、旅館（下関市阿弥陀寺町）
5　産業団＝全国産業団体聯合会、労働問題を対象とする経営者団体、この年設立、太吉委員
6　渡辺福雄＝株式会社渡辺鉄工所専務取締役、のち社長

午後五時三十分大里〔広次郎〕代議士ヲ芳雄駅ニ見送リ、六時より湯町ニ行ク、おいし〔野畠〕ヲ連レ料理ヲ指図ヲナサシム
湯町ニ一泊ス

七月十三日　月曜

湯町より自働車ニ而出福ス
尾橋〔尾池秀雄〕[1]警察部長ニ新任ノ挨拶ニ行キタリ
市〔福岡〕役所ニ立寄、久世〔庸夫〕市長ニ面会ス
　楠本〔武俊カ〕[2]氏ノ身上ノ件、海面埋立地所等ノ件打合、坑〔防〕空博覧会[3]ニ臨ミタリ
山内〔範造〕・大塚〔与三郎カ〕[4]・藤〔勝栄〕幹事ノ三氏ト共進亭ニテ昼食ス
午後三時より福村ニ行キ、石田氏ト食事ヲナス

七月十四日　火曜

本間〔録郎〕三井銀行支店長相見へ、九軌社債引受有力銀行聯合ノ件ハ今暫ラク見合方本店より通知アリ、又保善会社〔全〕[5]より社債担保ニテ借リ入金も目下見合方本店より通知ノ旨懇談アリタ
木村専務ニ右本間氏ノ談話ヲ移シ、八塚〔秀二郎〕[6]及副社長〔棚橋琢之助〕ニ通報方打合ス
相羽君ニ松嶋[7]調査之件電話シ、十時迄ニ調成スル旨返話アリ、出来次第出福ヲ約ス

七月十五日　水曜

午前九水重役会ニ出席、関係会社打合会済後、常盤館ニ而本社移転[8]之内祝及九軌負替〔肩カ〕及突発事件ノ慰労宴会ヲ催ス、
午後八時散会ス

七月十六日　木曜

湯町ニ午前十時より自働車ヲ雇ヒ行キタリ、同地ニ滞在ス

黒瀬品物持チ来リ、買入ナス

七月十七日　金曜

午前八時四十六分二日市駅発ニ而帰リタリ

相羽君午前十時待合セアリ、松嶋堀〔三太郎〕氏坑区調査ノ上方針打合セ、尚調査ヲ要スル分追調査ヲ打合ス

義之介夫婦及太介来リ、晩食ス

七月十八日　土曜

黒瀬買物代百三十円受取タリ

午前九時自働車ニ而出福、共進亭ニテ横井理髪所ニテ髪ヲ摘ミ、白ブトウ酒壱箱明治屋より取寄二日市ニ持参ス

湯町ニ行ク

七月十九日　日曜

二日市滞在

1　尾池秀雄＝福岡県警察部長
2　楠本武俊＝大分セメント株式会社東京出張所、元大船渡セメント株式会社創立事務所、故和田豊治関係者
3　防空博覧会＝防空大展覧会（福岡市博物館・記念館）、七月四日から十八日まで開催
4　大塚与三郎＝福岡県会議員
5　保全会社＝九州保全株式会社（東京市）、一九三〇年株式および公債取得処分を目的に設立された九州水力電気株式会社の傍系会社、太吉社長、この年退任
6　八塚秀二郎＝九州水力電気株式会社監査役、九州保全株式会社取締役
7　松島＝地名、長崎県西彼杵郡松島村、堀三太郎経営東松島炭鉱所在地
8　九州水力電気株式会社本社を東京市麹町区有楽町から福岡市庄に移転

久留米有馬秀雄[1]氏ニ電話シ、二十一日湯町カ博多ニテ出会ヲ約ス
山内氏ニモ電話、有馬氏同様ノ電話ス
堀氏相見へ、松嶋坑山ノ件ニ付懇談アリタ、別記ニアル意味聞取タリ

七月二十日　月曜

午後五時半湯町より自働車ニ而帰リタリ
およね外一人同車ス、玉屋前ニテ下車ス
湯町電話料十七円上納セシモ返シ来リ、受取タリ
三十三円七十五銭玉屋出張員ニ払
〔欄外〕百円遣ス、お金ニ

七月二十一日　火曜

堀氏相見へ、松嶋炭山ノ打合ヲナス
相羽君ニ電話シ、松嶋旧坑よりノ掘進打合ス、又堀氏カ西肥〔彼〕電〔気〕灯[2]会社ノ件電話ス
松嶋坑ノ件ニ付投書達ス
太〔大〕田黒氏より社債ノ件ニ付棚橋君ニ出状之写相達ス、村上専務より廻送アリタ
棚橋氏辞任之書状相達ス

七月二十二日　水曜

中光ニ行キ食事ス（晩食

七月二十三日　木曜

有馬秀雄・山内範造・藤勝衛〔栄〕ノ三氏福村家ニ招待ス

午後八時半帰リタリ

七月二十四日　金曜

湯町滞在

お米一行博多芝居見ニ行ク

［欄外］金十円遣ス

午後二時米山越ニテ帰宅ス

義之介来リ、春帆楼[3]一方亭名前ニ而貸金名換之件申談ス

相羽君ヲ呼ヒ、松嶋坑ノ件打合

渡辺君相見ヘ、森崎や[4]ノ件及野見山幡次郎ノ件聞キ取タリ

七月二十五日　土曜

阿部［暢太郎カ］[5]・村上両氏ニ出状ス

野見山米吉君相見ヘ、幡次郎不身持ニ付、一切関係ヲ絶チ家産ヲ財団組織ニスル旨縷々申入アリタルニ付、先ツ家産幡次郎ニ分与シ収支ノ計算ヲナサシメ、自発的改心ヲ試ミラレ、其上ニテ大体ノ実行見合ノ旨縷々申向ケ、又廿

1　有馬秀雄＝元衆議院議員、元六十一銀行（久留米市）頭取、のち東京市会議員

2　西彼電気株式会社＝一九一六年開業（長崎県西彼杵郡瀬戸町）

3　春帆楼＝料亭（下関市阿弥陀寺町）

4　森崎屋＝木村順太郎、株式会社麻生商店監査役、株式会社森崎屋（酒造業）代表取締役

5　阿部暢太郎＝福岡日日新聞編集局副長、のち社長

六日銀行惣会ニモ何等申向無之様注意ス

七月二十六日　日曜

嘉穂銀行惣会及貯蓄銀行〔嘉穂〕・博済会社惣会ヲ済マシタリ

山本兵吉〔助カ〕より山本三郎[1]保証人免除ノ旨申入アリタルモ、相断タリ、大審院判決ニヨリ保証人ノ責任ナキトノコトハ親シク法律者ヲシテ研究ナササシムベクニツキ、山本も其ノ判例ヲ能ク示シラレ候様申向ケタリ

公益事件ニ尽力シ十万円贈与ヲ受ケタルカ聞付セシコト、先年面会ノトキ聞及タル旨申向ケアリタルモ、何ニカ間違ニテハナキカト研究中、産鉄ハ地元より十万円寄附アリタルモ返上スル旨ノ間違ナラント了解アル様申向ケタリ

午後三時過キ自働車ニ而末次[2]一同来リタリ

〔欄外〕壱千百七十円嘉穂銀行賞与

　四百五十三円十一銭博済会社同

　壱百十五円六十八銭貯蓄銀行

　〆受取千七百三十八円七十九銭

七月二十七日　月曜

実藤〔実岡半之助カ〕・藤森〔善平〕両県会議員相見へ、候補者之件ニ付内談アリタ、支部ト打合精々御尽力相成様申向ケタリ

午後二時臼井坑々長高嶋〔市次郎〕[3]母死去ニ付葬式ニ行ク、坑所より飯塚ニ職員一同帰リタリ

七月二十八日　火曜

午前十一時半自働車ニ而出福、共進亭片倉食堂ニテ昼食ス、中津遠入〔鉄次郎〕[4]氏ニ出逢ヒタリ

守永氏九軌就職ノ豊氏及母公〔ママ〕ト両人相見へ、種々懇談ス

宇美小林作五郎[5]氏相見へ、鳥居建納之件ニ付懇談アリタ

七月二十九日　水曜

午前ハ少シク不工〔ママ〕合ニ而静養ス

午後五時半より福村家ニ招待会ニ出席、午後十時帰ル

七月三十日　木曜

才判所招待内諾アリタ、来月三日ニ招待ニ取極メタリ

三井支店本間氏〔録郎〕ヲ訪問、棚橋氏より如何ナル申入アリタルカ聞合セシニ、壱千万円貸金ハ何等間違ナキモ、二千万円九軌社債借リ入方ニ付、第一・三菱・三井聯合ニテ融通ノ件本間氏ニ申入アリ、本間氏ハ正式ニ東京本社ニ申入アリタルコト明瞭ナリ

太賀吉ニ、義之介・吉浦ノ居合セル処ニ而、後藤寺新坑[6]開坑ニ従事ノコト申向ケタリ

夏子〔麻生夏〕[7]ハ一言ノ助言ヲナサズ、其侭トセリ

九水、九軌肩替リニ関シ世上ニ通告ノ件、草案達ス

1　山本三郎＝元嘉穂銀行書記
2　末次＝元麻生家看護婦
3　高島市次郎＝株式会社麻生商店吉隈鉱業所長
4　遠入鉄次郎＝九州産業株式会社取締役、豊前銀行（中津市）頭取
5　小林作五郎＝酒造業（糟屋郡宇美町）、元福岡県会議員
6　後藤寺新坑＝九州鉱業株式会社起行小松鉱業所弓削田炭坑カ
7　麻生夏＝太吉三男故麻生太郎（元株式会社麻生商店取締役）妻、太賀吉母

七月三十一日　金曜

九軌松本〔忝蔵〕君所有株□〔肩〕替リニ付営業所主任ニ説明ノ原案九水ヨリ前日送付ニ付、研究シテ加除致、木村専務ニ渡ス
午後一時二十分閑院宮〔春仁〕様奉迎之為メ二日市駅ニテ奉迎ス
不老庵ニ休息中帆足〔三郎〕[1]君相見へ、武蔵寺[2]寄付七百円承諾ス
午後五時福村家ニテ福岡日々新聞連中招待ス、午後九時帰ル
村上氏ニ棚橋氏ノ件ニ付親シク打合ス

八月一日　土曜

閑院宮様奉伺ノ為メ甘木[3]御旅館ニ向ケ出発ス
堀君相見へ、松嶋坑電気計画ノ件聞キ取タリ
来〔今〕月三日才判所長歓迎会案内ス

八月二日　日曜

湯町滞在
午後二時九分閑院宮妃殿下停車場ニ奉迎ス
午後三時湯町より帰ル

八月三日　月曜

典太〔麻生〕[4]ト共進亭食堂ニ而中食ス
黒木氏ニ来邸ヲ乞、予算ニ付打合ス
福村宴会ニ出席

八月四日　火曜

分家[5]一同津崎〔ママ〕屋別荘ニ而海猟セリ

午後六時帰ル

八月五日　水曜

午前九時九水重役会ニ出席

堀氏東望〔東邦〕ノ電気関係成立ノ報告アリタ

午後三時飯塚ニ帰ル

八月六日　木曜

本宅ニ而在宿

大分佐藤寅〔虎〕雄君来リ、五百円遣ス

池田〔常二〕副支配人来リ、稟儀ニ調印ス

昼食ヲナシ両氏トモ帰ラル

□〔尾池カ〕橋部長立寄アリ、玄関ニ而挨拶ヲナス

1 帆足三郎＝筑紫郡二日市町収入役
2 武蔵寺＝天台宗寺院（筑紫郡二日市町）
3 甘木＝地名、朝倉郡甘木町
4 麻生典太＝太吉孫、のち麻生鉱業株式会社専務取締役
5 分家＝麻生家分家、麻生太右衛門家・麻生義之介家・麻生五郎家・麻生太七郎家・故麻生八郎家

八月九日　日曜

湯町滞在
大丸館仕払ス、五十円茶代、百円召使中、おきみ五十円、〆二百円ナリ
［欄外］百円家番ニ渡ス

八月十日　月曜

午前十時九軌重役会ニ出席ス
折尾より野田君ト同車
小倉駅より自働車ニ而本社へ行キ、重役会後下ノ関大吉楼ニ荘田氏及九軌課長連招待ス
村上・野田・黒木ノ三氏も内本〔浩亮〕氏相見へ一同出席アリタ、三井銀行支店長相見ヘタリ
［欄外］女中ニ二十円、老妓ニ四十円遣ス

八月十一日　火曜

午後一時商業会議所ニテ西部産業聯〔団体脱〕合会[1]第一回ノ惣会ニ出席ス
午後五時一方亭ニ招待、晩食ヲ饗応ス
午後八時半帰リタリ

八月十二日　水曜

堀氏相見へ、松嶋坑金融上ニ付渡辺〔皐築〕氏ヲ以申入ノ件ハ思ヒ違ヒトノ申訳ケアリタ、松嶋坑三井分モ電気入用ニ付九送より多少送電線ニ費用増加シテ架設ノ旨咄シアリタ
閑院宮妃殿下黒田侯〔長成〕[2]ニ御立寄ニ付午後一時十五分奉迎ス、待合トキ茶菓子頂戴ス
午後二時半木村君相見へ、東京ノ報告アリタ

八月十三日　木曜

木村君相見へ、棚橋君副社長辞任之事ニテ此際打合タル旨申向ケアリタ、十五日重役会ニ謀〔ママ〕リ、専務カ自分カ上京スルコトニ打合ス

藤〔勝栄〕幹事長相見へ、山崎達之介〔輔〕氏ノ申入ノ件懇談アリタルモ、断リタリ

八月十四日　金曜

九水営業所ニ而所長会ニ臨ミ、九軌関係ノ懇談ス

山崎・藤両氏相見へ、床算〔竹カ〕[3]氏ノ件懇談アリタ

前田米造〔蔵〕[4]氏相見ヘタリ

同氏午後五時博多駅出発ニ付見送リタリ

鮎川義介氏相見へ、共進亭ニ而晩食ヲ饗応ス、木村氏モ中頃過キヨリ相見ヘタリ

八月十五日　土曜

午前八時半棚橋副社長相見へ、辞任之件打合ス、重役会ニ意向ヲ聞ク事ニ打合ス

午前九時四十分同車ニ而九水営業所ニ行キ重役会ニ臨ミタリ

午前十二時博多駅ニ而閑院宮様御奉送ス

1　西部産業団体聯合会＝労働問題を対象とする経営者団体、全国産業団体聯合会の下部組織、太吉委員長
2　黒田長成＝枢密顧問官、元貴族院副議長、別邸（福岡市浜町）
3　床竹＝床次竹二郎カ、衆議院議員、元政友本党総裁、元内務大臣、この年鉄道大臣
4　前田米蔵＝衆議院議員、元法制局長官、この年商工大臣

九水営業関係会社ノ会儀ニ臨ミ、午後五時半中花〔華〕園支那料理ノ宴会ニ臨ミタリ
木下氏ノ口演ヲ聞キタリ

八月十六日　日曜

片倉食堂ニ而昼食ヲナス、ツヤ子〔麻生〕病気ニ而全快祝ノ食事ヲナス
午後四時半福村家ニ而晩食ヲナス、堀・石田両氏も相見ヘタリ

八月十七日　月曜

片倉食堂ニ而木村専務ト落合ヒ、補介之件打合ス、又上京中黒木君ニ事務取扱も打合ス
片倉食堂ニ而太介〔麻生〕・摂郎[1]等昼食ヲナス
中野節郎君相見ヘ、（上京費弐百円）遣ス
義之介出福、山崎君〔達之輔〕ニ面会ス

八月十八日　火曜

木村専務相見ヘ、藤幹事長ノ内談ノ件打合ス
午前十一時半湯町ニ行ク、狩納〔狩野嘉市〕来リ、湯町及自働車置場地所調査等ヲナス

八月十九日　水曜

午後三時宇美八幡神社ニ参詣、小林氏〔作五郎〕ヲ訪問、鳥居移転等打合ス
浜町ニ帰リタリ

八月二十日　木曜

宮崎市長より電信ニ付返電ス（別記、会社ニ控アリ）、和田秘書〔豊秋〕ニ打電セシム
午後五時中光ニ行キ食事ヲナス

村上専務明日午前十時出福之電話アリ、和田秘書より為知来リ、滞福ス

八月二十一日　金曜

永冨貞平氏相見ヘタリ
池田副支配人大坂より帰リ、報告ヲ聞キタリ
住友銀行ハ九軌も同様統一ノ注意アリタリ、秘蜜ナリ
村上専務相見へ、九軌之不始末其他用件ヲ聞キ、宮田〔兵三〕ノ不正行為ニハ驚入計リナリ
午後三時帰宅ス、太助〔介〕一同ナリ

八月二十二日　土曜

野田君相見へ、木村氏より亀川[2]地所買受ノ内談アリタ
伊支須〔ママ〕[3]野見山〔仙陸〕子息使用方麻生屋老人[4]より申込アリ

八月二十三日　日曜

午前十一時飯塚より浜ノ町ニ着、二日市ニ行ク

八月二十四日　月曜

二日市ニテ、狩野来リ指図ス

1　麻生摂郎＝太吉孫
2　亀川＝地名、大分県速見郡亀川町
3　伊岐須＝地名、嘉穂郡二瀬村
4　麻生屋老人＝太吉弟故麻生太七妻ミネ

午後五時福岡ニ帰ル

八月二十五日　火曜

義之介来リ、県会議員▨〔候補〕野見山幡次郎全村一致ニテ推挙之件ハ断リノ旨藤幹事長ニ電話セシ末、山内範造氏相見へ
タルモ、本人病気ノ旨縷々申述置キタリ
小林作五郎氏鳥居之件来談アリタ

八月二十六日　水曜

執印歯医師ニ診察ヲ乞タリ
木村専務より打電ニ付上京ス

九月九日　水曜

午前十一時半帰着
渡辺皐築君相見へ、県会議員ノ件懇談アリタ
野田君相見へ、九洲炭〔鉱〕業会社[1]ノ件▨〔及〕石田〔亀一〕氏関係ノ件咄シアリタ
麻生太三郎[2]来リ、山林及口春[3]学費一時補介ノ相談ス
山内範造氏ニ電話セシモ不在ナリシ、折柄帰宅ナリタトテ先方より電話アリタ
松本健次郎面会ノ件野田氏ニ頼ミタル処、一昨日より上京留主中ノ電話アリタ

九月十日　木曜

午前十時芳雄駅発ニ而小倉九軌重役会ニ出席ス
折尾駅より電車ニ而小倉本社前ノ停留所ヨリ下車シ、十一時四十分出社ス
野田・村上両氏、黒木君ハ病気ニテ欠席

九軌職員及内本〔浩亮〕九送支配人等相見ヘ懇談ス
小倉三時二十分発ニ而博多駅ニ五時過キ着、直チニ電車ニ而赤坂門より下車シテ徒歩シテ浜ノ町ニ帰着ス

九月十一日　金曜

木村専務相見へ、種々営業上之件聞キタリ
棚橋副社長訪問、副社長ノミ辞任止ム〔ナ脱〕キニツキ希望ヲ入レル旨懇談、兼而預リ置キタル辞任届ハ返上セリ
器械注文（湯町湧湯吸揚ケホンプ）、十日竣工ノ分十六日迄日延申込タルニ付午後四時半帰リタリ

九月十二日　土曜

地蔵山ニ行キ工事ヲ視察ス
麻生屋山林之件武田〔星輝〕ニ電話ス
午後一時四十分自働車ニ而二日市湯町ニ行ク

九月十三日　日曜

午後十時帰リタリ
金百五円、郵便局ニ電話布設費前納ス、十五日主任より受取
九水営業所及新設道路実地踏査ス
〔欄外〕百円家費、家番ニ渡ス

1　九州鉱業株式会社＝一九二九年設立（飯塚町）、元帝国炭業所有の木屋瀬・起行小松鉱業所経営、株式会社麻生商店傍系会社
2　麻生太三郎＝太吉甥、株式会社麻生商店、のち監査役
3　口春＝地名、嘉穂郡稲築村、太吉親族永富家所在地

九月十四日　月曜

午前九時半九水重役会ニ出席

金弐百六十六円八銭八月廿六日出発九月九日帰着旅費、九水より受取

九月十五日　火曜

午前八時自働車ニ而日田貯水池[1]洩リ水ノケ所実地踏査ニ、今井・新貝〔真貝貫一〕[2]・佐藤〔長太郎〕[3]ノ三氏同車、実地ニ臨ミ該ケ所及新キ貯水池ノ場所ヲ実見ス、持参ノ昼食ヲ事務所ニテ食事シ、午後二時過キ発車、本社ニ送リ帰リタリ

木村専務ト上京ニ付打合ス

小林作五郎氏鳥居ノ件ニテ相見ヘタリ

貝嶋〔太市〕・仲野〔中野昇〕ノ挨拶訪問ノ打合ヲナス

九月十六日　水曜

原田延雄君訪問、火力発電所ニ石炭売込ニ付懇談ス、林田〔晋〕ト打合ノ上進行方申向ケタリ

伊藤傳右衛門君ニ林〔真二〕[4]氏より書状アリオル旨電話ス

午後三時半頃より片倉共進亭ホテルニテ静養シ、午後湯町ノ機器据付ニ臨ミタリ

九月十七日　木曜

午前八時自働車ニテ浜ノ町ニ帰ル

大浦[5]ニ電話シ、徳光[6]病状ヲ聞キ取リタリ

渡辺〔文作〕氏より電話、前日伊藤より産鉄ノ件ハ製鉄所〔八幡〕カ原料買入タル報告ナリシ

徳田若松築港支配人午前十時相見へ、港銭減額申入ニ対シ調査方打合セ、又炭適〔商〕組合[7]ニ返事ノ要点ヲ了解方ニ付注意ス

伊藤より電話アリタルモ他日出福之旨断リ、十一時過キより自働車ニテ帰リタリ

九月十八日　金曜

徳光米子方病気ニツキ小野寺〔直助〕[8]博士来診ヲ乞、午後四時着ノ長原線ニテ来診ノ事ニナリタ

九月十九日　土曜

野田ツヤ[9]出産ノ電話前夜アリ、午前九時大浦ト同車出福ス

池田病院ヲ見舞、母親ハ別条ナキモ小児ハ月早ノ為メ成長如何ト心配致サレ、池田〔一男〕[10]先生父子ノ付切世話アリタリ

野田勢次郎氏夫婦及健〔野田〕三郎君ニも面会、帰リタリ

中嶌・立岩[11]も見舞ニ出福ス

1　日田貯水池＝女子畑第二貯水池（日田郡中川村）
2　真貝貫一＝九州水力電気株式会社技師長、第三巻解説参照
3　佐藤長太郎＝九州水力電気株式会社建設課長
4　林真一＝大浜炭礦株式会社取締役、九州酒精株式会社取締役、元大正鉱業株式会社取締役
5　大浦＝太吉長男麻生太右衛門家
6　徳光＝太吉女婿麻生義之介家
7　炭商組合＝若松石炭商同業組合（若松市）、一八七五年若松石炭問屋組合設立、一八八五年若松石炭業組合と改称、一九〇一年再度改称、のち社団法人若松石炭協会
8　小野寺直助＝九州帝国大学医学部教授
9　野田ツヤ子＝旧姓麻生、太吉孫
10　池田一男＝池田産婦人科病院（福岡市極楽寺町）院長
11　立岩＝太吉四男麻生太七郎家

村上功[巧]児氏相見へ、九軌重役ニ小林[正直カ][1]氏辞退アリタル旨申向ケアリ、又宇部石炭買入ノ意向モ聞キ注意ス、製鉄所売込電▨[力カ]問題気長ク忍堪シテ申込ヲ可トスル旨申添アリタ
八塚氏より熊電[2]引受ノ書状達ス

九月二十日　日曜

浜ノ町ニ在宿ス

九月二十一日　月曜

午前八時半自働車ニテ本宅ニ帰ル
藤勝栄氏ニ栄屋旅館[3]ニ金談ノ件ニ付音吉[田辺][4]遣ス

九月二十二日　火曜

天神山及鯰田山林ヲ実視シテ午後二時帰ル
午後三時自働車ニテ米山越ニテ二日市ニ行ク
杉山盛利君午後十時頃迄相見へ、出湯及帆足[三郎]氏ノ世話セラレシ件、及港屋所有ノ宅地売込ノ内談アリタルニ付、北側ノ家敷ト交換ノ意味ニテ進行シタシト相答、承諾アリタルニ付狩野ニ電話ス

九月二十三日　水曜

午前六時起キ、湯町東倉ヲ見テ帰リタ
朝食後八時半山内範造氏相見へ、渡辺氏畑地壱坪十三円ニテ買入ノ内談シ、小作人ニハ当方より片付ノ咄シヲナス
午前九時山内氏ト福岡県庁前迄自働車ニテ来リ、山内氏下車アリ、直チニ浜ノ町ニ立寄、九水本社ニ出頭、今井・真貝・佐藤・靎丸ノ諸氏ト貯水溜修潰[ママ]ノ打合ヲナス、明日木村専務帰社ニ付実行方打合ス、靎丸君より埋立地ノ件聞取タリ

午後一時内本〔浩亮〕・福日〔新聞〕中の〔節郎カ〕ノ両氏ト共進亭食堂ニテ食事ヲナシ〔ママ〕
本間三井銀行支店長ニ相談ス
［欄外］狩野来リ、杉山盛利氏より申入ノ屋敷ノ件ニ付進行方申付ケタリ

九月二十四日　木曜

木村専務東京より帰社ニ付相見へ、上京中及留主中ノ打合ヲナス
中野正剛君相見へ、種々異見ヲ聞キタリ、新聞寄付ニ付伊藤〔傳右衛門〕・中の〔昇〕ニ相談ノ義申入アリタ
午後五時頃福村家ニ行、堀・山内ノ両氏ト食事ヲナス
［欄外］三人ノ膳部ト、ツヤ外二人来り
［欄外］弐十三
［欄外］六

九月二十五日　金曜

午前木村専務ト金融上ノ調査方電話ス
午前八時半自働車ニ而帰リタリ
日田井上武氏及支配人相見へ、所得税ノ件ニツキ渡辺〔皐築〕君ニ調査方依頼ノ為メ相見ヘタリ、昼頃ニ付御家内一同食事

1　小林正直＝三井物産株式会社常務取締役、松島炭礦株式会社取締役
2　熊電＝熊本電気株式会社、一八九一年熊本電灯株式会社として開業、以後経営と名称を変え一九〇九年熊本電気となる
3　栄屋旅館＝福岡市橋口町
4　田辺音吉＝麻生家浜の町別邸雑用

ヲ出ス
義之介来リ、留主中ノ打合セ又上京中ノ用件聞取タリ
相羽部長ヲ呼ヒ、後藤寺岩崎坑区着手ニ付、太賀吉実地ノ修業トシテ開鑿ヲナシ度ニ付、其ノ含ニテ進行方懇談ス
地蔵山ノ実地ニ臨ミタリ
［欄外］金弐千円栗原〔与一〕[1]より受取
　懐中ニ三百二十円アリ

九月二十六日　土曜

県会議員落撰[2]ニ付挨拶ニ藤森・瓜生等数人見ヘタリ
野田・義之介ト太賀吉実習之件打合、河村〔幹雄〕[3]先生ニ親シク懇談ノ事ニ打合ス
立岩花村芳祐〔介カ〕君所有土地買収方ニ付大屋久外[4]二氏相見ヘタルモ、引受不能旨ヲ以断リ、引延ナキ様明日打合セ確報スルコトニ返事シ返シタリ
太賀吉・典太福岡より来リタリ
大田黒氏別府行見合セノ電信来リタリ

九月二十七日　日曜

栗原ヲ以、花村芳祐君所有地引受不能旨断リタリ
午前十時四十分自働車ニ而米山越ニテ二日市ニ立寄、午後五時半浜ノ町ニ着ス

九月二十八日　月曜

村上英氏（県属）相見へ、二日市別荘[5]十一月七日侍従・武官宿舎ノ懇談、手狭ニ而指閊ナキ時ハ別ニ申上ル迄ハアリマセヌ、御請申上タリ

午後一時飯塚ニ帰リタリ

九月二十九日　火曜

午前八時四十分芳雄駅ニテ小倉九軌社長大田黒氏ニ面会ノ為メ午後十〔ママ〕時四分着、直チニ迎ヒノ自働車ニ而本社ニ出頭、大田黒氏ト面会、重役ニ松本〔健次郎〕・貝嶋〔太市〕（貝嶋ノ指問ノトキハ桝谷〔音三〕[6]ノ両氏直接交渉ヲナス打合ス、広瀬〔良知〕[7]氏ハ普通ノ重役ニ撰挙ノ件ヲ打合ス

小倉午後一時四十分ニ而帰リ、木村専務ト打合セ（製鉄所売込ノ件ニ付熊本管理局ノ援介方申入ノ為メ出熊ノ打合ナリ）

二日市ニ行キ、湯町通路ノ打合ヲナス

九月三十日　水曜

午前七時五十分二日市駅発ニ而若松築港会社重役会ニ出席

博多駅より吉田良春氏同車、若松駅ニ而人力〔車脱〕ニテ先キツキ松本氏ト九軌之件内談ス、得と考慮ノ上□〔確カ〕報セラル、コトニ打合ス

1 栗原与一＝株式会社麻生商店家事部、元会計部
2 九月二十二日福岡県会議員選挙嘉穂郡区（定員五名）において、立憲政友会候補は三名中二名落選、高取豊（嘉穂銀行）も落選
3 河村幹雄＝九州帝国大学工学部教授
4 大屋久＝元嘉穂郡千手村長、元嘉穂銀行大隈支店支配人
5 二日市別荘＝麻生家別荘不老庵（筑紫郡二日市町湯町）
6 桝谷音三＝株式会社桝谷商会社長、下関倉庫株式会社長、この年九州電気軌道株式会社取締役
7 広瀬良知＝九州電気軌道株式会社主任技術者、筑豊電気軌道株式会社取締役、この年九州電気軌道株式会社取締役

築港会社ノ重役会、港銭減少ノ申入等アリ、随分重要ノ協義ナリシ
戸畑駅発四時四十三分発ニ而博多駅ニ六時二十分着、直チニ迎ヒノ自働車ニ而浜ノ町ニ着ス

十月一日　木曜

太賀吉ト一同食事ヲナス
野田勢次郎君相見へ、株買入ノ件打合セ、及協調会[1]ノ件打合ス
協調会参事常務理事秘書富田亥三七氏相見へ、協調会ノ件ニ付現下ノ政治ニ及ホシ種々寄□[奇説カ]ヲ聞キタリ
義之介モ出福セリ
渡辺皐築君東京より帰県ノ通知アリタリ
狩野来リ、二日市湯町通路工事ノ打合ヲナス

十月二日　金曜

午前九時出福

十月三日　土曜

午前十時二十分帰リ、地蔵山及愛宕様[2]ノ工事ヲ見テ工事上ノ便利打合ス
麻生物兵衛[3]君相見へ、[嘉穂]銀行重役退任ノ申立アリタ
中野昇君相見、家政上ノ都合ニ而惣而重役辞退ノ申出アリタ

十月四日　日曜

渡辺皐築君相見へ、明年度ノ惣而ノ関係事業ノ予算大困難ノ旨ヲ聞キタリ、精々注意ス、又堀氏松嶋坑山ノ事モ咄シナシタリ
午後四時湯町ニ行キ、湯場ノ良下[廊]ノ構造ヲ見テ、浜ノ町ニ午後九時半行ク

十月五日　月曜

午前九時九水重役会ニ列シ、熊電［熊本電気］買収ニ付協義ス、別紙案アル

午後四時片倉ニテ横井ノ理髪床ニ行ク

多田勇雄[4]氏ニ面会ス

福村家ニ（協調会主事）吉田［茂］[5]氏招待ハ野田・義之介両人ヲ出ス、産業会[6]ハ野田君、吉田氏招宴ニハ義之介代理ニ出ス

十月六日　火曜

松本健次郎大名町別荘[7]ニ訪問、九軌重役ノ懇談セシモ、家政ノ事情ニテ断リアリタ

午前九時五十二分博多駅着ニ而安川［敬一郎］男出福ニ付、駅ニ自働車迎ニ出シ、間モナク別荘ニテ三時間ニ渉リ懇談セシモ、家政ノ事情（其ノ名称ハ免シテ呉レル様トノ事ナリシ、余程困難ノ模様ト存セリ）

午後四時過キ湯町ニ行ク

二日市町長岡部新太郎氏宿泊ノ件ニ付挨拶ニ見ヘ、玄関ニテ挨拶ス

1　財団法人協調会＝社会政策の調査研究のため一九一九年設立

2　愛宕様＝愛宕神社（飯塚町栢森）

3　麻生物兵衛＝酒屋、酒造業（飯塚町栢森）、嘉穂銀行取締役、元飯塚町会議員

4　多田勇雄＝弥寿銀行（朝倉郡三輪村）頭取、元衆議院議員、元福岡県会議員

5　吉田茂＝協調会常務理事、のち福岡県知事、厚生大臣

6　産業会＝日本産業協会（会長梶原仲治）、太吉評議員

7　大名町別荘＝松本家別荘（福岡市大名町）

十月七日　水曜

午前八時湯町別荘ヨリ浜ノ町ニ帰ル
今井常務ニ電話、池田《〔常二〕》支配人ニ、木村専務興銀より借リ入ノ手配ニテ上京セラレオルモ、日銀利上ニツキ住友ヨリ其ノ事情ヲ内談借リ入ノ件電話ノ打合ヲナス、池田君浜ノ町ニ見ヘ尚打合ス
石炭聯合会池上《〔駒衛〕》[1]君相見ヘ、来ル二十五日頃惣会ノ報告アリ、昨年通トシ、或ハ五分減位ノ処ニテ打合スベシトノ旨懇談アリタ
午前十一時浜ノ町より帰リ、湯町券番ノ家ノ件ニツキ狩野湯町ニ遣ス

十月八日　木曜

午前九時嘉穂銀行重役会ニ列シ、辞任申出之件、天道青柳《〔栄次郎〕》[2]支配人辞任ノ評議ス
博済営業上ニ付打合ス
昼食ヲナシ
午後三時過キ散会ス
愛岩《〔宕〕》神社ニ参詣、工事ヲ見タリ
狩野来リ、湯町家屋ハ不用ナルモ五千円迄ハ引受ノ旨ヲ洩ラセシコトヲ内報ス
午後七時ニテ自働車ニ而出福ス、東京より来状達居タリ

十月九日　金曜

午前八塚氏ノ書状ニ対シ新《〔親〕》展ノ返事ヲナス
湯町敷物ノ寸法調査ノ為メ田中《〔正夫〕》ヲ湯町ニ遣シ、本家ニ知ラス
午後六時より大博座ニ水券[3]温習会見物ニ行キ、内務部長・市長其他ノ方々ニ面会ス、下ノ関より芸者沢山来リ、

一方亭ニ頼ミタリ
午後九時半帰ル
［欄外］三百円水券寄付分受取

十月十日　土曜

午前十時三十六分発ニ而九軌重役会ニ出席ス
午後二時二十九分小倉発ニ而帰リ、今井常務上京ニ付打合ス
午後四時五十分二日市湯町ニ行ク、大丸館ニ三池より来客アリタ

十月十一日　日曜

湯町ニテ静養ス

十月十二日　月曜

午前八時半湯町より帰リ、直チニ九水ニ電話シ、渡辺［綱三郎］監査役欠勤之時ハ出務ノ旨秘書ニ電話ス
山内範造氏ニ電話ス、昼食ヲナス筈ナリシモ伊藤［傳右衛門］君相見へ昼食ヲ見合ス
伊藤君相見、林信［真］一ノ件其他一時間以上咄ヲ聞キタリ
山内範造君ニ昼食ノ案内セシモ伊藤君ノ長咄ニテ帰ラレタリ
中光ニテ食事ヲナス

1　池上駒衛＝石炭鉱業聯合会常務理事
2　青柳栄次郎＝嘉穂銀行天道支店（嘉穂郡穂波村）支配人
3　水券＝水茶屋券番（福岡市水茶屋）、一九〇一年相生券番より分裂設立

十月十三日　火曜

午前九時頃庭ノ松木暴風ノ為メ破損セシニ付、籾田〔喜三郎〕・瓜生〔政五郎〕ヲ呼ヒ手入ヲナス

十月十四日　水曜

午前九時九水関係会社ノ重役会ニ列ス

棚橋氏より兼而同氏ノ尽力ノ借リ入金此際相断度トノ事ナリシモ、先方ヲ招待シ森村〔市左衛門〕[1]男爵モ相招キ、其ノ座ニテ九軌突発事件ノ為メ控ヘタルモ、最早其ノ必要ナキニ付、何時ニテモ会社ノ実際調査出来位ノ程度ニテ、先方ノ注文ヲ受ケル位ニ咄向ケスル方得策ナラント注意ス

電化工業[2]カワバイトウ支那ニ売行宜敷ナリタル趣キニ付、代金受取方ニ付手落ナキ様注意ス

其他規則ノ改定ニ付、小会社ノ事故担任外ニモ多用ノ時ハ勤務ノ出来得ル様域〔職カ〕定方注意ス

黒瀬買物代四十円ノ目六臼杵〔弥七〕ニ渡ス

午後四時浜ノ町より帰リタリ

十月十五日　木曜

午前七時十五分芳雄駅発ニ而下ノ関山陽ホテルノ若松築港会社ニ重役会ニ出席ス、松本〔健次郎〕社〔会〕長弱腰ニ付余程強気ノ意味ヲ申出シタリ

午後五時□〔閉カ〕会、直チニ桝谷〔音三〕氏ヲ伺問、重役ノ内談ス

午後七時十五分門司駅発ニ而浜ノ町ニ来タル

鏉〔汽〕車中元貝嶋ニ従事セシ赤松〔治郎〕君ト同車ス、同君ノ咄ニ、貝嶋家ノ従事者従来之人々ハ多クハ休職・退任等セシ由ナリ

十月十六日　金曜

東鉄[3]原〔安太郎〕[4]君より電話ニ付、来ル十九日県庁出頭ノ事ヲ約ス
九水今井常務ニ電話、宮崎市長〔川越壮介〕面会ノ件打合ス
木村常務帰県ニ付待合ス
午後一時自働車ニ而帰リタリ
間宮〔英宗〕[5]禅師相見ヘタリ
法話ヲ広間ニテ御聞キシタリ

十月十七日　土曜

午前九時上三緒坑[6]ニ而間宮禅師ノ御口演アリタ
本宅ニ而昼食及晩食ヲ午後五時半ナシ、岩崎[7]野見山、法人財団組織ニ付間宮禅師御出ニナリ、午後九時半御帰リニありた〔ママ〕

1　森村市左衛門＝開作、九州水力電気株式会社取締役、元社長
2　電化工業＝九州電気工業株式会社（大分県速見郡川崎村）、太吉社長
3　東鉄＝東洋製鉄株式会社（東京市）、一九一七年設立、太吉取締役
4　原安太郎＝東洋製鉄株式会社嘱託
5　間宮英宗＝栖賢寺（京都市）住職、元方広寺（静岡県引佐郡引佐町）管長
6　上三緒坑＝株式会社麻生商店上三緒鉱業所（飯塚町）
7　岩崎＝地名、嘉穂郡稲築村、野見山米吉家所在地

十月十八日　日曜

間宮禅師幸袋[1]ニ御出発アリタ

愛宕神社ニ参詣、工事等実見シテ、昼食後午後二時より自働車ニ而出福ス

松本健次郎氏より築[若松]港会社ノ件市長等ニ中裁[ママ]ノ申出アリ、委托ノ範囲等電話アリ、木村[久寿弥太カ]氏ノ同意ヲ得ラル、様注意ス

午後五時半中光ニ行キ○[スッポン]食事ヲナス

十月十九日　月曜

渡辺氏より電話ニ而、林田君議長ノ希望アリタル由ナルモ、可成小生等ノ知ラザル事ニ含マル、様注意ス

本間三井銀行支店長相見へ、嘉穂銀行借リ入及預金ノ打合ヲナス

木村[平右衛門]氏ト熊本電気株買入ニ付八塚氏より電話アリ、直[値]段打合兼ル旨ヲ以断リタリ

午後三時二十分飯塚ニ帰リ

野田氏ト打合ヲナス

十月二十日　火曜

午後四時飯塚より自働車ニ而出福

桝谷氏九軌重役内諾之旨義之介より電話ス

村上専務ニ桝谷氏内諾之電話ス

若松[築脱]港会社ノ港銭減額問題ノ為メ松本氏上京不能、二十四日出発上京ノ打合ヲナス

十月二十一日　水曜

午前九時九水本社ニ而宮崎市長・市会一同待受、夫より福村家ニ行キ懇談、二十二日延岡ニ而重役会ヲ開キ返事ス

ルコトニ打合ス
福村ニテ昼食ヲナス
午後四時県庁ニ行キ知事ニ面会、東洋製鉄会社ノ計画ニ妨ケナキ様懇談、承諾アリタ

十月三十一日　土曜

午前十一時東京より帰着、直チニ電話ニテ打合セ、板橋迄同車シ、木村常務ト東京ノ要件ノ打合ヲナシ、木村氏ハ後ヨリ来リシ九水ノ自働車ニテ帰ラル
山門郡三橋村冨安〔保太郎〕[2]氏ノ葬式ニ列ス
帰途ハ山内範造氏ト同車、原田[3]迄送リ、二日市ニ立寄、入湯シテ午後八時半帰リタリ

十一月一日　日曜

箱〔筥〕崎八幡宮ニ参詣、一方亭之老主婦同供ス
宇美小林作五郎氏及川嶌〔淵明〕[4]宮司ト鳥居ノ事ニ付相見ヘ打合ス
福村家ニテ食事ヲナス

十一月二日　月曜

赤司[5]ニ行キ植木買入ナス

1　幸袋＝地名、嘉穂郡幸袋町、伊藤傳右衛門家所在地
2　冨安保太郎＝元福岡日日新聞社長、元九州電気軌道株式会社取締役、十月二十六日死去
3　原田＝地名、筑紫郡筑紫村
4　川嶌淵明＝宇美八幡宮（糟屋郡宇美町）宮司、元嘉穂郡長
5　赤司＝赤司広楽園分園、花屋（福岡市新大工町）、本店は久留米市

午後弐時半頃より帰リタリ
地蔵山ニ行キタリ
徳光ニ行キ見舞、女子校々長［赤間富次郎］[1]相見ヘタリ

十一月三日　火曜

午前米山越ニ而二日市湯町ニ行ク

十一月四日　水曜

午前十一時二日市別荘より帰リ、午後二時半過キ別荘ニ行ク

十一月五日　木曜

二日市別荘ニ行キ、御泊リ之手配ヲナシタリ
午前九時半九水重役会ニ出席
東京より相見ヘ、検査役ヲ初メ重役諸氏片倉食堂ニ昼食ヲ出ス
午後三時過キ二日市別荘ニ行ク

十一月六日　金曜

午前七時五十七分二日市駅発ニ而九軌重役会ニ出席
惣会済後大田黒社長より大吉楼[2]ニ案内アリタ
午後九時二十分門司駅発ニ而午後十一時過キ帰リタ、床ニ付ク時ハ午前一時トナリタ

十一月七日　土曜

九水会社ニ午前行キ、熊電ノ打合ヲナス
大坂川本［河本渡］君ニ金三十円遣ス

十一月十五日　日曜

氏神ニ参詣セント存居折柄種々心障リ之事アリ、見合セ、徳光ニ行キ建築ノ差図ス
渡辺君相見へ、森崎やノ始末及町村長撰挙ノ事ニ付打合ス
義之介来リ、坑《〔筑豊石炭〕》業組合ノ打合ヲナス
午後三時より自働車ニ而出福
中光ニテ晩食ス

十一月十六日　月曜

午前九時九水重役会ニ出席、午後四時頃帰リタリ
義之介ハ買物して飯塚ニ十六日聯盟国之模様ヲ聞キ度為メ滞福ス
原田延雄へ金五十円遣ス
山内範造氏ニ電話ス

十一月十七日　火曜

午前十一時急行車ニ後藤文夫氏乗車アリ、見送リタリ、二十日昼ニ福岡ニテ待合ノ打合ヲナス
植木類買入、平野《〔市三〕》ニ植付ナサシム
午後二時半二日市ニ行キタリ

1　赤間富次郎＝福岡県嘉穂高等女学校（飯塚町）校長
2　大吉楼＝旅館（下関市阿弥陀寺町）

延寿館主[1]三条氏ヲ訪ヒ、宇美八幡神社鳥居ノ打合ヲナス

十一月十八日　水曜

大丸館及港屋主人挨拶ニ見ヘタリ
午▨九時帰リタリ
今井常務ト打合ス
棚橋氏ト打合ス
木村氏より電信ニ付、明朝出発上京ノ返事ス
谷田〔信太郎〕来リ、土肥〔松之助〕[2]之策戦ニ付聞キ取タリ、書類ハ今井氏ニ渡ス
［欄外］金五十円家費渡ス

十二月七日　月曜

午前一時前日続キノ東京より帰リ、門司駅より自働車ニ而折尾ヲ経而帰リ、寝室ニテ床ニツク、朝七時十分前迄寝込、大ニ気持アリシ
書類ノ整理ス
午前十二時十分大里〔広次郎〕[3]氏外国より帰リニ付芳雄駅ニ迎ニ行キタリ
午後三時半自働車ニ而出福ス
［欄外］二千円特別預金受取
百七十四円滞京中買物（組田）代受取
四百円十一月・十二月松本〔健次郎〕氏送金立替分受取

十二月八日　火曜

午前八時二十分博多駅発ニテ小倉九軌重役会ニ出席ス、折尾駅より野田君ト同車ス
重役会種々問題アリタ
午後二時二十九分小倉駅発ニ而帰福ス
午後四時半堀氏ト中光ニ行キ食事ス、午後十時帰ル

十二月九日　水曜

中野節郎君相見へ、九軌其他種々聞キ込タルコト多カリキ
木村常務ニ電話、長野[善五郎][4]氏病気之件及金融上ノ咄ヲ聞キタリ
野田勢次郎君ト、産鉄地辻[辷カ]リ其他嘉穂銀行ニ九軌より借リ入之件打合ス
堀三太郎君相見へ、東[東邦]望会社より案内、其他貝嶋家及伊藤[傳右衛門]親子ノ咄ヲ聞キタリ
午後三時半過キ湯町別荘ニ行キタリ
一泊ス
[欄外] 三百五十円杖立[水力電気]会社六年下半期重役賞与金受取
弐百円筑後[電気]会社六年下期重役賞与受取

1　延寿館＝旅館（筑紫郡二日市町）
2　土肥松之助＝株式仲買商（福岡市雁林町）
3　大里広次郎＝医師（飯塚町）、衆議院議員、元福岡県会議員
4　長野善五郎＝九州水力電気株式会社監査役、九州保全株式会社監査役、富士瓦斯紡績株式会社取締役

壱円十銭延岡旅費残金受取

十二月十日　木曜

粕屋来リ、湯場改築ノ内談アリタ

五十円家費、家番ニ渡ス

午後四時半福村家ニ行キ食事ヲナス

東京永田町藤家旅館主婦来訪ス

十二月十一日　金曜

午前木村・黒木・梅木ノ三氏相見へ、九水ノ計算ノ件打合ス、昼食ヲナシ帰ラル

宇美神社川嶋〔淵明〕宮司相見へ、額ノ打合ヲナス

嘉穂銀行青柳〔茂〕支配人来リ、若松三井支店借リ入金ノ打合ヲナス

小倉西鶴太郎相見へ、元重役妹尾〔万次郎〕[1]某負債片付ノ件村上専務ニ申入ノ依頼アリタ

十二月十二日　土曜

古川初雄[2]君来リ、金弐百円遣ス

午前九時九水本社ニ出頭、重役会ニ列ス

共進亭ニテ大田黒氏及村上・木村ノ両氏ト昼食ヲナス、金七円余仕払

［欄外］七百三円五十六銭三回上京旅費

〆　百五十五円八十八銭新喜楽[3]ニ小林氏〔正直カ〕招待費受取

十二月十三日　日曜

八木山越[4]ニテ本宅ニ帰リタ

元山〔本山彦一〕[5]大毎社長午後四時来訪アリ、昔時ノ咄ヲナシ、午後五時三十分急行ニテ帰ラル、芳雄駅ニ見送ル

徳光ニ見舞ニ行ク

十二月十四日　月曜

午前八時自働車ニ而出福ス

午後九時頃より発病、静養ス

十二月十五日　火曜

病気静養

十二月十六日　水曜

病気静養

内務大臣〔中橋徳五郎〕及松野〔鶴平〕[6]次官ニ知事ノ件電信ヲ発ス

宇美八幡宮神管〔官〕相見ヘ、宮家ノ御祈願ヲ願金三十円神納ス

1　妹尾万次郎＝元九州電気軌道株式会社取締役
2　古川初雄＝博多日日新聞社長、福岡県会議員
3　新喜楽＝料亭（東京市京橋区築地）
4　八木山越＝嘉穂郡鎮西村八木山を越えて飯塚町と福岡市を結ぶ峠
5　本山彦一＝大阪毎日新聞社長、貴族院議員、元藤田組総支配人
6　松野鶴平＝衆議院議員、内務政務次官、のち鉄道大臣

十二月十七日　木曜

全快、平常之通ニナリタ

鷹巣盛蔵君来リ、九水ノ件ニ付懇話ス

福岡日々中野節郎君相見へ、種々時局ニ付懇談ス、金三百円年末小遣金ヲ遣ス

九水答弁之成案ス

九軌計算書ニ調印ス、荻野清太郎[1]君持参アリタ

才判所猪俣[治六]検事・桜田[寿][2]所長火事見舞ノ答礼ニ見ヘタリ

十二月三十一日　木曜

病気全快、午後四時初而入湯ス

分家より年末挨拶ニ来ル

金銭出納録

昭和六年八月二十二日

金五千円　義之介より受取

内

壱千五百七十円　徳光

五百六十円　立岩

五百八十円　中嶌
六百五十円　大浦
九十円　浜ノ町
壱千円　野田
〆四千四百五十円
残而五百五十円　残り

1　荻野清太郎＝九州電気軌道株式会社経理課長、元九州水力電気株式会社宮崎営業所長
2　桜田寿＝福岡地方裁判所長

解説

一　永江純一と貝島・麻生

Ⅰ　「監督」就任経緯

永江純一は明治三十八（一九〇五）年五月から貝島鉱業と麻生商店の「監督」に就任することになって、両社の経営にある程度関与することになった。そこで、本稿では永江純一関係史料を多く含む「永江文書」から関係資料を抜き出して、純一が両者と関係を有するに至った事情とその関係の内容について、主として資料紹介を通じて簡単に検討しておきたい。そこでまず、永江が両者の監督に就任するに至った経緯を示す資料を資料1として全文紹介することにしたい。なお、紹介に当たっては大変煩瑣になることや判読不能の部分も多いことから、原資料の抹消・挿入部分は特に示さずに、抹消後あるいは挿入後の文章を示すことにしたい。

資料1　〈明治三十八年二月廿四日以降談判顚末[1]〉（傍線引用者）

〔封筒〕表

井上伯爵依嘱書並重要書類

〔表紙〕

明治三十八年二月廿四日以降談判顚末

三十八年二月廿四日益田孝ヨリ親シク相談シタキ件アルニ付来ルベキノ書届到達セリ依テ午后三井管理部ニ至リ面會セリ

氏云ク貝嶋麻生二氏ニ対シ三井家ヨリ多額ノ貸金アリテ二氏ノ事業ニ対シテハ多大ノ関係ヲ有ス故ニ其事業ノ如何財政ノ如何ニ就テハ三井ハ充分保護スルノ責任及監督スル権利ヲ有ス特ニ三井ト淺カラサル関係アル井上伯貝嶋ノ事業ニ就テハ監督ノ労ヲ執ラレ居レリ故ニ井上伯ノ依嘱及三井家ノ依嘱ニヨリ二氏ノ事業及財政等ヲ親シク監督スルノ人ナカルベカラス然シテ今適当ナル人ニ乏シ希クハ右ノ責任ヲ擔ヒ呉マジキヤ然ラハ貝嶋等モ希望シ井上伯モ安心セラル、次第ナレハ可成承諾セラレンコトヲ望ム又若シ承諾セラレタリトモ他ノ事業及政治上ニ関係スルノ自由ハ妨サルベシ云云

答　意外ノ御相談何分即答シ難シ何レ熟考ノ上御答致ベシ

同日貝嶋麻生ノ二氏モ三井管理部ニ来リ居リテ面談セリ益田氏ヨリ相談ノ件ハ必ス承諾シ呉レヨトノ意旨ヲ懇談セリ

答　熟考ノ上益田氏迄返答スベシト

同日午后團氏ヲ病床ニ訪イ益田氏ヨリ相談ノ要領ヲ談シ意見ヲ訪フ同氏大体ニ於テ賛成シ種々懇情ヲ話シタリ

同廿六日午后貝嶋帰郷セリ同夜團氏ヲ訪イ熟談ス

同廿七日朝吹氏ヲ訪同氏モ亦賛成宜《(ママ)》シシク承諾スベシトノ意見ナリ

同日益田氏ヲ訪イ井上伯ニ面會センコトヲ談ス然シテ伯ニ面會シ得ス

三月一日益田氏ヲ訪同氏井上伯ノ意旨ヲ代表シテ云ク伯ハ貴下ノ承諾セルニ於テハ大ニ安心セラルベシ且云ク私共ハ三井ノ便利ノ為メ貴下ヲ犠牲ニスルモノニ非ス貴下ノ親友ト云側ヨリ考エ決シテ貴下ノ不利益ノ地ニハ立セ申マジト

答　兎ニ角帰郷ノ上決答スヘシ云云

三月二日暇乞ノ為メ益田氏面會

三月三日品川ニテ益田氏ト面會鎌倉ニ至リ井上伯ヲ訪病気ノ故ヲ以テ面會シ得ス依リテ書面ヲ益田氏ニ発シ帰途ニ就キタリ

拝啓陳は在京中ハ厚情を辱シ奉深謝候去六日帰郷仕早速得拝眉可申之處着後多忙ニて失礼仕候就てハ御約束の通り十四五日比御面會申上度福岡ニて御會同被下候哉十一日中御都合御一報可被下候右御報旁御伺申上度如此御座候　早々敬白

三十八年三月九日　　永江純一

貝嶋　麻生宛

三月十五日福岡ニて貝嶋麻生ト會同致シ益田ト談判ノ顚末ヲ話シ承諾之意ヲ告ケ併セテ松本ノ後任ト誤認ナキ様注意シ二氏満足ノ意ヲ述相別依テ直ニ左ノ電報及書面ヲ発送セリ

益田孝宛　三月十六日（ニカ）ナガエ

カイシマトメンカイシヨウダクスルニキメタイサイフミ

拝啓陳は在京中ハ不一方御厚情を辱シ奉深謝扨御話之貝嶋家ニ関スルの件帰郷後熟考仕貝嶋麻生二氏トも會見致シ大要左の通決心仕候間一応申上候

御懇談之要領ハ左の二項ニ有之候

一井上伯及三井家の依嘱ニ依リ貝嶋家の事業及財産を監督致シ且事業計画並ニ営業予算等之協議ニ参与スルコト

二前項の為メ他の事業及公共團体の関係若クハ政治上ニ関係の自由ヲ妨けサルコト

前二項ノ趣旨ニ可有之左候得共小生今日の位地トシテ敢て堪サル程ノ任務ニは無之乍併本任務タル井上伯爵閣下及貴殿方の充分ナル御保護ト御援助トを以てスルニ非サレハ到底責任ヲ全シ功ヲ奏スルコトハ六ヶ敷事と存候此点ニ就ては過日在京中縷々懇篤ナル御教示モ承リ候故承諾仕候上ハ安心シテ責任之地ニ立可申候得共茲ニ一ツの御注意を相願置度義ハ小生ガ貝嶋家ニ関係を持候ハ貝嶋家の部下及他の方面より松本氏病気の故を以て其後任として事務を執候様ニ被考候ハヽ小生の任務ハ唯一事務員トシテノ事務ニ止リ迚も御教示ノ通りの責任を全スルコトハ難出来且又名義上よりスルモ貝嶋家ノ一使雇人トシテ同家ノ事務ニ従事致候事ハ御免ヲ蒙リ度此点は幾重ニも当初明瞭ニ御取斗置被下度相希候前陳ノ通リ相考候ニ付大体ニ於てハ御教示ニ従ヒ御引受可申事ニ決心致候乍去過日も申上候通リ斯ル重要ナル御依托を受ケ其責ニ当ル以上ハ兎ニ角一度出京井上伯爵閣下ニも拝謁親シく御教示をヲ《ママ》受度又貴殿ニも尚篤ト御面談申上度次第も御座候間兼て申上候満洲旅航ヲ急キ遅クも四月末ニは帰国上京致心得ニ御座候間其迄は御含み置被下度願上候此事ハ貝嶋麻生両氏ニも打合セ候間左様御了承被成

下度追て本月廿六日頃門司出帆釜山ニ渡リ京釜鉄道ニて京城ニ至リ仁川鎮南浦ヲ経て大連ニ渡航シ旅順営口ヲ視察シ天津ニ至リ同所より帰航の予定ニ御座候
右御承知被下度余は拝眉萬陳可仕候　早々敬具
三十八年三月十六日
永江純一
益田　孝様
侍史

益田氏ヨリ三月廿日付ニテ左ノ回答有之候
本月十六日付之御書落手拝見致縷々御申越之趣敬承仕候過日御電信ニ付井上伯へも申通候処大ニ満足被致候　此度御申越之二項ハ無論之事賛成仕候又老兄を松本常磐之代リノ如ク申候モノ萬一ニ有之候トも我々ハ左様の主意ニ無之第一項ニ記シある通りニテ貝嶋氏も此意の外ハ無之候又事務員トなりては折角の功能無之候当初より小生ガ段々演候内ニハ右様ノ事無之候此辺ニ付てハ御安神可被下候事務員トシテ今日迄之人ニ於て御信用無之候ハヽ必要上老兄の信用を置候人御入被下度旨も申候次第ニ御座候
過日鎌倉ニテハ本多氏の果断を以て老兄へ御断申候由跡ニて井上伯承リ悔チ居候四月御帰朝早々御越御待申候満韓夫々のものへ申遣候飯田も罷在候折角御自愛所祈ニ御座候　早々
三十八年三月廿日
孝
永江純一様
（永江文書　Ⅰ一〇二－二の写し……引用者註）
三十八年五月十五日上京候処井上伯京都出張ニ付京都ニ至リ面會致候尤貝嶋麻生両氏も同席ニテ種々垂示セラレ左ノ依嘱書被相渡候

一貝嶋太助並兄弟等合名會社ニて炭礦事業致実行居候而シテ馨従来種々ナル縁故アリテ徳義上彼等財産並営業上整理ニ厳戒を加へ来リシハ只財産ノ基礎ヲ鞏固ニセシムル為メ其営業上又ハ家事等充分節約ヲ守ラシムル必要上監督ヲ徳義認諾シ居候就テハ此度貴兄ヲ煩シ右等監督之代理者ヲ馨より依嘱候處幸ニ御承諾被成下彼等ニ於ても満足ノ至ニ有之候又加ルニ三井物産並ニ同銀行トノ従来関連も有之義故相互間ノ事情連絡等充分注意被成下則前言ノ主タル目的之結果ヲ得セシムル様貴兄ニ於て充分徳義上ノ責任ヲ以て馨監督ノ依嘱ヲ完然御盡力被成下度候若何れの一方ニ於て貴兄の忠告ヲ用ヒザル如キ場合ニ於てハ直ニ馨ニ事情御通報被成下度候又麻生太吉モ貝嶋氏同様監督並整理御依嘱申候事業上ノ点ニ付てハ貝嶋氏ノ意見御尋ね被成下度候右は監督依嘱之証トシテ一書差出置申候　謹言

明治三十八年五月廿三日　　井上馨　　花押

永江純一殿

（永江文書　Ⅰ一〇二‐八‐二の写し……引用者註）

同日左ノ受書差出申候

謹啓過刻ハ参上仕御妨申上候扨其節御教示ニ預リ候貝嶋太助麻生太吉両氏事業上監督ニ付今般不肖ノ小生ニ御依嘱ニ相成リ謹テ御受申上候就テハ可及丈盡力致シ御意旨ニ背戻不致様相務可申候右御受迄申上候　早々謹言

五月廿三日　　　永江純一

井上伯爵閣下

（永江文書　Ⅰ一〇二‐八‐三の写し……引用者註）

明治三十八年五月廿八日貝嶋麻生両家使雇人諸氏ニ演説

諸君ニ一応御挨拶ヲ致シマス只今貝嶋氏ヨリ御紹介ニナリマシタ通当二月滞京中井上伯爵ヨリ益田孝氏ヲ経テ御両家ニ関係ヲ持チ伯ノ代理ノ地位ニ立チ御世話ヲセヨトノ御沙汰デ御ザリマシタ併シ突然ノ事デアリ又不肖ノ私ニ斯ル重大ノ御依嘱デ

御ザリマスルカラシテ御答致シカねマシテ帰縣致シマシタ而シテ熟考致シマスニ伯爵ガ御両家ニ厚キ同情ヲ寄セラレ御両家事業ノ益々繁盛ナ（ママ）ナランコトヲ希望セラレ常ニ監督ノ地ニ立チ事大小トナク注意セラレ居コトハ篤ト承知致シ居又御両家ガ事業上最関係アル三井家モ伯ノ徳義的監督ノ元ニアリ其三井家モ小生ガ御両家ニ関係ヲ持ツコトヲ希望シ伯ノ意旨ニ随ワンコトヲ勧告セラレ又御両家トハ多年ノ御交際モアリ旁辞シ難ク不肖ヲ顧ミス承諾致シマシタ次第デゴザリマス就テハ及ブ可キ丈注意シ御両家事業ノ益々鞏固トナリ家門ノ益繁栄ニナリ伯ヲシテ満足セシムルハ小生ノ責任デアリマス故ニ将来両家事業上ニ付御話モ承リ又御話モ申上互ニ腹蔵ナク御相談致スベクニ付御懇意ニ御交際アランコトヲ希望致シマス云云

右記資料1によれば、明治三十八年二月二十四日に三井物産の益田孝から永江に対して貝島と麻生の事業を監督する依頼があったことになる。その理由は以下の通りである。第一に三井は「貝嶋麻生二氏ニ対シ三井家ヨリ多額ノ貸金アリテ二氏ノ事業ニ対シテハ多大ノ関係ヲ有ス故ニ其事業ノ如何財政ノ如何ニ就テハ三井ハ充分保護スルノ責任及監督スル権利ヲ有ス」ということである。第二には、貝島に対する監督は従来井上馨が当たっていたが、新たに三井と井上の双方から委嘱して貝島・麻生の二者に対する監督として適当な人物を探していること。そして井上も貝島も納得する人物として永江純一に白羽の矢が立った、ということなのである。

ここで、何故、永江が選ばれたのかという点を推測しておきたい。まず、三井（益田）と永江の関係であるが、これは、永江の出身地が三井が経営する三池炭鉱に近く、地元有力者として永江が三池紡績を設立するときに三井が資金面等で協力していた点が挙げられよう[2]。さらに永江と井上は三井を通じて関係を有していたのみならず、政治的にも政友会党員として政治的な関係も有していたこと。さらに、貝島にしてみれば井上が推薦する人物を拒否し得る立場にはなかったと言えるだろう。さらに、かかるいわば人的関係のみならず永江が三池紡績における取締役商務支配人を経験している点、即ち彼の企業経営者としての経験にも期待した点があったのかも知れない。この点については後にもう一度触れたいと思う。

その後、二月末から三月にかけて益田をはじめとする三井関係者と面会し、さらに三月十五日には貝島・麻生と会い監督就任承諾の意を伝え、翌十六日には益田宛に同様の意を伝える書面を出し、二十日には益田からの回答を得て、最終的に監督就任に同意することになる。その後、永江は朝鮮半島を経て満州視察に出掛けることとなり、帰国後の五月二十三日には井上馨に面会して委嘱状を受け取り、それに対して井上に同日付の「受書」を提出して正式に監督に就任することとなったのである。従って、永江の監督就任の時期は一応、明治三十八年五月二十三日ということになるだろう。さらに永江は同月二十八日に、貝島・麻生の関係者を前にして監督就任演説をして、就任についての所感を伝えるという運びになったのである。この間の動きを永江純一の日記の関連部分によって確認しておけば以下の資料2の如くである。

資料2　永江純一『当用日記』(3)

明治三八・二・二四　三井ニ行益田と示談ス　貝嶋麻生ト會談ス
明治三八・二・二六　貝嶋ヲ訪貝嶋今夕出立
明治三八・三・八　貝嶋栄三郎より書面来ル
明治三八・三・九　貝嶋太助へ書面出ス
明治三八・三・一五　午后貝嶋麻生ト協議ス
明治三八・三・一六　益田へ電報及書面出ス團朝吹ニも書面出ス
明治三八・五・一九　午后貝嶋麻生ト相談ス
明治三八・五・二二　貝嶋麻生ニ面会　井上伯明朝京着の由ニ付大坂ニ行
明治三八・五・二三　井上伯七時廿八分着面談（貝嶋麻生一同）依嘱書受取午后四時半一同出立
明治三八・五・二七　貝嶋へ電信
明治三八・五・二八　貝嶋麻生両家の人ニ井上伯より嘱托の披露致ス

ところで、前記資料1中の〈三月十六日付　永江純一の益田孝宛書簡草稿〉に「井上伯及三井家の依嘱ニ依リ貝嶋家の事業及財産を監督致シ且事業計画並営業予算等之協議ニ参与スルコト」という文言からも判かるように、永江は貝島と麻生両者の監督を依頼されてはいるものの、第一義的には井上の代理として貝島の経営に関する監督を依頼されており、麻生に対する監督は三井の麻生に対する信用供与に伴って、派生的に依頼されているように思われるのである。そのことを示すのが、永江が貝島の監督に就任するに当たって監督としての地位を巡る問題を非常に警戒している点である。即ち、資料1の傍線部に示されているように、永江は貝島において松本常磐の後任となることを厳しく拒否しており、それに対して益田も井上も永江の要求を受け入れているのである。ここで、松本常磐とは、三井物産調査課参事支配人、井桁商会代表社員、台湾製糖監査役等を歴任した人物で、(4) 貝島鉱業においても重要な地位を占めていたものと思われる。(5) 即ち、松本は三井の利害を代表して貝島の経営に関与していた人物といってよいだろう。このような松本の後任となることを永江は拒否しているわけであるが、何故、永江がこの点にこだわったのかを推測させるのが、前記「当用日記」三月八日にある貝島栄三郎からの書簡である。以下、同書簡の関係部分を資料3として示しておこう。

資料3 〈貝島栄三郎書簡(6)〉

……既ニ御承知被為在候通り弊社松本理事過般来病氣ニ罹り候為め事務之整理ニ従事難致且つ御案内之通り父儀も追々老年ニ及候ニ付旁以て後任者の就任を急ぎ居候折柄尊台を相煩し候事ニ相成今回強て御相談申上候次第ニ御座候右幸ニ御承諾被成下弊社の為め御尽力被成下候様相成候上ハ小生ニ於ても大ニ安心(以下略)

この書簡に示される通り、当初貝島側は永江の監督就任を松本常磐の後任として、つまりは貝島鉱業の理事(あるいはそれ相当の地位)として同社に迎える心積もりだったと思われる。それに対して永江は三井と並んで井上からの委嘱によって監督の地位に就くとの依頼を受けているわけであるから、当然、貝島社内の理事という地位を受け入れられるはずもないのである。何故、このような行き違いが生じたのかは不明だが、強いて推測すれば三井や井上と永江との間の交渉内容を十分把握しないままに、永江に対して貝島の意向を伝えた貝島栄三郎の勇み足だったということであろう。これを換言すれば、永江としては井上の権威と三井の金融上の優位を後ろ盾にして、あくまでも貝島、麻生の外部から両社の経営を監視し、また、経営に関与する地位を確保する目論見であったと言えるだろう。

このような永江の意向に対して、益田も井上もそれを受け入れる旨の書簡を永江宛に送り、永江の地位を確認すると共に、井上に至っては「若何れの一方ニ於て貴兄の忠告ヲ用ヒザル如キ場合ニ於てハ直ニ馨ニ事情御通報被成下度候」とまで言って、永江の地位を自らの権威によって裏書きすることを約束しているのである。かくて、永江は三井、井上両者のバックアップによって、あくまでも外部者として貝島、麻生に対する優越性を確保することを確かなものとした上で、両者に対する監督の要請を受け入れたのである。

Ⅱ　監督としての業務

さて、監督に就任した永江がどのような業務をしていたのかについて、簡単に見ておこう。彼が最初に取り組んだのは、以下の資料に見られる通り貝島、麻生両者の借入金の整理であったようである。

資料4　〈永江純一備忘日記[7]〉

六月一日金子辰三郎氏ニ面會炭車配給轉《ママ》末相咄ス
六月四日貝嶋氏ニ面會會社定款ノ件社員増加ノ件三井利子引下ノ件等示談ス
六月六日早川氏ニ面會利子引下ノ件借金担保一纏メニ可爲コト等示談ス
六月六日井上伯ニ面會貝嶋家社員増加資金分配ノ件利子引下ノ件麻生借金整理ノ件等ニ付相談ス
同日麻生氏へ電信及書面ヲ発ス
六月七日麻生ヨリ借入金壱人別金高及利子歩合電報シ来ル
六月八日井上伯ヲ訪麻生借入金調ヲ差出ス
六月十日貝嶋ト會見利子引下及麻生借入金ニ付示談ス

六月十三日井上伯ニ行麻生借金整理及利子引下ノ件示談アリ午后早川ト示談ス
六月十四日朝貝嶋ト示談シ直ニ三井銀行ニ至リ早川ト示談シ利子ハ凡テ八朱五厘ニ引下七月一日ヨリ決行スルコト麻生借替金ノコトハ七月再ヒ出京ノ上協議スルコト但担保付十一万九千円ノ帝商借入分三井ニテ引受九万六千円五朱ノ利付二万円ノ無利息合計十一万六千円ハ現在ノ侭ニテ貝嶋保証人ニ立チ利益中ヨリ年賦金ヲ先ニ弁済スルコトヲ三井ニテ承諾スルコトニシテ交渉相纏ルコトニ相談シタリ依テ其旨貝嶋及井上伯ニ報告シ暇乞シタリ
十七日飯田義一ニ面談シ三井銀行借入金利息八朱五厘ニ引下承諾アリシニ付物産會社ノ分モ同様承諾アリ度旨示談シ承諾シタリ依テ午后六時出立セリ右ノ顚末書面ヲ以テ金子辰三郎ヘ報告シタリ
（金子辰三郎は貝島鉱業合名会社理事…引用者註）

即ち、永江は監督に就任した直後の三十八年六月から三井関係者、井上馨、貝島、麻生の間を精力的に廻り、貝島、麻生の借入金利息の引き下げや麻生の帝国商業銀行からの借入金を三井銀行に肩代わりさせる等の借入金整理に奔走していたのである。これは当該問題が貝島、麻生の経営にとって喫緊の課題であると、永江が認識していたことを示しているだろう。
さらに、永江は監督就任に当たって資料5に示すような方針を立てていた。

資料5　〈経営改革方針等[8]〉

一鑛区代償却積立方針ヲ定ムルコト
一器械代償却方針ヲ定ムルコト
一豫算ハ決算ト共半期毎ニ調製スルコト
一定款ヲ改正スルコト
一店則ヲ改正スルコト

一礦区ノ代價ヲ其礦ニ存在スル石炭噸数ニ除シ其得ル所ノ金額ヲ益金ヨリ扣除シ其残余ヲ以テ純益トスルコト
一器械代ハ其保存年限ヲ定メ代價ヲ其年限ニ除シ其一ヶ年分代價ヲ益金ヨリ扣除スルコト
一新ニ増設スヘキ事業費又ハ長期ノ借入金員ハ実行前協議ニ與ルコト
一井上伯及三井ニ報告ノ書類ハ同時ニ報告ニ預カルコト
一毎月末ノ貸借勘定ヲ報告スヘキコト
一定款及諸規則ヲ通覧スルコト

一會社規約
一書記壱名ヲ置クコト
一第二第四ノ月曜ニ出張スルコト

つまり永江の改革構想は、一つは減価償却の実施を中心として利益管理を厳格にすること、一つは定款や規則の改正によって社内組織、経営組織の近代化を図ることの二つが主要なものであったと思われる。また、そのために経営関係の諸書類や諸規則類の提出を求めることにしたのである。そこで以下、それらの点に関して永江の具体的な行動を示す資料を挙げておこう。

まず両者の業務・営業内容についての検討について見ておこう。上記資料に書かれているように、両者は決算等の営業状況を示す書類を永江に送付していた。その一例を資料6として以下に示しておこう。

資料6〈麻生商店書簡〉（4通）

永江監督様

麻生商店

拝啓益々御多祥奉賀候陳ハ左記書類乍延引提出仕候間御高覧被下度願上候

右当用ノミ得貴意候

頓首

四十一年下期　坑景損益決算書　一冊

四十二年上期　仝　豫算書　一冊

四十二年一、二月分豫決算対照表　二葉

麻生商店罫紙使用

（永江文書Q八四七）

永江監督殿

麻生商店

拝啓八月分豫算實蹟對照表別紙加封差上候間（以下略）

（欄外）明治卅九年九月十六日

麻生商店罫紙使用
（永江文書Ｑ八四八－一）

永江監督様
拝啓過日店主ヨリ御話申上居候藤棚炭ニ関スル差引表別紙御送付申上候間御査収被成下度候先ハ当用ノミ早々
野見山米吉
（欄外）明治三十九年九月十七日
麻生商店罫紙使用
（永江文書Ｑ八四八－二）

麻生商店
永江監督様
拝啓十二月分豫算實蹟對照表別紙御送付申上候間御査収被成下度奉願候先ツハ当用ノミ
拝具
麻生商店罫紙使用
（永江文書Ｑ八四八－三）

上記資料6に示される通り、麻生商店は半季決算、予算書のみならず、毎月の実績表も送付しており、かなり緊密に永江に対して営業状況を報告していたことが判かる。貝島についても、永江文書中の貝島関係史料の残存状況からして、麻生と同様に営業関係書類を永江に提出していたことが推測されるのである。[9] さらに、このようにして貝島や麻生から送付されてきた諸書類を基にして、永江は借入金整理問題や三井物産に対する貝島、麻生の送炭量問題の整理に関して、三井関係者や井上に対して詳細な報告を送っていることが確認される。[10]

次に、このような営業状況の監視と並んで改革方針のもう一つの課題であった諸規則の改正による組織改編について見ておきたい。ここで取り上げるのは貝島に関する社内規則等の同社組織改革に対する永江の関係である。貝島は明治三十一年の貝島鉱業合名会社の設立以来、意思決定機関のあり方を幾度か変更し、更に三十六年には「営業規則」を制定して社内組織を明文化するのであるが、このような社内組織に関する改廃に、永江が監督としてどのように関わっていたかという点を示す資料を資料7として紹介しておきたい。[11]

資料7　〈永江純一書簡草稿[12]〉

拝啓陳者小生義本日門司到着候處堤氏御差出相成店則御改正の草案ニ付意見申上候様御下命之趣敬承仕候一応閲覧致候上大体ニ付愚見左ニ申上候

一草案ニ依れハ理事事務長礦務長ヲ以テ重役ト相定メ其部下ニ七部長ヲ置キ事務ヲ取扱候事ニ相成居候處小生ノ意見ニテハ重役ハ理事耳ニ止メ店務ヲ商務礦務ノ二部ニ分チ七部ヲ七課トシ其内礦務機械の二課ヲ礦務ニ属セシメ庶務商務會計監査調度五課ヲ商務ニ属セシメ其部長課長ニテ責任ヲ持チ事務ヲ遂行（セ脱カ）シメ理事ニ於テハ各々事務ヲ分担シ毎周《ママ》一回或ハ二回理事會ヲ開キ業務ヲ決行致候テハ如何ニ候哉ト存候併シ人ノ都合ニてハ理事ニて事務長又ハ礦務長ヲ兼務セシメテモ可然ト存候兎ニ角各自其受持ヲ明ニシ責任ノ地ニ立チテ勉張為致候様致候テハ如何ト存候併右ハ小生の愚見申上候次第ニて人撰ノ都合も且従来の慣習モ可有之ト存候ニ付其辺ハ篤ト御考慮ノ上御決行可然ト存候小生ハ本日中根氏ニ面會仕候處貝嶋氏十七八日頃帰宅之趣ニ付其報知有之次第相伺可申候

二月八日

（以下略）

この資料7の書簡草稿では年次が不明なのであるが、貝島は明治三十年代末から四十年代初頭にかけて「営業規則」を改正しているとみられることから、同改正に対する永江の意見を述べたものとみてよいだろう。また、その内容は重役範囲の規定や社内組織の改定にまで踏み込んだ、相当に具体的なものであり永江が貝島の社内規則に関してかなりの関心を持っていたことを示していよう。そしてこのような永江の関心の有り様は、彼が三池紡績の取締役商務支配人として社内営業規則の制定に携わった経験に由来したものと考えてよいように思われるのである。貝島では同様に明治四十年代初頭に「本社各部事務章程」、「鉱業所規則」[13]といった各種の規則の制定あるいは改正を実行したと見られることから、これらの過程でも三池紡績における経験から永江の意見が反映された可能性も考えられる。つまり、貝島に関して言えば、営業組織の改編に関する諸規則の制定、改正に永江の経験を生かすことが、井上や三井が永江を監督として推薦した理由の一つかも知れないということである。

Ⅲ　監督解任と相談役就任

さて、永江は明治四十二年十二月に監督を解任され、翌四十三年には貝島、麻生両者の相談役に就任することになるのだが、その間の経過を資料8『当用日記』によって確認しておこう。

資料8　永江純一『当用日記』[14]

明治四二・一〇・二五　此日井上候より貝嶋（監脱カ）督代理解除ノ通知ニ接ス直ニ貝嶋ニ挨拶状出ス
明治四三・一・六　晩貝嶋ト会合相談役の依頼アリ
明治四三・一・七　貝嶋麻生ト会合麻生より相談役の依頼アリ晩貝嶋麻生柏木氏ト会食ス
明治四三・一・二三　貝嶋より相談役嘱托ノ書面送リ来ル
明治四三・一・二四　貝嶋家へ相談役承諾の返事致ス

大正五・一一・二八　貝嶋、麻生へ相談役辞退申送ル

この日記から判かるように、永江は四十二年十月に井上から貝島に対する監督解任を知らされ、直ちに貝島に宛てて解任の挨拶状を発して、監督解任のことを通知している。

次に、貝島、麻生から永江に宛てた、監督解任後に相談役に就任を依頼した書簡の関係部分を資料9、10として示しておこう。

資料9－1〈貝島太助書簡[15]〉

拝啓秋冷之候益御清適奉大慶候然は予而御承知之通り弊家々憲制定之件ニ付多年井上侯爵閣下之御配慮を仰き居候處去十五日愈其発表式も施行し會社之組織も変更する事ニ取リ極め申候ニ付何卒左様御了承被下度候右ニ就テハ従来侯爵閣下より貴臺ニ嘱し置かれ候弊家監督代理之義も此際御廃止之趣閣下より御通知有之敬承仕候處何れ詳細ハ近日御目ニ懸り後ニ御談仕度存候得共今後共何かニ付拙者共より色々御配慮願出候節ハ何卒可然御尽力被下度奉願候先ハ不取敢御報旁右御懇嘱申上度如此ニ御座候　頓首

十月廿日　貝嶋太助

永江純一様

資料9－2〈中根寿書簡[16]〉

拝復時下愈御清気被為入奉大賀候然は此度貝島家々憲制定ニつき内山田老候《ママ》之命ニ依リ是迄之関係を解かれ候よし御来示拝承右ハ全然其関係を解かれものに御座候や尚拝眉之上詳細承知いたし度存候又種々御懇談申上度義も有之候間一度緩々拝晤いたし度存候

（中略）

十一月十九日　　　　　　　　　　　　　寿拝
永江様　　貴下

資料9－3 〈貝島太助書簡(17)〉

拝啓益御清栄奉賀候然は過般弊家々憲制定仕候處愈本月ヨリ実施致候事ト相成候就而ハ誠ニ御迷惑トハ奉存候得共自今弊家一族會相談役トシテ御配慮之義御承諾被成下度奉願候右得貴意度如此御座候　敬具
明治四十三年一月十日
貝嶋家一族會
會長　貝嶋太助
永江純一殿

資料10 〈麻生太吉書簡(18)〉

拝啓仕候時下寒感烈敷御座候處愈々御清健奉賀上候
偖而先年来
井上侯爵閣下ノ御委嘱ニヨリ侯爵閣下代理トシテ営業上ニ付キ多大之御高配相蒙リ居申候處今回都合ニヨリ侯爵閣下ヨリ右監督之事御解除相成申候ニ就テハ深ク従来ノ御厚情奉拝謝候次第ニ御座候就テハ甚タ軽少之至ニ御座候得共別紙金券壱封御贈呈申上候間幸ニ御笑留被成下度候
尚将来ハ従来之御縁故ニヨリ貴台御一己之御関係ニヨリ営業上之重大事件ニ関シテハ御相談申上度候間相不変御高配相煩シ度申候条御甘諾奉願上候先ハ御寸楮御挨拶申上度如此ニ御座候　　草々敬具
明治四十二年十二月廿八日　　　　麻生太吉
永江純一様　　座右

資料9－1から推測されるように、永江が貝島の監督を解任されたのは同家の家憲制定と家憲制定とほぼ時を同じくした貝島鉱業合名会社の株式会社への改組が切っ掛けとなっているようであり、従って、永江の監督としての役割は株式会社化を展望しながら、同社経営の安定化と社内組織・経営組織の近代化を図るということだったのではないか、ということがここでも確認されるだろう。ただ、資料9－1の日付が、永江の『当用日記』にある「此日井上候より貝嶋（監脱カ）督代理解除ノ通知ニ接ス」の日付より一週間程度早くなっていることに注目すれば、監督解任は永江よりも貝島に対して先に通知されていたのかも知れない。また、資料9－2の書簡からも監督解任が家憲制定と関連していることが推測できるが、その監督解任が永江と貝島との関係が全く清算されてしまうものかどうか、十一月時点でも貝島側で判断がつきかねていることが暗示されているようである。

それに対して資料10にある十二月末付の麻生からの書簡では、はっきりと「営業上之重大事件ニ関シテハ御相談申上度候間相不変御高配相煩シ度」と書かれており、永江に対して監督解任後も何らかの関係を維持することを依頼しており、翌四十三年一月付の資料9－3の貝島書簡には「弊家一族会相談役トシテ」関係を持ち続けることを一族会の意思として正式に表明している。つまり、四十二年十一月時点では貝島において（おそらくは麻生においても）、監督解任後の永江との関係をどのようにするのかに関してはっきりした判断がつきかねていたと思われるのであるが、年末には貝島、麻生共に永江との関係を全く清算するのではなくて、「相談（役）」という形で維持していこうということが諒解されていたと言えるだろう。さらに、翌一月には「相談役」という肩書きで、関係の維持を図ることが貝島側（麻生側でも）から永江に明示的に示されている。ただ、ここでも先に掲げた『当用日記』にある「貝嶋より相談役嘱托ノ書面送リ来ル」という記事の日付と書簡の日付とに齟齬があるが、この間の経緯は不明である。それはともかく、このような貝島からの相談役就任依頼に対して、永江は以下の資料11に示すように承諾の返事をしているのである。

資料11〈永江書簡草稿[19]〉

拝啓陳は今回貴家々憲御制定ニ相成一族會御設定ニ付不肖へ相談役御依托ニ相成致承諾候依て御受申上候也
明治四十三年一月廿四日　永江純一
貝嶋家一族會　會長　貝嶋太助殿

ここで、永江は貝島鉱業の相談役ではなく、貝島からの依頼通りに一族会の相談役として関係を維持することを承知しているのである。即ち、監督時代のように直接炭鉱事業経営に関与するのではなく、貝島家全体の相談に与るという形で関係を維持することを諒解していると言えるだろう。これに対して麻生との関係はどのようなものであったのかを資料から判断することは現在のところできないが、「営業上之重大事件ニ関シテハ御相談申上度」とは言うものの、貝島と同様に相談役としての関係であったとすれば、これも直接に炭鉱経営へ関与したものではなかっただろう。事実、「永江文書」の中には明治四十三年以降については、貝島にせよ麻生にせよ経営関係資料は見当たらないのである。それどころか、相談役としての永江の両者に対する関係を示す資料も見つかっておらず、相談役なるものがどれほどの実質を有していたのか、甚だ怪しむに足るものと言えるだろう。

さて、資料8に見られるように、永江は貝島、麻生の相談役を健康上の理由もあってか、大正五年十一月には辞任するに至っている。そこで、永江からの辞任通知を以下に掲げておこう。

資料12〈永江書簡草稿[20]〉

拝啓陳は小生義去明治四十三年（欠）月貴家一族會々長貝島太助殿ヨリ相談役御委嘱有之其際不肖ヲ顧みス承諾致候義ハ全ク故井上侯爵及故貝島太助殿ト浅カラザル関係有之候結果ニ御座候然ルニ侯爵は昨年薨去セラレ太助殿亦先般逝去セラレ候ノミナラス小生亦久敷病床ニ在リて貴家ニ対シ何等御用ニ相立候事モ無之徒ニ空名を持続致候事ハ実ニ恐縮ニ存候ニ付此際

辞退致度候間何卒不悪御了承可被成下尤病気全快之上御用等御申上候節ハ不相変御申聞被下度候此段得貴意度如此ニ御座候

早々敬具

大正五年十一月廿八日　　　　永江純一

貝嶋家

一族會御中

拝啓陳は小生義去明治四十二年十二月貝嶋家ト共ニ相談役御委嘱ニ相成不肖ヲ顧みす今日ニ及来候處当初御下命相成候井上侯爵も昨年御薨去相成貝嶋氏も先般御逝去セラレ候ノミナラス小生亦久敷病気ニ付今回貝嶋家一族會ニ対シ相談役辞退致候ニ付貴殿ニ対シても同様辞退致度候間不悪御了承被成下度候尤病気全快致候上御用も有之候節は不相変御申聞被下度候右得貴意度如此ニ御座候　早々敬具

大正五年十一月廿八日　　　　永江純一

麻生太吉殿

ここにあるように、永江の辞任理由は自らの健康問題だけでなく、前年の井上の死去と同年の貝島太助の死去もその理由として挙げられている。永江としては貝島、麻生の相談役就任が、それ以前からの監督就任に続くものであり、その監督就任が井上からの依頼による主として貝島における経営改革を理由とするものであったことから、監督就任時の依頼主であった井上と貝島当主であった貝島太助の死をもって、一連の貝島と麻生との関係に終止符を打つべき時期が来たと考えたのであろう。ここに、永江と貝島・麻生との公的な関係は終わりを告げ、その永江も相談役辞任の翌年十二月には死去するのである。

Ⅳ　報酬金について

最後に、永江が貝島・麻生から受け取っていた報酬金について触れておきたい。その一例として資料13を掲げておこう。

資料13－1　〈貝嶋太助書簡[21]〉

明治三十八年十二月廿六日

貝嶋太助

永江純一殿

拝啓時下愈々御清栄ニ爲渉奉恭賀候然ハ麻生家并ニ弊社事業ニ對シテハ不一方御配慮御庇護ヲ辱フシ難有奉感謝候別封金弐千円両家ヨリ御報酬金トシテ進呈仕度銀行爲換ヲ以テ御送付申上候間御受納被成下度一重ニ奉願上候

右得御意如此ニ御座候　敬具

□々本文金額御査収之上ハ乍御手数御一報被成下度奉願候

追而

大牟田三池銀行へ為換取組筈ニ有之候處当地十七銀行吾ハ仝銀行取引無之不得止久留米六十一銀行へ取組仕候間不悪御承知被成下度候

資料13－2　〈麻生太吉書簡[22]〉

麻生太吉

永江純一様

拝啓時下秋冷ノ候益々御清栄奉賀候偖金五百円也甚ダ軽少ニハ候得共封中銀行為替券ニテ御送金仕候間御受納被下度実ハ先

日ヨリ申付候得共延引仕候
右当用迄
頓首
（欄外）明治39年10月14日

まず資料13－1から、永江は監督就任に当たって貝島、麻生両者から合計で二千円の報酬金を受け取っていたことが判る。その後は13－2にあるように、それぞれから半期分と思われるが五百円ずつを相談役就任後も受け取っていると思われる。[23]つまり、永江は監督時代、相談役時代を通じて貝島と麻生から年額で二千円の報酬金を受け取っていたということになるだろう。当時の永江の所得から見れば決して少ない金額ではなかったと思われるのであり、[24]この報酬金が永江の政治家としての活動をはじめとする諸活動にとって、一定の意義を有したと考えられるのである。

Ｖ　まとめ

ここで、今まで示した資料に関して述べてきたことをごく簡単にまとめておこう。

永江純一は明治三十八年二月に井上馨と三井から、従来井上が引き受けてきた貝島の経営に対する監督役への就任を要請され、同時に三井から多額の資金を借り入れていた麻生に対する監督をも依頼された。永江が選ばれた理由は地元福岡の人物で、政治的には政友会を通じて井上と関係を有しており、三井とは三池紡績取締役として以前から関係があったことに因るのだろう。その時永江に期待されていたことは、永江の活動と改革方針から見て貝島と麻生（特に麻生）の借入金問題の整理と経理方法の改善であり、さらに、貝島に関して言えば株式会社化を見通しての経営組織、社内組織の改革であったと思われる。この点に関して言えば、三池紡績取締役としての経験が買われたものであろう。従って、貝島鉱業の株式会社化と貝島家家憲制定が成った明治四十二年には、貝島、麻生両者の監督を解任されることになった。

監督解任以後も永江は貝島、麻生の相談役として、両者との関係を維持しているが監督時代のような積極的な活動はしていないようであり、いわば名目的な地位であった可能性が高いと考えてよいように思われる。ただ、相談役に就いてからも両者から受け取っていた報酬金は、永江にとっては貴重な活動資金の一部を形成していたのではないかと思われるのである。なお、資料の翻刻に当たって、併せ字は「コト」「トキ」「より」とした。「座」と「坐」は「座」に統一した。変体仮名はすべて平仮名にした。異体字は通常使用する字体に変換した。また、判読不能箇所は□で表した。「貝嶋」と「貝島」については、引用資料中以外は全て「貝島」に統一した。〈 〉内の資料名は本稿に限った仮題である。

（永江眞夫）

注

（1）「井上伯爵依嘱書並重要書類」「永江文書」Ⅰ一〇二‐一。
（2）三池紡績の設立とその後の経営における三井と地元経営者との関係に関しては、岡本幸雄『地方紡績企業の成立と展開』九州大学出版会、平成五年、拙稿「九州紡績株式会社と三井財閥――「大阪支店事件」を契機とする関係の変化――」（『経営史学』一九巻四号所収、昭和六十年一月）を参照。
（3）『当用日記』「永江文書」C一三。
（4）『銀行会社要録』各版。また、井桁商会とは「織物機械製造販売代弁業及仲買」を営業目的とする、名古屋市に本社を置く合名会社である（『銀行会社要録』第七版）。
（5）松本がいつから貝島の経営に参与していたのかは判からないが、社内では理事職に就任していた。かつ理事としてであろうが、明治三十七年二、三月の時点で貝島鉱業の重役会に出席している（貝島資料『明治三十六年起　重役会議事録』）。
（6）〈書簡〉「永江文書」Ⅰ一〇二‐六。
（7）「雑書類」「永江文書」Ⅰ一一。
（8）同前。
（9）永江文書に含まれる貝島の営業関係書類は半季予・決算書類が主要なものであるが、その他にも「借入金明細書」、「明治三十九年度中負債償却高」といった内部資料も含まれている。また、同社については社内規則に類するものが多く含まれているが、この点については後述するところである。
（10）ここでは一々紹介しないが、明治三十八年から三十九年にかけて貝島、麻生から送付された書簡、書類類や三井関係者や井上に発送した書簡下書きは、『明治三十八年五月ヨリ　往復書類』「永江文書」Ｉ三三にまとめられている。

(11) 合名会社設立後の貝島における経営組織の変遷については、拙稿「貝島鉱業合名会社の経営組織に関する覚書」（『福岡大学経済学論叢』第三一巻第三・四号所収、昭和六十二年三月）を参照されたい。

(12) （書簡）「永江文書」Ｉ五七。

(13) 「本社各部事務章程」「永江文書」Ｉ五、「鉱業所規則」「永江文書」Ｉ六。なお、「永江文書」中には上記以外にも合名会社設立時における各種の規則類が残されている。

(14) 前掲、永江純一『当用日記』。

(15) （書簡）「永江文書」Ｉ一〇二－四。

(16) （書簡）「永江文書」Ｉ七〇。

(17) （書簡）「永江文書」Ｉ一〇二－三－一。

(18) （書簡）「永江文書」Ｉ一〇二－五。

(19) （書簡）「永江文書」Ｉ一〇二－三－二。

(20) （書簡）「永江文書」Ｉ一〇二－九。

(21) （書簡）「永江文書」ＡＮ二〇〇－五。

(22) （書簡）「永江文書」ＡＮ二〇〇－四。

(23) 「永江文書」に残る貝島、麻生からの報償金送付通知の日付は、不規則ではあるが明治三十八年から大正一年にまでわたっており、日付も年末以外にも九月や十月であったり二月であったりすることから、年に二回受け取っていたのではないかと推測される。また、そうであれば両者から年間二千円受け取っていたことになり、監督就任時に受け取った報酬金と同額になる。

(24) 永江純一の第三種所得決定額は、明治三十八年が一、二六八円、三十九年が一、二七七円等で、最高額は四十三年の四、九六五円となっている（「所得高届」「永江文書」ＡＢ三二〇）。因みに、貝島、麻生からの報酬金は所得金額申請書には記載されていないが、税務署の決定額には反映されていたかも知れない。

二　九州産業鉄道の設立と事業概要

I　はじめに

九州産業鉄道（以下、九産鉄と略称）は、福岡県飯塚（嘉穂郡）～後藤寺（田川郡）間の鉄道敷設と石灰石採掘・石灰製品販売を目的として、福岡近隣の電力事業者及び地元関係者らの共同出資により一九一九年に設立された（図1参照）。麻生太吉は大正後期より石炭鉱業から電力事業や石灰業へと企業の主力を傾けるようになり、九産鉄は石灰業が中核となった企業である。特に石灰業（後にセメント業へも拡大）に関しては石炭鉱業の将来を見越し麻生が着目した(1)との評価もあり、実際にセメント業は戦後の石炭鉱業衰退後に麻生家を支えることとなった。

　九産鉄は、石炭鉱業衰退後に麻生家の中核企業となったことから、森川英正による地方財閥研究(2)

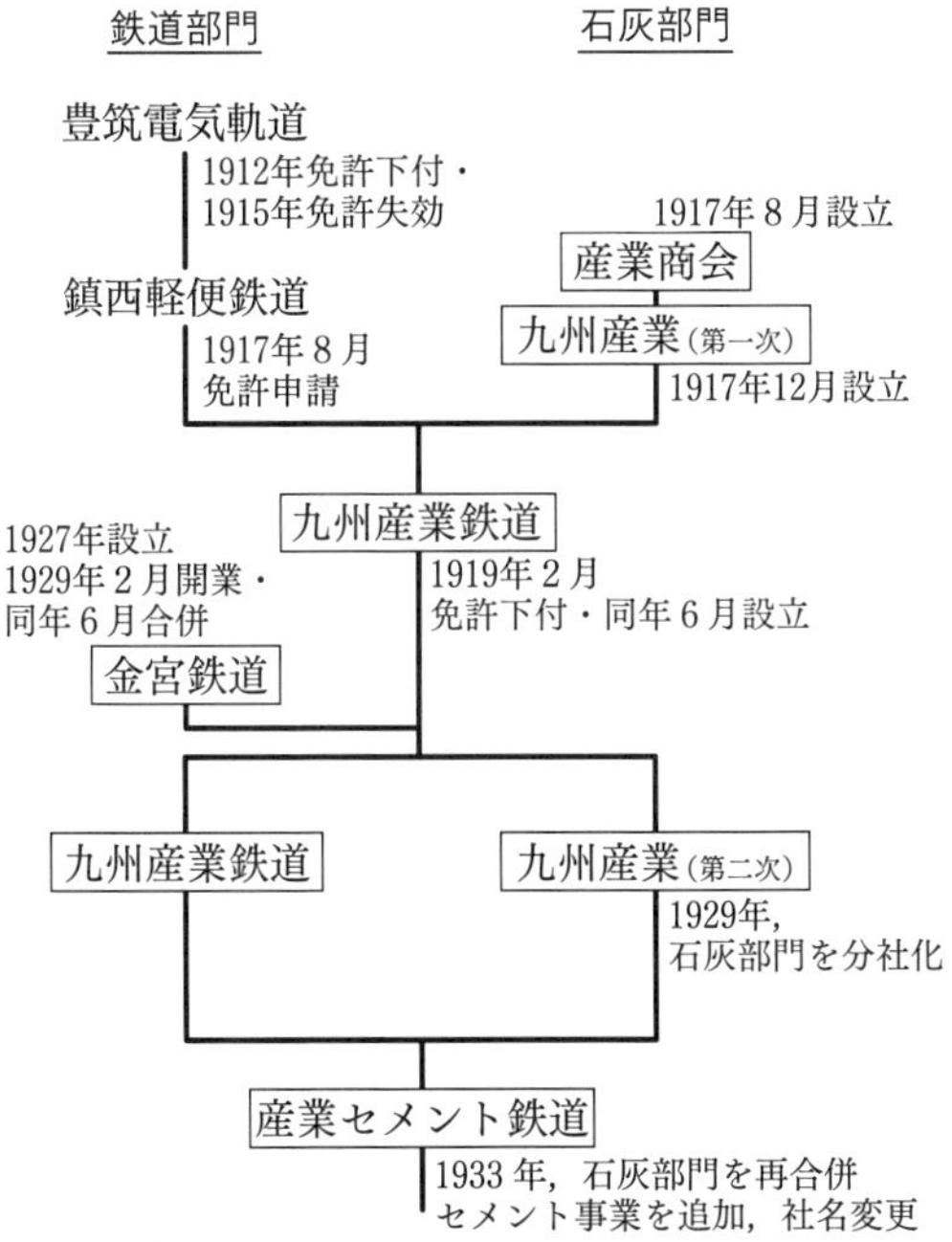

図１　九州産業鉄道事業系譜図

や、新鞍拓生による麻生太吉の企業者活動研究[3]など、麻生家ないしは麻生財閥として分析対象となってきた。森川の研究は、麻生家の財閥化過程における関係企業として九産鉄を対象としており、それはあくまで社史に依拠した記述に留まるが、新鞍による研究は「麻生家文書」の分析を通じて経営、資金、および人材マネジメントにまで踏み込んだ実証的な検討がなされている。

社史としては、創立十周年を記念し編纂された『沿革史　九州産業鉄道株式会社』（九州産業鉄道、一九三二、以下、『沿革史』と略称）と麻生鉱業との合併後に麻生グループの創業百年を記念し刊行された『麻生百年史』（麻生百年史編纂委員会、麻生セメント株式会社、一九七五）の二点がある。『田川市史』中巻（田川市史編纂委員会　田川市役所　一九七六）では、九産鉄初代専務中村武文の子息にあたる中村宇一郎の所蔵史料などを参考に執筆されており、社史では不明な設立初期の動向について詳述されている[4]。

九産鉄の内部史料としては、「麻生家文書」[5]に帳簿及び関係書簡が残存している。帳簿は産業商会二点、九州産業[6]（第一次）一六点、同（第二次）五三点、九州産業鉄道二三四点、金宮鉄道七点の合計三一二点である。また、この帳簿史料は経営陣交代前後より整理方法が変化しており、一貫した数値の把握は一九二三年頃より可能となる。書簡は、二代目社長麻生太吉に宛てられた書簡一一七点があり、一九二二年以前は初代専務中村武文よりの書簡を中心とした四八点、それ以後は二代目専務渡辺皐築よりの書簡を中心とした六九点である。九産鉄設立初期においては、麻生太吉は出資割合は高くも経営に関しては積極的ではなく一取締役の地位にとどまり、社長就任までの時期は中村専務が経営の中心を担っていたため、同専務の書簡は設立初期の経営動向を把握するうえで貴重である。なお、九産鉄の鉄道部門は一九四三年に国家買収を受け国有鉄道路線へと編入されるが、その関係史料も五二点存在する[7]。

Ⅱ　九州産業鉄道の設立

九産鉄の設立は一九一九年であったがその計画の元を辿れば、地元電灯企業による一九一二年五月免許下付[8]の豊筑電気軌道にまで遡る。この計画は、後藤寺電灯(9)（田川郡）と麻生の関係する嘉穂電灯（嘉穂郡）との合弁事業として後藤寺～飯塚(10)間の路線敷設が企画され（図2参照）、両社からの電力供給が予定されていた(11)。計画の詳細は明らかではないが、両電灯会社の昼間電力需要創出としての性質もあったのであろう。当時の中小私鉄は電力資本系列下にあり(12)、豊筑電気軌道計画もその一環であった。当時は福岡市において博多電気軌道（のち九州水力電気）、九州電灯鉄道、北九州地域において九州電気軌道など、福岡県主要地域において電鉄事業が興隆しており、豊筑電気軌道の計画もそれに刺激された側面もあった。発起人は麻生太吉ら嘉穂電灯関係者と、蔵内保房、久良知重彦、中村武文ら後藤寺電灯関係者及び嘉穂郡、田川郡の関係者計一八名によるものであった(13)。そのなかでも後藤寺電灯の有力者の一人であった中村武文（田川郡猪膝村・酒造家）に出願事項などが一任されていた(14)。中村はこの豊筑電気軌道計画以降、一九二二年に九産鉄専務を退任するまで設立と経営活動の中心にあった。また、中村は一九一〇年九月に麻生を同計画へ勧誘しており(15)、その頃から電鉄敷設に向けた活動が行われていたものと推察される。一九一三年八月、発起人に九州電灯鉄道（以下、九電鉄と略称）関係者の福沢桃介、伊丹弥太郎、田中徳次郎、松永安左衛門、山口恒太郎らが参加する(16)。当時後藤寺電灯が九電鉄との事業提携を行っていた影響と考えられる(17)。しかし、この電気軌道計画は工事施行には至らず一九一五年に免許失効し同計画は一旦中断となった(18)。

鉄道事業はその後、敷設計画を電気軌道から普通鉄道へと変更し、鎮西軽便鉄道と改称し(19)一九一七年八月三日に敷設免許申請を行った(20)。同年八月九日、金丸與志美、松隈善二ら地元関係者らにより後藤寺～飯塚間(21)の鉄道敷設を目的とした筑豊軽便鉄道の出願がなされ競願となった(22)（図3参照）。路線経由地の評価は筑豊軽便鉄道がやや優位(23)であったものの、石灰事業の兼営やその輸送の関係から収支面では鎮西軽便鉄道に分があり(24)、結果として筑豊軽便鉄道が一九一八年十二月に免許出願を取り下げることとなった(25)。他にも、大分《だいぶ》鉄道(26)による長尾～後藤寺間の延長敷設計画（嘉穂鉄道）も同時期に浮上し一九一九年二月五日免許申請(27)したが、大分鉄道の建設計画が中止となったため同計画も頓挫した(28)。

石灰業が兼業として構想された理由は不詳であるが、当時は北九州工業地域において鉄鋼業の拡大（八幡製鉄所第二次拡張計画・東洋製鉄設立）や化学工業の勃興（旭硝子におけるソーダ事業開始・電気化学工業カーバイド業）に伴い石灰石や石灰などの需要は増加しており、それらを背景としたものであったのであろう。石灰業に関しても中村武文が主導的な役割をしており、一九一五年に中村は近隣の主要石灰生産地であった大分県津久見を視察し、後藤寺町弓削田にて石灰製造を開始し[29]、翌年には麻生へと同町船尾山の石灰石採掘権確保に関する相談を行っている[30]。前述した鉄道事業の遅延もあり石灰部門が先行して企業化されることとなり、弓削田地域の山林の採掘権、区有地・私有地の採掘権が取得され、一九一七年八月に中村により産業商会が設立されたが[31]、船尾山一帯の契約締結完了[32]に伴い同年十二月に同商会に代わって九州産業（資本金一〇万円）が設立された。九州産業の役員は、取締役社長田中徳次郎、専務取締役中村武文、取締役中野徳次郎、伊藤傳右衛門、蔵内保房、監査役麻生太吉、遠入鉄次郎等々で[33]、九産鉄の初期経営陣とほぼ同様の構成となっていた[34]。なお、この時点では石灰石山買収に重点がおかれ石灰工場など生産設備への積極的な投資は実施されておらず[35]、九産鉄設立後の大規模経営の準備期間であった。

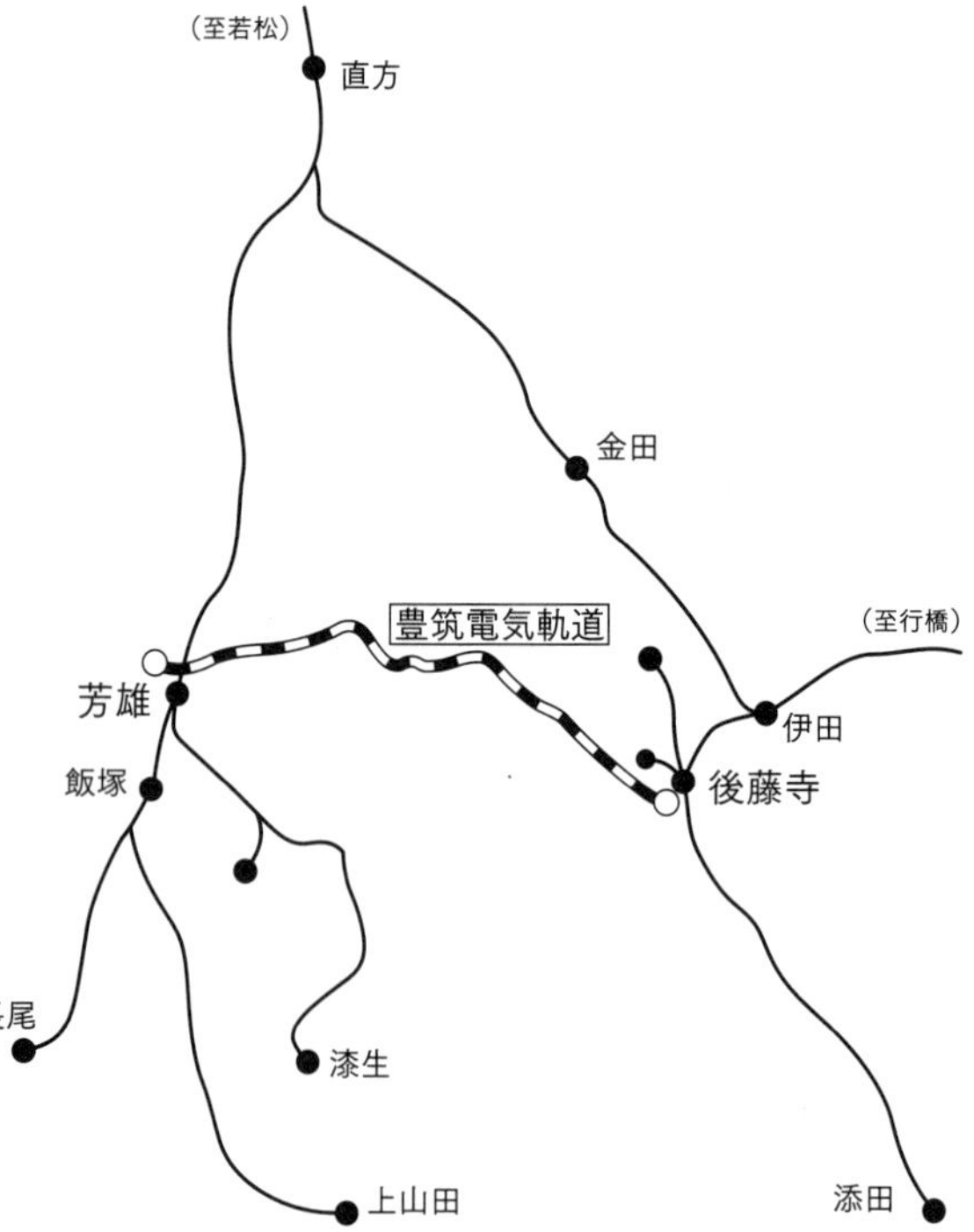

図２　豊筑電気軌道路線計画図

その後一九一九年二月、鉄道敷設免許が下付され同年六月には九産鉄が設立される(36)。仮定款で採用されていた鎮西軽便鉄道の名称が九州産業鉄道と改称され、資本金が仮定款時の一〇〇万円から一五〇万円に増額され、九州産業の営業一切が引き継がれた。社長田中徳次郎、専務取締役中村武文、取締役麻生太吉、伊藤傳右衛門、蔵内保房、監査役伊丹弥太郎、遠入鉄次郎が選任された(37)。中野徳次郎の死去による麻生の取締役選任と、伊丹の監査役就任を除けば役員構成は九州産業とほぼ同一であるが、役員における九電鉄関係者は増している。

Ⅲ　初期の経営動向

九産鉄の初期の経営は、鉄道部門、石灰部門共に積極的な投資が行われた。削岩機・破砕機など石灰資源生産設備の一括導入(38)により、工場建設費は一九二二年三月の船尾工場完成後(39)には約七五万円にまで膨張して

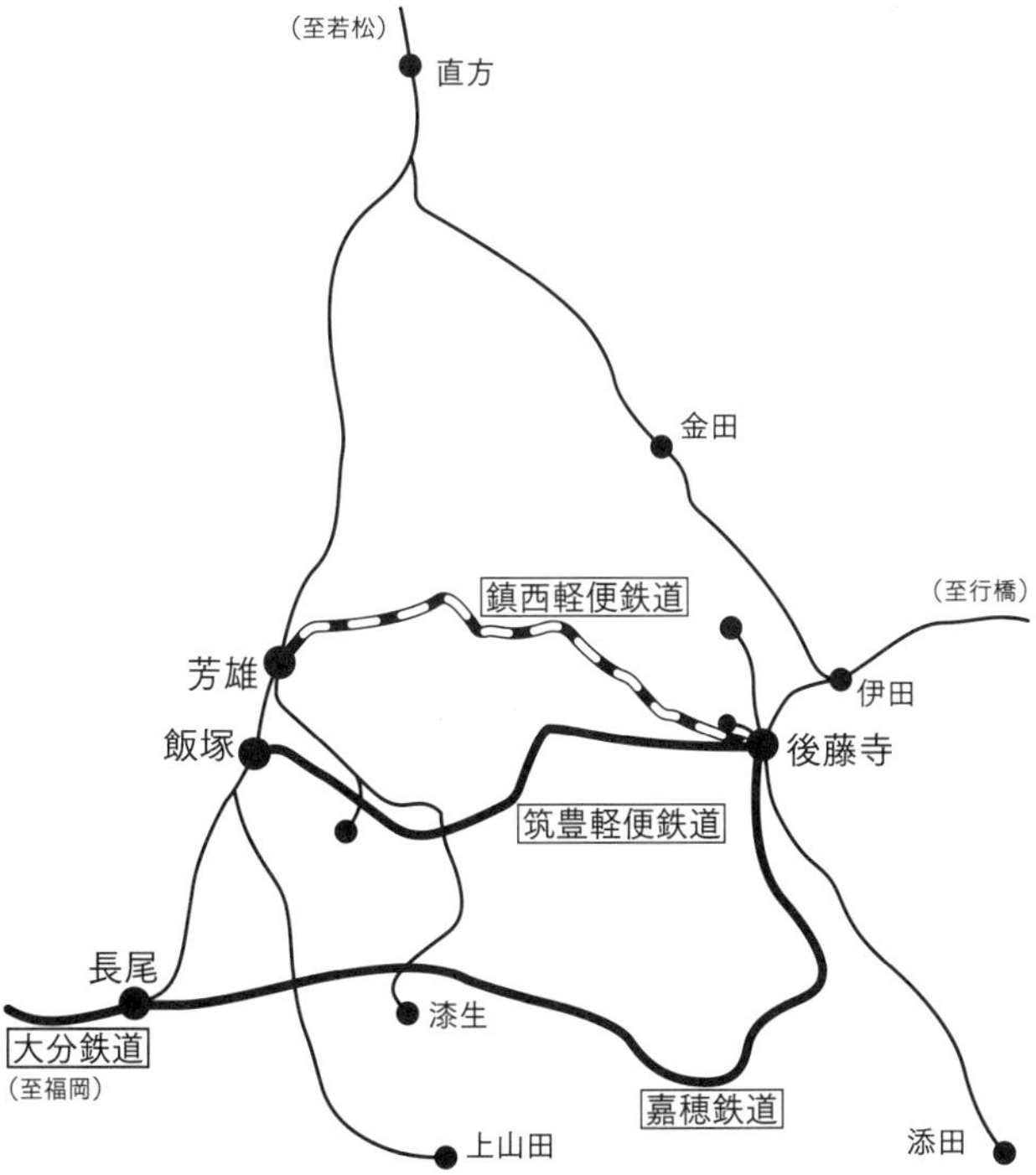

図３　鎮西，筑豊軽便鉄道，嘉穂鉄道路線計画図

いる。また、大理石販売計画や石灰生産時の余剰廃滓を利用した石灰煉瓦製造計画の追加など多角化が志向されたものの、石灰煉瓦は一九二〇年下期において早々に事業中止し、大理石販売も後に良材の枯渇により廃止されたことから、非効率な投資が固定資産増加を助長していた。[40]鉄道建設費も大戦景気による資材高騰や中元寺川橋梁敷設費の膨張により一九二二年には五八万円前後にまで拡大する。これらの初期投資の膨張は追加資金を必要としたが、株金払込は一九二一年以降低調となり自己資本による自弁は不可能となった。一九二二年二月、最寄鉄道省駅の起行から石灰石山の麓の船尾までの鉄道路線がようやく開業するが、この段階では山元への引込線の形態に過ぎず鉄道事業への収益は期待できなかった。収入の要となっていた石灰事業に関しても戦後不況の影響から収益性は低下しており、一九二二年以前における商品販売額は、一九二〇年下期の一六万七、三八四円をピークに減少した。一九二二年には上期一七五円、下期三、七九六円の損失を計上した。そのため日本興業銀行よりの借入金調達及び鉄道補助金認可申請を計画したものの、興銀からの借入は鉄道部門が開業より日数が浅く、また石灰部門も経営規模が小規模であることから失敗した。[41]さらに全線未開業の段階であったため鉄道補助金の申請も却下され、[42]資金調達に難渋した。資金調達の失敗と損失計上を事由として田中社長及び中村専務は退任となり、代わって麻生太吉が社長へと就任した。また、麻生の補佐役として麻生商店会計部長の渡辺皐築が経営担当として派遣された。[43]

中村専務はセメント事業への参入を麻生へ提言していたが、[44]当時の九産鉄は石灰工場整備により既に資金的余裕に乏しく、同事業の計画は困難であった。九産鉄は一九三三年にセメント生産を開始しておりセメント副原料（珪石・粘土・石炭など）入手に好条件な立地であったことは確かである。[45]だが、大正期と昭和期でのセメント業参入はその背景や性質をやや異にしていた。昭和期のそれは石灰石生産量増加とそれに伴う生産工程における副生品の細石の有効活用としての性質があり、[46]セメント業参入は事業拡大の一環であった。しかし、相対的に生産量の少なかった大正期での参入は生産規模の問題から必然的に石灰石の多くをセメント生産に割くことが要求されたと考えられ、副生品の有効利用よりもむしろセメント事業への転身としての性質を有したと考えられる。また、セメント業は大正期以降、積極的な新規企業参入もあり浮沈が激しく、一時的な経営向上の可能性はあれども長期的な経営安定化に寄与する可能性は低かった。また、経営陣交代以後は八幡製鉄所など大口顧客への石灰石販売が重視されたこともあり、それら大口顧客への原石販売量を圧迫することに直結しかねないセメント事業参入は販売方針的にも両立し得るものではなかった。

Ⅳ　経営陣交代後の経営動向

経営陣交代後の九産鉄は、まず石灰事業に関する営業方針の変更を打ち出すこととなる。特に、従来石灰、大理石、石灰石、石粉、砂利の順序となっていた営業活動を、石灰石が八幡製鉄所など大口需要が見込まれたことから石灰石販売を中心へと変更し、運搬設備の強化や砕石場の建設などが決定された。(47)一方、石灰については販売数量、販売先の不安定さと経費面の問題から生産量を縮小することとなった。石灰石と石灰では加工品となる石灰の方が高付加価値となるため、石灰業においては石灰の生産が優先される傾向にあるが、安定的な大口顧客の有無が石灰石を主軸とし石灰に関しては消極経営とする販売形態を規定していた。また、このような販売方針の決定による石灰石採掘部門への設備投資重点化は石灰石採掘の高効率化と、その一方での石灰生産効率の停滞性を規定することとなった。

鉄道部門に関しては、全線開通なくしては経営、補助金下付双方の面において不都合であったため、麻生関連企業からの資金調達により工事を続行し、一九二六年七月に、船尾～赤坂間が開通し全線開通となる(48)（図４参照）。これにより鉄道省線との連絡輸送と旅客運輸が開始され、また同年十二月より鉄道補助金の交付も開始された。(49)その後、金田～宮床間の敷設を目的として金宮鉄道株式会社が設立され、一九二七年十二月に工事申請、一九二九年二月に開業する。だが、金宮鉄道は開業の四ヵ月後には九産鉄へと買収された。運輸営業上円滑を欠くため運輸系統や経営を統合して経費の節約をはかろうというのが買収の最大理由とされているが、(50)実際は株主・役員構成ともに九産鉄とほぼ同一であり当初から系列会社としての性質が強く、金田～宮床間の敷設は九産鉄の石灰石輸送（船尾～八幡・枝光）を補完することが目的の一つであった。

石灰部門は、一九二二年の年間六万トンの納入契約締結(51)を契機として八幡製鉄所への石灰石出荷が本格化し、一九二四年以降年間一〇万トン程度にまで順調に拡大し、昭和期に入ると年間一九万トンへと契約更新されている。また、旭硝子牧山工場におけるアンモニア法ソーダ生産開始とその拡大により、九産鉄は同社への石灰石納入も開始した。旭硝子は当初大分県津久見の貝島石灰からの調達によっていたが、遠距離の機帆船輸送のため定量確保に難があり、一部が九産鉄からの調達に転換された。当初は年間約六千トン程度であったが一九二六年、ソーダ灰生産能力強化に伴い、年二万トンへと出荷量は拡大した。一九二三年頃、一時的に浅野セメント門司工場へも年二万七千トン程度の納入が行われており初期の石灰事業における主要販売先の一つとなっていた。しかし、これは浅野の生産設備増設に伴う暫定的な措置であったためあくまでも臨時的であった。八幡製鉄所や旭硝子などの安定的な主要顧客を確保していた九産鉄にとってはセメント業との関係性を維持する必要性は低かった。大正期において石灰は一般用（肥料・塗料）が主であり工業用原料としての生産は企図されていなかったが、昭和初期に生産設備の改善がはかられ、電解法苛性ソーダ生産における副生塩素処理（晒粉製造）用消石灰の販売が開始される。この消石灰は「苛

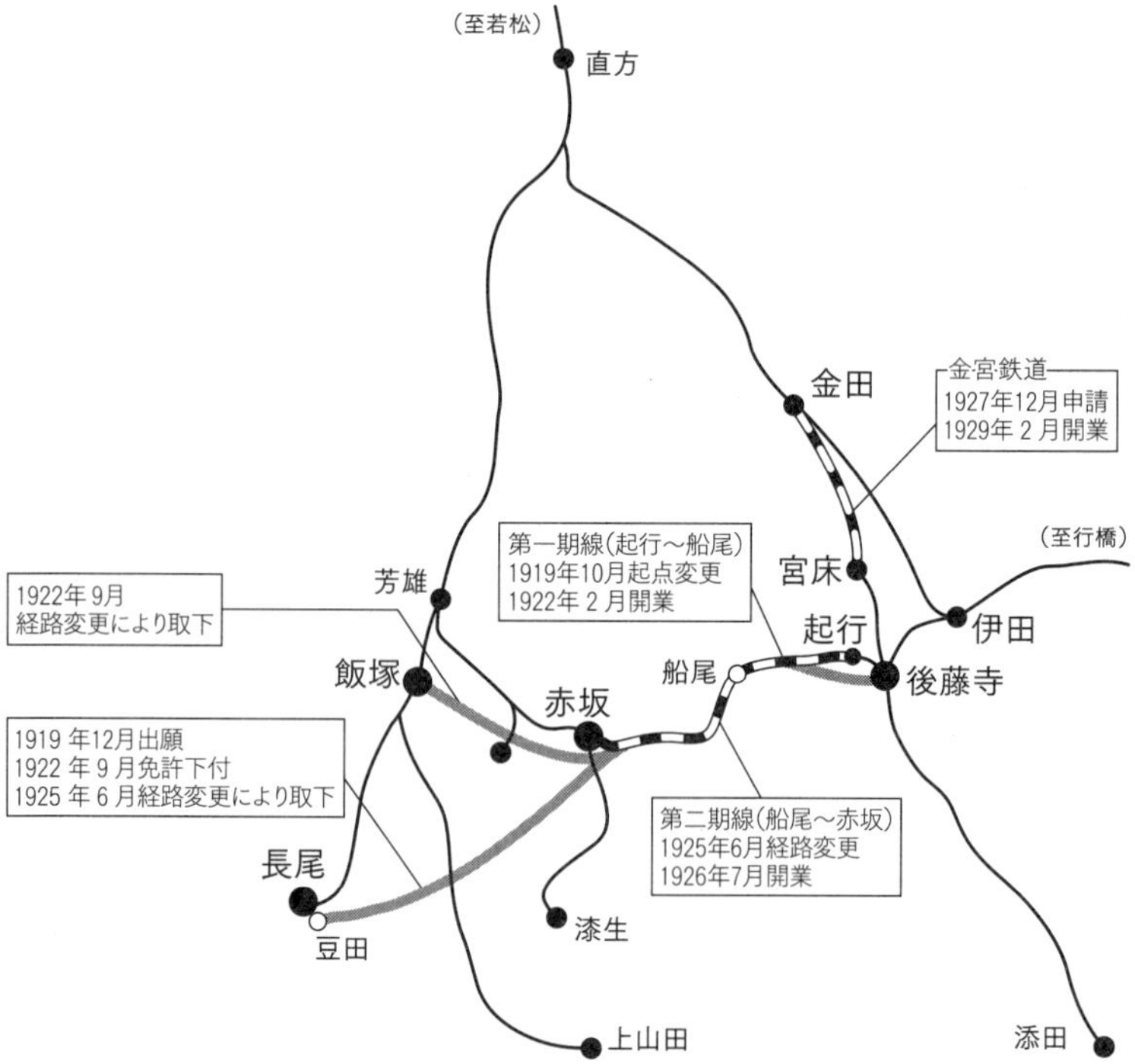

図４　九州産業鉄道，金宮鉄道路線図（計画線含む）

性石灰」の商品名で大阪曹達小倉工場、三井鉱山三池染料所などへ販売され[52]、大阪曹達は一九二九年[53]、三池染料所は一九二五年[54]より使用全量を九産鉄分へと転換した。もっとも、昭和期以降は副生塩素の処理方法が多様化したことから晒粉生産量は停滞的であり、そもそも電解法の一工場あたり生産規模は概して小規模であったことから、大阪曹達、三池染料所への一手販売を以ってしても苛性石灰の総販売量は二、三千トン程度であった。前述の経営方針もあって石灰販売量自体は半期約七千トン程度で推移しており、この時期においては一部が工業用原料への質的転換を行ったに留まったといえる。

経営陣交代後の九産鉄の損益は、石灰部門の復調もあり黒字となった。特に、八幡製鉄所向け石灰石販売量の拡大に伴い売上高は上昇し、一九二六年上期には約三〇万円の売上高となった。石灰部門の収益は一九二六年には約二万七千円となり、以降は八幡製鉄所向け石灰石の特定運賃適用[55]に伴う運賃割引により輸送費が大幅に低下し、その切り下げ分に相当する約三～四万円の利益向上がみられた。収益金は一九二六年下期五万五、二六七円、一九二七年下期五万七、〇二五円と一九二六年と比較し二倍近くになり、一九二八年以降、石灰部門単体で約八万円の利益金を計上した。一方、鉄道部門は全線開通以前においては収益性の低さは免れ得ず、大正期は赤字か黒字でも二千円程度に留まった。全線開通後は三～四万円の鉄道補助金の下付もあり収益は安定し、一九二八年以降は補助金なしでも些少ながらも安定的に黒字を計上するようになった[56]。一九二〇年代における九産鉄の収益性は、石灰部門の高収益が鉄道部門の低収益を補塡する構造であったといえよう。

Ⅴ　出資者、役員構成

九産鉄は周辺地域関係者と電力事業関係者の出資によって設立されており、主要株主は嘉穂銀行系（嘉穂電灯系）・九電鉄系・田川郡関係者（後藤寺電灯系）であった。麻生は当初個人所有分では筆頭株主ではなかったが（二、三一〇／三〇、〇〇〇株）、嘉穂銀行名義（二、〇〇〇株）の所有を合算すれば筆頭株主ともいえる株数であった。しかし、伊藤傳右衛門、中野昇（両者とも嘉穂銀行取締役）ら嘉穂銀行関係者を含めると最多数（九、七七〇株）であった。一九二〇年に麻生太吉個人から麻生商店名義へと一、八〇〇株の移動がみられたが総数は変化しておらず、一九二二年の蔵内保房の死亡に伴う名義変更によりようやく単独で他系列の出資者に対抗し得る株数（六、七九〇株）となった。その後も元九電鉄系の株数が一部名義変更され一九二五年上期に一万〇、五四八株、一九二六年で一万四、九六八株と、麻生単独で過半数を掌握するに至った。後藤寺電灯系の田川郡出資者は蔵内保房・中村武文の二名（蔵内二、三三〇株・中村二、一〇五株・計四、四三五株）であったが株数拡大は行われず、蔵内株が麻生へと移動したことによりその割合を減少させた。蔵内自体が九産鉄への経営参加に消極的であったことが推測される。また初期経営の中心にいた中村武文も本業は地場の酒造業であり、株式取得を積極的に行えるだけの資金的な余裕を持たなかったことも関係していた。九電鉄系（田中徳次郎・伊丹弥太郎・松永安左衛門）は当初田川郡関係者より多数の株式（田中一、九九四株・伊丹一、八八五株・松永一、九九四株・計五、八七三株）を所有していたが、一九二〇年には三名とも所有株数を減少させており、一九二四年上期には松永所有分と一五〇株が追加で伊丹弥太郎（東邦電力社長）名義に移動しているが、翌年には伊丹も全株式を放棄し九産鉄への出資から手を引いている。田中も同時期に所有株式を手放しており、これにより九電鉄系の出資は完全消滅した。その後一九二六年、田川の中村が一、四〇〇株近くを手放したことで当初の三者（嘉穂銀行、九電鉄、田川郡関係者）共同出資の形態は瓦解し、麻生の積極的な株式取得も加わって実質的に麻生系を中心とする株式所有構造へと変化した。その他については鉄道敷設地域となる田川郡、嘉穂郡の一株株主や、麻生の血縁者らによる数十株の所有者によって構成されており、戦間期における地方鉄道会社の典型的な株主構成であったといえる。もっとも、嘉穂銀行系や麻生関係者の積極的な株式取得もあり設立当初から人数面でも嘉穂郡優位（嘉穂郡五九人、田川郡四〇人、福岡市四二人、その他三二人、計一七三人）であり、田川郡、福岡市も早期に株主数は減少しており麻生の社長就任後の一九二三年には既に半数以上（八六人／一六六人）が嘉穂郡株主となっている。

役員構成は、設立の一九一九年においては取締役社長田中徳次郎、専務取締役中村武文、取締役麻生太吉、伊藤傳右衛門、蔵内保房、監査役伊丹弥太郎、遠入鉄次郎と、九電鉄系、嘉穂銀行系、田川郡関係者の三系列がそれぞれ社長、専務、取締役、監査役を分掌していたが、一九二一年の蔵内の死亡に伴い一九二一年上期よりその欠員を堀三太郎が埋めることとなった。そして、前述したように一九二二年下期に社長の田中と専務の中村が取締役に後退し麻生が社長に、専務に渡辺皐築が就任した。その後元九電鉄関係者の出資引き下げにより田中、伊丹が取締役を退任、その代役に麻生義之介、野田勢次郎ら麻生関係者が就任する。[57] この時点で麻生系による経営の掌握がほぼ完了していた。監査役遠入鉄次郎の取締役への昇格のほか、有田広、野見山幡次郎が監査役に就任し[58]麻生関係者による役員構成が強化されている。

Ⅵ　事業分社化以降の経営動向

九産鉄は一九二九年の金宮鉄道買収後、石灰事業を分離し九州産業として別会社化している（図1参照）。社史では経理の煩雑化を忌避したことが理由とされているが[59]、これには鉄道事業の黒字安定化に伴い石灰事業収益による損失補塡の必要性が低下したこともその一因であろう。

鉄道部門の収益は分社化以降急激な膨張を遂げることとなった。客車収入に関しては分社化以前と大差なく、昭和恐慌期に半期二万円をやや下回るものの概ね三万円弱を安定的に推移しており貨車収入は顕著な進展をみせた。一九三〇年には半期一五万円強を記録し、翌年以降は恐慌のため客車収入同様落ち込みをみせるも一九三二年に恐慌前の水準まで回復を遂げている。八幡製鉄所、旭硝子などへの石灰石販売量は昭和期に入ると拡大をみせたが、金田〜宮床間開通に伴い輸送分に占める九産鉄路線部の割合が上昇したことと、八幡製鉄所運賃割引終了に伴う運賃増加により、量的拡大と輸送費上昇という相乗効果により鉄道収益は急激に拡張した。また、この期間における鉄道補助金は大幅な減額を示しており、収入が低下した一九三一年に増加の傾向を示しつつも基本的には一万円以下を推移し、一九三三年以降は鉄道補助金を不要としている。このように、一九三〇年以降の九産鉄は昭和恐慌期という時期的背景や地方鉄道会社の営業成績不調という国内動向に反し堅実に営業成績を拡大させていった。

石灰部門となる九州産業の販売量はこの時期においても拡大を遂げた。八幡製鉄所への販売量は、昭和恐慌にともなう減産により一九三一年には一時的に年間約一七万トンまで低下するも、一九三三年には年間約二八万トンへと拡大し、旭硝子牧山工場におけるソーダ事業の積極的拡大から同社向け販売量は一九二九年の二万四、二四二トンから一九三三年には一一万二、一五九トンへと急膨張し九産鉄総出荷に占める比重を上昇させた。更に一九三二年より八幡製鉄所、旭硝子、電気化学工業向けの生石灰販売が開始され、昭和期に入り七千トン程度で停滞していた販売量は一九三三年には年間一〇万トンにまで急拡大した。九産鉄は一九二〇年代後半から一九三〇年代において北九州工業地域における石灰資源の主要供給企業としての性質を確立するに至ったといえる。一方、販売量の拡大と対照的に収益は低調であった。これは前述の運賃割引制度終了に伴う輸送費の上昇や、昭和恐慌期における販売単価の切り下げなどがその一因として指摘される。石灰部門の収益低下による利益金減少と、鉄道部門の収益急上昇により両者の収益性は逆転し、鉄道部門の高収益と石灰部門の低収益という、分社化以前とは正反対の構造へと変容した。だが、石灰部門も収益性の低下を示しつつも赤字転落にまでは至らず一九三三年には再度回復傾向を示しており、経営的な低迷は昭和恐慌の影響を受けた一九三二年までの一時期に留まったといえる。九州産業の営業報告書は確認できず、同社の株主構成の詳細は明らかでないが、九産鉄の系列会社であったことから株主構成はほぼ同一であったと考えられる。なお、社史などから確認できる役員は、社長麻生太吉、専務渡辺皐築、取締役伊藤傳右衛門、堀三太郎、中村武文、麻生義之介、遠入鉄次郎、監査役中野昇、野田勢次郎、有田広と[60]、先に指摘した九産鉄と同様であり、麻生系人材マネジメント下で経営が運営されていた。

九産鉄の資金調達は麻生商店、嘉穂銀行など麻生系企業を中心としており外部資金への依存度は低かったが[61]、九州産業（第二次）の資金調達はややその傾向を異にしていた。分社化直後は九産鉄からの資金融通であったが、一九三〇年下期に一八万円分の借入先を三井銀行へと振り替えた。その後、三井からの借入金は減少し、代って日本興業銀行と十七銀行からの新規借入が開始された[62]。九州産業は外部石灰企業として北九州工業地域の各企業への石灰資源供給源となりつつも、需要側産業の人事的影響や資金的介入によらず麻生系による独立的経営を貫徹した。

Ⅶ　おわりに

九産鉄は当初、普通鉄道事業と石灰事業を主体としておらず、地元電灯企業（嘉穂電灯、後藤寺電灯）の昼間電力需要拡大のため計画された電気軌道がその母体となっていた。同計画は福岡県下電力事業の再編もあり嘉穂銀行系（嘉穂電灯系）、九電鉄系、田川郡関係者（後藤寺電灯系）の三者共同出資へと変容したが、結局敷設には至らず計画は頓挫した。その後、電気軌道から普通鉄道へと計画を変更し、またそれと前後して計画の中心となった地元実業家の中村武文が石灰業への参入を試みたこともあり、石灰事業の追加が行われることとなった。このように、もともと電力事業関係者による電軌敷設計画がその母体であったこともあり、九産鉄は従来の在来的石灰業者と資本的にも人的にも関係性が希薄な、新興石灰企業としての形態も有することとなった。

初期経営は石灰製品販売を重視するとともに大規模な石灰工場建設や多角化（大理石や石炭煉瓦の販売）のため積極的な投資を行い、また本業となる鉄道路線の建設費増加も加わり固定資本投下資金は膨大なものとなった。それに加え戦後恐慌による経営不振もあり一九二二年には欠損を計上し、また資金調達の失敗も重なったことから経営陣の交替が行われ、さらに出資者の撤退や株式放棄による相対的な縮小もあり、麻生系を中心とした人的・資金的な経営掌握が進行することとなった。

麻生太吉の社長就任後、従来の石灰製品販売を重視する経営方針から安定的な大口顧客の見込める石灰石販売へと経営方針が転換され、石灰石採掘部門への積極的な機械導入が計画された。同部門における機械化は、鉄道建設工事の鑿岩機転用などもあって結果的に初期における石灰生産設備建設よりも低廉な資金投入によって達成された。石灰事業に関しては、八幡製鉄所、旭硝子など北九州工業地域の主要企業に対する販路が確保されたことから経営的にも安定し、また、九産鉄も北九州工業地域への主要原料供給企業としての立場を確立した。

損益の推移については、鉄道部門はその事業の性質と運賃制度の転換に規定され一九二〇年代前半の赤字基調、一九二〇年代後半の低収益、一九二〇年代後半の高収益と時期ごとに大幅な変動を示したものの、最終的には石灰資源販売の拡大に伴う輸送費分の収入によりその収益性を上昇させることとなった。石灰部門は一九二〇年代後半における一時的な利益率増加を含めほぼ一貫して黒字を計上しており、不況期や恐慌期には収益の低下を見せつつも一九二二年を除けば安定的な収益を達成していた。また、鉄道部門が低収益期の際はそれを補完する役割を果たした。

『麻生太吉日記』における九産鉄関係の記述は、豊筑電気軌道計画や九産鉄設立の時期に当たる第二巻以降に散見される。特に、社長交替以前については中村武文、交替以後は渡辺阜築専務よりの報告が主となり、そのほか伊藤傳右衛門、堀三太郎らとの協調などの記述がみられる。麻生は九産鉄の通常経営に関しては専務に多くを一任しており自身はさほど主体的に業務に関与しておらず、利害調整が必要となった際に伊藤、堀ら他の役員と協調し活動していた。特に、社長交替後の渡辺専務による経営整理が功を奏し安定的な経営を達成していたことがその理由であろうか。第四巻は金宮鉄道敷設と分社化の時期にあたり、一九二八年には金宮鉄道敷設用地買収に関する三菱、明治との交渉、建設現場の視察や、九産鉄との合併、増資などに関する渡辺阜築からの報告が散見される。

石灰業関係として九州水力電気の棚橋琢之助からの電気化学事業起業の提案や[63]、電気化学工業への石灰石山譲渡問題（九産鉄は一九三二年より電気化学工業へと生石灰を納入しているが[64]、一九二九年十一月、当時三井鉱山常務取締役・電気化学工業取締役の牧田環から麻生太吉へ熊本県八代（球磨郡）の石灰石山買収の打診が行われていた[65]。牧田からの打診以後の経過は史料上からは明らかではないが、結果的に売却には至らなかったようである[66]。）などの記述がみられる。これらは九産鉄とは直接的な関係を持たないが、麻生による石灰関係事業への関与という意味において興味深い。

しかし、麻生は九産鉄における石灰事業の多角化に関しては消極的であった。確かに麻生は「産業会社ノ如ク石灰石ヲ以電化工業ヲ起シ石炭営業ノ終リタル時ニ電力ヲ移ス方針ヲ研究スルコト[67]」と、石炭鉱業の衰退を見越した九産鉄の電気化学工業参入を一時は計画していたようであるが、その後九産鉄内において計画の進展はみられなかった。製鉄所、旭硝子向け石灰石販売量の拡大とそれに伴う経営の安定化や、資金調達の困難さなどがその理由として考えられる。電気化学事業より資金的にも技術的にも参入の容易なセメント業であっても、前述の如く業界内における競争の激しさから敬遠しており、役員交代前の中村専務からの提案も却下している。結果的に、戦間期において九産鉄は北九州工業地域への原料供給企業としての位置を保持し続けたといえる。セメント業参入により多角化が達成されたのは、奇しくも太吉の死による世代交代と相前後した一九三四年であった[68]。

（都留慎司　九州大学大学院地球社会統合科学府地球社会統合科学専攻博士後期課程）

注

（1） 泉彦蔵『麻生太吉伝』麻生太吉伝刊行会、一九三四年、三七六、三七七頁

（2） 森川英正『日本財閥経営史　地方財閥』日本経済新聞社、一九八五年

（3） 新鞍拓生『筑豊鉱業主麻生太吉の企業家史』裏山書房、二〇一〇年、第三章第四節「筑豊石炭業黄金期の企業者活動（明治末～大正中期）」八一九、八二〇頁、第三章第五節第一項「石炭の枯渇を見据えた株式所有と企業者活動――石灰石関連企業――」八四四～八五二頁。

（4） このことに関しては、中村宇一郎と執筆者の永末十四雄が共に田川郷土史研究会に所属しており、史料や情報の便宜が図られたものと推測される。

（5） 九州大学附属図書館記録資料館産業経済資料部門寄託。

（6） 後述するが、九州産業は鉄道事業開始以前の一九一七年に設立されたもの（一九一九年、九産鉄設立時に合併）と、一九二九年、金宮鉄道買収後の石灰事業分社化によって設立された企業（一九三三年、産業セメント鉄道設立時に合併）がある。便宜上前者を第一次、後者を第二次と区分した（図1参照）。

（7） 「麻生家文書」宇。

（8） 「特許状」「豊州電気軌道　豊筑電気軌道　巻一」鉄道省文書、以下、「豊筑電気軌道」と略称、鉄道博物館所蔵。

（9） 福岡県田川郡後藤寺町大字奈良周辺への電気供給を目的とし設立された。代表者は蔵内保房で、一九〇七年六月十七日営業許可、翌〇八年十一月十四日営業開始。一九一二年七月時点での役員は取締役社長蔵内保房、常務取締役久良知重治、取締役渡辺袈裟六、久良知重彦、広畠寿夫、中村武文、監査役住野市松、田生正次、森注連太郎となっており、地元関係者が中心であった。その後、九州電灯鉄道との事業提携により取締役に山口恒太郎、松永安左衛門、田中徳次郎、監査役に伊丹弥太郎がそれぞれ就任する。一九一三年十月六日、九電鉄系電灯会社の統合のため臨時総会にて金田電灯株式会社（田川郡神田村大字金田への電気供給を目的として一九一〇年に設立された。一九一三年上半期、取締役に田中徳次郎が、監査役に松永安左ヱ門がそれぞれ補欠選任されている）の譲受が決定され、同年十一月二十日、同社を譲り受けた。

喜多恵・荻野喜弘「電気事業の発展と電力圏の形勢」『福岡県史　通史編近代　産業経済（二）』福岡県史編纂委員会、福岡県、二〇〇〇年、八三五頁。

（10） 路線は後藤寺町大字奈良より庄内村仁保を経て飯塚町大字飯塚字豊後町へと至る計画であり、後の九州産業鉄道計画時の路線と比較すればやや北寄りの経路であった。「豊筑電気軌道線路平面図」前掲「豊筑電気軌道」。

（11） 「命令書」前掲「豊筑電気軌道」。

（12）和久田康雄「第一次世界大戦以後の鉄道」野田正穂・原田勝正・青木栄一・老川慶喜『日本の鉄道――成立と展開――』日本経済評論社、一九八六年、一九七頁。
（13）「豊筑電気軌道株式会社発起人」前掲「豊筑電気軌道」。
（14）「委任状」前掲「豊筑電気軌道」。
（15）前掲新鞍、八一九頁。
（16）「発起人加名願」前掲「豊筑電気軌道」。
（17）前掲喜多・荻野、八三五頁。
（18）「特許状及命令書返納ノ件」前掲「豊筑電気軌道」。
（19）名称に軽便鉄道とあるが、実際は鉄道院線と同規格の軌間一、〇六七ミリメートルを採用しており、あくまで軽便鉄道法に準拠したための名称であった。
（20）「軽便鉄道敷設特許申請書」「産業セメント鉄道（元九州産業鉄道）巻一」鉄道省文書、以下、「九州産業鉄道」巻一と略称、鉄道博物館所蔵
（21）鎮西軽便鉄道は、豊筑電気軌道計画時に近い後藤寺駅～そそめき峠（烏尾峠ヵ）～芳雄駅のルートであったが、筑豊軽便鉄道は飯塚～稲築村岩崎～口ノ春～入水峠～後藤寺駅の計画であった（図1参照）。「鎮西筑豊軽便鉄道出願線視察報告書」「九州産業鉄道」巻一。
（22）「筑豊軽便鉄道敷設許可申請名義削除願」「九州産業鉄道」巻一。
（23）その結果、鎮西軽便鉄道は筑豊軽便鉄道側に近いルートへと計画を変更した。「軽便鉄道敷設特許再申請書」「九州産業鉄道」巻一。
（24）敷設費用に関しては、筑豊軽便鉄道九二万八、八九七円、鎮西軽便鉄道九五万二、九三七円であったが、貨物輸送量は一マイル当たりそれぞれ二七・四六八トン、四九・〇七六トンと一・八倍もの開きがあり、純益において両者は一万四、四五八円、二万三、七二八円と二万円近くの差が見込まれていた。「鎮西筑豊軽便鉄道出願線視察報告」「九州産業鉄道」巻一。
（25）「筑豊軽便鉄道敷設許可申請名義削除願」「九州産業鉄道」巻一。
（26）福岡と筑豊の連絡を目的として計画された地方鉄道会社。石炭積出港築港計画の博多湾築港事業と連携する形で、篠栗より三郡山地八木山峠を越え飯塚（後に長尾へと変更）への路線建設を計画。一九一四年に免許状が下付されるも、一九一九年の博多湾築港工事中断及び事業変更に伴い敷設を断念。一九二四年十二月免許失効。喜多恵「大分鉄道の経営計画についての一考察――博多湾築港との関連にみる――」『福岡大学大学院論集』一九八七年、一九巻一号。

(27) 創立趣意書によると、「長尾駅ヨリ嘉穂郡稲築村、熊田村及田川郡猪位金村、川嵜村ノ炭田地方ヲ経由シテ後藤寺町」に至る計画であったため、九産鉄予定路線と比較すると南方を経由する路線計画となっていた。「大分軽便鉄道株式会社創立趣意書案附記」『資料　博多湾築港史』坂本敏彦編、博多港振興協会、一九七二年、九一頁。

(28) この影響からか、一九一九年十二月には鴨生~豆田間の延長線敷設計画が浮上している。「鴨生豆田間延長線敷設免許ノ件」「産業セメント鉄道（元九州産業鉄道）巻二」鉄道省文書、以下、「九州産業鉄道」巻二と略称、鉄道博物館所蔵。

(29) 前掲『田川市史』中巻、六七三頁。

(30) 中村武文発（年未詳）十月十二日付麻生太吉宛書簡「麻生家文書－書簡T 八－七五」。

(31) 前掲『田川市史』六七三頁。

(32) 中村武文発（年未詳）十一月三日付麻生太吉宛書簡「麻生家文書－書簡T 六－八一七」。

(33) 中村武文発（年未詳）十二月十四日付麻生太吉宛書簡「麻生家文書－書簡T 六－八七一」。

(34) 新聞上の決算広告においては麻生は監査役ではなく相談役となっており、また同じく相談役に松永安左衛門が名を連ねていたが、嘉穂銀行、九電鉄、田川郡関係者の役員構成であることに変化はない。『福岡日日新聞』一九一七年七月一日。

(35) 各期営業報告書を参照。

(36) 本社は当初田川郡後藤寺町大字奈良であったが、一九二二年の石灰工場完成後は船尾山麓の大字弓削田へと移転。『沿革史』一頁。

(37) 九州産業鉄道『営業報告書』第一回（一九一九年下期）。

(38) 『麻生太吉日記』第二巻、麻生太吉日記編纂委員会編、九州大学出版会、二〇一二年、大正十年九月十五日条、三四四頁。

(39) 前掲『沿革史』二頁。

(40) 前掲『営業報告書』第一回（一九一九年下期）。

(41) 中村武文発（年未詳）五月三日付麻生太吉宛書簡「麻生家文書－書簡T 一一－四二二」。

(42) 中村武文発（年未詳）八月七日付麻生太吉宛書簡「麻生家文書－書簡T 一一－六六三」。

(43) 前掲新鞍　八四四頁。

(44) 中村武文発（年未詳）九月十九日付麻生太吉宛書簡「麻生家文書－書簡T 一一－七〇九」。

(45) 前掲『麻生百年史』三九三頁。

(46) 前掲『麻生百年史』三九三頁。

(47) 前掲『沿革史』三頁。

(48) 鉄道路線は当初は後藤寺〜飯塚を計画していたが、田川側の起点が後藤寺駅周辺の用地買収の困難さから一九一九年十月には後藤寺駅最寄の起行へと変更され、飯塚側も一九二二年九月に芳雄から長尾(現、桂川)、一九二五年六月に赤坂(現、下鴨生)と数度変更されている。長尾への変更は筑豊線の冷水峠越えルート(長原線)の延長計画や大分鉄道と関連したものであろうが、敷設費用節減のため最終的には赤坂へと短縮されている(図4参照)。「起業目論見書記載事項中線路及事業資金総額変更ノ件」、「起行起点二哩零鎖同起点四哩六鎖間工事施工ノ件」「九州産業鉄道」巻二。

(49) 前掲『麻生百年史』三八九頁。

(50) 前掲『麻生百年史』三九〇頁。

(51) 前掲『田川市史』六七七頁。

(52) ほか旭電化尾久工場や日本曹達二本木工場への販売も行われ、旭電化へは一時期使用量の三分の一を占めるにまで至ったが、これら遠方への販売は高知・栃木など他地域から流入する石灰との競争となり、販売先は最終的に近隣へと収斂することとなった。

(53) 前掲『沿革史』九頁。

(54) 庄司務『日本曹達工業史』曹達晒粉同業会、一九三一年、一九九頁。

(55) 前掲『沿革史』七頁。

(56) 一九二六年下期・一九二七年の収益低下に関しては、石灰石輸送の運賃割引分による相対的な鉄道収益減少の可能性も考えられるが、割引額が不明のためここでは推測に留める。

(57) 前掲『営業報告書』第十三回(一九二五年下期)。

(58) 前掲『営業報告書』第二十回(一九二九年上期)・産業セメント鉄道『営業報告書』第二十九回(一九三三年下期)。

(59) 前掲『沿革史』七頁。

(60) 前掲『沿革史』一二頁、他、『銀行会社要録』各年を参照した。

(61) 前掲新鞍、八四九頁。

(62) 「総勘定元帳」〔昭和八年〕「麻生家文書―九州産業―(三)―四五」。

(63) 前掲『麻生太吉日記』第二巻、一九二三年十一月十三日、六五頁。

(64) 一九二一年十二月より、麻生は九産鉄における企業活動とは別個に熊本県球磨・葦北両郡に跨る石灰石山の買収を行い、一九二二年七月に白石、神瀬、一勝地三村二五〇町歩分の原石山を取得していた。前掲『麻生太吉伝』三七七、三七八頁・「麻生家文書―書簡―T一一―一三三、一五四、一七三、二八七、三一五、五三九」。

しかし、この石灰石山は内陸部のため開発に難があったか、あるいは買収自体が不完全に終わったためか石灰石採掘には着手されていない。

（65）『麻生太吉日記』第四巻、麻生太吉日記編纂委員会編、九州大学出版会、二〇一四年、一九二九年十一月二十九日、一九九頁、昭和四年十一月十三日付牧田環発麻生太吉宛書簡「麻生家文書－書簡－S四－九六六」。

（66）この球磨地区の鉱区は、その後九産鉄の後継会社となる産業セメント鉄道の所有となっており、戦後一九六五年に日本セメントへ売却されている。『日本セメント百年史』社史編纂委員会、日本セメント株式会社、一九八三年、三四八頁。

（67）『麻生太吉日記』第三巻、麻生太吉日記編纂委員会編、九州大学出版会、二〇一三年、一九二三年十月七日、五二頁。

（68）一九三三年、事務上の煩雑さの解消とセメント業参入を目的とし、九産鉄と九州産業は再合併し社名を産業セメント鉄道と改称している（図１参照）。

麻生《あそう》太吉《たきち》日記《にっき》 第四巻

2014年12月29日 初版発行

編 者 麻生太吉日記編纂委員会

発行者 五十川 直行

発行所 一般財団法人 九州大学出版会
〒812-0053 福岡市東区箱崎7-1-146
九州大学構内
電話 092-641-0515(直通)
URL http://kup.or.jp/
印刷 城島印刷株式会社
製本 篠原製本株式会社

ISBN 978-4-7985-0140-6